Do mo bhean, Marion, agus do mo chlann,
Deirdre, Cathal agus Órfhlaith.

An Chéad Eagrán 2013
© Colm Mac Confhaola 2013

ISBN 0 898332 87 2

Clóchur, dearadh agus pictiúr clúdaigh: Caomhán Ó Scolaí
Clódóireacht: Clódóirí Lurgan

Foras na Gaeilge

Tugann Foras na Gaeilge
tacaíocht airgid do Leabhar Breac

Tugann an Chomhairle Ealaíon
tacaíocht airgid do Leabhar Breac

Leabhar Breac, Indreabhán, Co. na Gaillimhe.
www.leabharbreac.com

smacht

Colm Mac Confhaola

LEABHAR
BREAC

*Níl aon aithris sa leabhar seo ar
aon duine beo nó marbh.*

1

Bhí an oíche caite ag Rós de Barra ag tabhairt aire do leanaí. Thiomáin fear an tí abhaile í. Bhí barúil aici go raibh braon istigh aige. D'fhág sé í ag geata a tí agus chas sé an carr. A luaithe is a d'oscail sí an doras tháinig néal deataigh amach chuici. Las sí an solas. Bhí deatach dubh ag stealladh amach chuici ón seomra suite. Ghlaoigh sí in ard a gutha ach níor fhreagair éinne í. Rith sí amach ar an tsráid. Bhí an carr ag imeacht. Thosaigh sí ag béicíl is ag luascadh a lámh tríd an aer ag iarraidh aird an tiománaí a tharraingt uirthi. D'imigh sé leis de ruathar amach ar an mbóthar mór. D'fhill sí ar an teach. Bhí an halla agus an staighre in aon bhladhm mhór lasrach. Rug sí ar a teileafón póca le glaoch ar an mbriogáid dóiteáin ach thuig sí láithreach gur ghá beart a dhéanamh ar an toirt. Isteach léi sa ghairdín tosaigh agus chaith sí clocha trí na fuinneoga thuas staighre.

'Cad sa foc atá ort, a focin óinseach?' arsa Joe, a hathair, amach an fhuinneog bhriste.

'Tá an teach trí thine! Beir ar na cailíní agus na buachaillí, agus léimigí amach an fhuinneog!' ar sise de bhéic is chuir sí cloch eile trí fhuinneog na mbuachaillí. D'oscail a hathair doras a sheomra codlata. Ba bheag nár shlog na lasracha é.

Dhún sé de phreab é. Bhuail sé balla sheomra na mbuachaillí sular dhreap sé féin agus a bhean Mary amach an fhuinneog ag fógairt in ard a ghutha go raibh an teach trí thine. Dhreap na buachaillí amach a bhfuinneog freisin. Bhí seomra Rós ar chúl an tí. Chonaic sí nach raibh na cailíní beaga ag a hathair. Shamhlaigh sí iad, uafás orthu agus na lasracha beo mórthimpeall orthu. Thosaigh sí ag cnagadh ar dhoras an tí béal dorais.

'Tá an teach trí thine agus na cailíní istigh ann!'

Bhí Mary agus Joe ag béicíl in ard a ngutha freisin. Bhí na comharsana ag féachaint amach na fuinneoga. Bhí an tine ag pléascadh is ag búiríl agus lasracha móra ag léim amach an doras tosaigh. Tháinig na comharsana ag rith chucu ina gcultacha oíche.

'Tá na cailíní beaga sa seomra codlata ar chúl an tí!' arsa Rós. Bhí sí beagnach as a ciall le scanradh. Isteach leo sa teach béal dorais agus amach sa ghairdín. Fuair fear dréimire, suas leis agus rinne sé a dhícheall an fhuinneog a oscailt. Chonaic Rós go raibh na cuirtíní agus an seomra trí thine.

'Tabhair dom casúr nó rud éigin!' arsa an fear. Shín duine spád suas chuige. Ní túisce a bhris sé an ghloine ná léim bladhm mhór amach chuige. Chuir sé a lámh isteach chun an glas a bhaint den fhuinneog agus é ag glaoch ar na cailíní teacht chuige. Léim bladhm mhór eile chuige a dhóigh a lámh agus a chuir a chuid gruaige ar lasadh. Thit sé den dréimire is bhí an t-ádh leis nár scoilt sé a cheann ar choincréit an chlóis.

Bhí Mary ag scréachaíl. D'iarr Joe ar dhuine de na comharsana a chóta a thabhairt dó. Chuir sé thar a cheann mar chosaint é agus dhreap sé in airde. Bhí sé fánach aige. Bhí na lasracha ag búiríl is bhí an teach go léir ina spóirseach thine.

Bhí díon an tí ag titim isteach faoin am ar tháinig an

bhriogáid dóiteáin. Níor fhéad siad aon rud a dhéanamh ach scairdeanna uisce a stealladh isteach na fuinneoga go dtí gur tháinig maolú ar fhraoch na lasracha. Bhí sé an-déanach nuair a d'éirigh leo an dá chorpán bheaga dhubha a iompar amach. Tógadh go dtí an t-ospidéal iad le scrúdú iarbháis a dhéanamh orthu.

Chuir fear teach soghluaiste ar fáil dóibh. Chuidigh an Roinn Coimirce Sóisialaí agus na heagraíochtaí carthanachta leo. Scrúdaíodh an teach. Ba é tuairim na saineolaithe gur thosaigh an tine sa tolg a bhí os comhair na teilifíse sa seomra suite.

'Toitíní damanta mo mháthar,' arsa Rós léi féin ach ní dúirt sí tada os ard.

Bhí an séipéal lán agus an dá chónra bheaga bhána á seoladh síos an pasáiste. Bhí gach éinne ag croitheadh lámh lena máthair agus lena hathair agus ag rá go raibh trua an domhain acu dóibh, is ag fiafraí an bhféadfaidís cabhrú leo, ach mheas Rós gur chuma leo fúithi féin agus faoina beirt deartháireacha a raibh a gcroí chomh dubh le fraitheacha briste gualaithe an tí. Mar bharr ar gach donas bhí lucht na teilifíse ag brú isteach orthu sa reilig ag iarraidh radharc maith a fháil orthu.

Ba ghruama an dream iad nuair a d'fhill siad ar an teach soghluaiste. Tháinig fear ón gComhairle Contae is dúirt sé go raibh súil aige go bhféadfaidís iad a aistriú go teach nua san eastát céanna gan mhoill.

'Ní fhéadfainn dul ar ais go dtí an t-eastát sin,' arsa Joe. 'Bhrisfeadh sé ár gcroí ar fad.'

Thacaigh Mary leis.

'Tuigim bhur gcás,' arsa an fear. 'Déanfaidh mé mo mhíle dícheall teach a fháil daoibh i mbaile éigin eile.'

Chuir sé glaoch ar Áras an Chontae. D'fhill sé leis an scéal go raibh teach deas le fáil ar an taobh thall den chontae.

'Tá trí sheomra codlata ann. Tá sé péinteáilte go deas agus bail mhaith ar gach aon rud.'

Tráthnóna gruama Déardaoin a bhí ann. Bhí an tAthair Langton-Fisher díreach tagtha abhaile ó Phobalscoil na Sionainne áit a raibh sé ina shéiplíneach. An tAthair Plankton a thugadh na daltaí air. Ní túisce a raibh an cupán tae ullamh aige agus é á ardú lena ól ná thosaigh an teileafón ag bualadh. Duine a bhí ag obair sna seirbhísí sóisialta a bhí ag glaoch. 'Is dócha gur chuala tú faoi mhuintir de Barra agus an dóiteán,' ar sise. 'Bhuel, tá siad ag aistriú leo go hEastát Radharc na hAbhann. B'fhéidir gur mhaith leat cuairt a thabhairt orthu. Tá faitíos orm gur teaghlach mífheidhmiúil iad.'

'Cé chomh mífheidhmiúil is atá siad?'

'Mífheidhmiúil go leor ach ní baol iad do dhream ar bith eile ach dóibh féin. Tá cúnamh á fháil acu ach is í an cailín is sine, Rós, a thugann aire dóibh. Níor oibrigh an t-athair riamh lena shaol agus ní féidir leis an máthair mórán a dhéanamh seachas toitíní a chaitheamh. Beidh ar na gasúir aistriú go scoileanna sa chomharsanacht. B'fhéidir go bhféadfá na múinteoirí a chur ar an eolas.'

Gheall sé go ndéanfadh sé é sin. D'fhéach sé air féin sa scáthán sular imigh sé amach agus rinne sé deimhin de nach raibh na ribí ag imeacht ar strae. Mura raibh mórán gruaige aige bhí sé cúramach faoina raibh fágtha. Bhí cloigeann mór air, srón fiolair agus éadan bog bándearg. Bhí délionsaí a raibh frámaí órga orthu á gcaitheamh aige agus bhí croiméal agus meigeall néata bán air. Shuigh sé isteach ina charr agus chas sé an eochair. Thosaigh an t-inneall. Chuir sé siansa le Beethoven ar siúl. Carr mór nua compordach a bhí aige. Bhí torann an innill agus na rothaí mar a bheadh dordán bog i bhfad uaidh. Chuala sé gach nóta go soiléir.

'Bail ó Dhia ort. Is mise an tAthair Langton-Fisher. Chaithfeadh sé gur tusa Rós,' ar seisean ina shainghuth dordánach nuair a d'oscail Rós an doras. Chonaic sé láithreach go raibh sí dathúil, glan, slachtmhar, gruaig fhada fhionn uirthi, snua álainn na hóige ina leicne agus gan smideadh ar bith uirthi.

'Is deas bualadh leat. Cén chaoi a bhfuil tú ar chor ar bith?' ar seisean agus d'fháisc sé a lámh go teann. Thuig sé a thábhachtaí is a bhí sé lámh a chroitheadh le daoine, agus bhíodh focal feiliúnach ar bharr a ghoib aige i gcónaí. Mhothaigh sí go raibh a lámh an-bhog. Mheas sí gur dhuine cneasta é. Bhí t-léine agus jíons á gcaitheamh aici a bhí fáiscthe go teann uirthi. Shamhlaigh sé go gcuirfeadh sí gliondar ar an té a bhainfeadh na héadaí di agus a shínfeadh siar sa leaba léi.

'Is leor é sin, a Sheáin!' ar seisean leis féin agus chuir sé an smaoineamh uaidh. Sheol sí isteach é.

'Cén fáth ar cheadaigh Dia a leithéid dár gcailíní beaga áille?' arsa Mary nuair a chonaic sí é agus phléasc sí amach ag gol. 'Cén fáth ar thóg sé mo bheirt chailíní beaga áille uaim?'

Straille mhór mheánaosta a bhí inti, gruaig liath uirthi agus éadan mór dearg.

'Thóg sé iad toisc gur fhág tú ceann de do thoitíní bréana ar lasadh ar an tolg,' arsa Rós faoina fiacla agus í ag breathnú an treo eile.

Labhair an sagart leo ar feadh tamaill fhada agus chuir sé a lán ceisteanna orthu. Duine fiosrach a bhí ann ó dhúchas, agus lena chois sin thuig sé go dtugadh sé sólás do dhaoine go minic nuair a chuireadh sé spéis ina scéalta. Nuair a bhí deireadh ráite acu dúirt sé go dtabharfadh sé na gasúir ar scoil ar an Luan. Ghabh siad buíochas leis. Thiomáin sé abhaile agus ceol Beethoven á thionlacan.

'*One day at a time sweet Jesus*,' ar seisean agus é ag dul thar an teach tábhairne, '*that's all I'm asking of you*,' agus lean sé ar aghaidh go dtí a theach féin. Bhí an cathú imithe — ar feadh tamaill ar aon nós. 'Ó a Thiarna Uilechumhachtaigh Mhóir, fóir ormsa atá faonlag dearóil,' ar seisean agus é ag páirceáil an chairr. D'oscail sé doras mór tosaigh a thí agus isteach leis. D'airigh sé an macalla folamh uaigneach a bhain an doras as an halla mór nuair a dhún sé é.

Suas leis go dtí an leithreas. Bhí an chosúlacht ar Rós go níodh sí í féin go maith ach is ag Dia amháin a bhí a fhios cathain a níodh an chuid eile den teaghlach a lámha. Bhí a dhualgas Críostaí déanta aige ag croitheadh lámh leo ach níorbh aon chuid den dualgas sin galar nó galrú a fhulaingt de bharr a chuid iarrachtaí. Nigh sé a lámha go maith sular ghlaoigh sé ar a chompánach an Dr Huntington le socrú a dhéanamh bualadh le chéile in óstán tráthnóna Dé Luain. Duine éirimiúil, tuisceanach, cneasta ab ea an Dochtúir a thaitin go mór leis an sagart.

Chuir Cumann Naomh Uinseann de Pól troscán agus trealamh tí ar fáil don teaghlach agus socraíodh go rachaidís go dtí an baile mór an lá dar gcionn le héadaí agus gach rud a bheadh ag teastáil uathu a cheannach. Thóg mionbhus ann iad agus bhí Rós in ann a rogha éadaí a cheannach di féin don chéad uair riamh.

'Ceannaigh na rudaí is daoire,' arsa Joe i gcogar le Rós. 'Ní bhfaighidh tú an focin seans seo arís.'

Ghlac sí lena chomhairle agus cheannaigh sí seaicéad, gúnaí deasa, jíons, blúsanna, barréidí, foirne deasa éadaí cnis, bróga agus gach rud eile a mheas sí a bhí riachtanach. Ní raibh lá siopadóireachta aici riamh mar é agus chabhraigh sí leis an gcuid eile acu rudaí oiriúnacha a cheannach dóibh féin.

Chuaigh siad ar bord an mhionbhus ach b'éigean don tiománaí stopadh tamall ón mbaile beag toisc go raibh bus scoile stoptha lasmuigh de bhungaló. Bhí grian an tráthnóna ag taitneamh ach ní raibh éinne de na daltaí ar an mbus ag féachaint ar áilleacht na Sionainne ná ar iontas na dúiche. Ní raibh uathu ach dul abhaile. D'ardaigh Cormac Ó Briain a mhála scoile agus sheas sé suas. Buachaill dathúil ceithre bliana déag d'aois a bhí ann.

'Focáil leat abhaile! Níl piteoga uainn anseo!' arsa buachaill de bhéic ó chúl an bhus. Lig scata daltaí béic gháire astu. Lig Cormac air nár chuala sé tada agus d'fhág sé an bus. Chonaic Rós go raibh dealramh buartha ar a éadan agus é ag féachaint i dtreo a thí. Ní raibh a fhios aici go raibh sé ag féachaint an treo sin chun nach bhfeicfeadh sé an triúr buachaillí ar chúl a bhus ag tabhairt comharthaí na méar dó. Isteach an geata leis agus suas go dtí an teach. Bhí a mháthair sa chistin roimhe.

'Bhuel, a Chormaic, an raibh lá deas ar scoil agat?' ar sise agus í ag ligean uirthi nach raibh imní ar bith uirthi.

'Bhí!' arsa Cormac agus fiú dá mbeadh a bheo ag brath air ní inseodh sé di gur thug sé na fadhbanna céanna leis nuair a d'aistrigh sé go dtí a scoil nua. Bhí barúil aici nach raibh sé ag insint iomlán na fírinne. Chuaigh sé go dtí a sheomra. Bhí uisceadán aige ann. D'fhéach na héisc órga air agus sceitimíní orthu agus iad ag súil le brus bia uaidh ach ní dheachaigh sé ina dtreo. Chonaic siad é ag caitheamh a mhála ar an urlár. Níor thuig siad go raibh a aigne ina chíor thuathail. Ba ghráin leis na leasainmneacha a mbíodh na dailtíní ar an mbus á dtabhairt air. Ba ghráin leis formhór na mbuachaillí a raibh aithne aige orthu. Chuiridís siad samhnas air leis na béasa garbha agus an chaint bhrocach a bhíodh acu. Bhíodh sé níos compordaí i measc na gcailíní, bíodh is nár mhothaigh sé é féin á mhealladh chuig duine ar bith acu.

'A Dhia, ná lig dom bheith aerach!' ar seisean. B'in rud a chuirfeadh uamhan ar a chroí. Stán na héisc órga air ach níor thuig siad go raibh sé ag briseadh a chroí ag gol. Nuair a chuaigh sé síos an staighre ar ball chonaic a mháthair rian dearg ar a shúile agus mhéadaigh an t-imní a bhí uirthi. Labhair sí lena fear céile, Gearóid, faoi ar ball.

'Ara, cá bhfios dúinn nár thit sé agus é ag imirt cispheile?' ar seisean. 'Is maith an scéalaí an aimsir. Feicfimid.'

Ní raibh a mháthair sásta. 'Bhí cuma an-bhuartha air agus rian na ndeor ar a shúile.'

'Is iomaí craiceann a chuireann an óige di agus níor cheart dúinn a bheith ár gcrá féin faoi,' ar seisean ach bhí a sciar féin den imní air faoina mhac.

'A Dhia, cad eile is féidir linn a dhéanamh?' ar sise os íseal agus í ag siúl amach go dtí an chistin.

Thuig Rós gur ghá athruithe móra a dhéanamh agus gurbh é sin an t-am chuige. D'ullmhaigh sí béile don teaghlach agus nuair a bhí sé caite acu d'fhógair sí go raibh sé in am acu socruithe a dhéanamh.

'Cad sa foc atá i gceist agat?' arsa Joe.

Mhínigh Rós go raibh teach breá faighte acu agus tús nua sa saol. Níor mhian léi go mbeadh sé chomh salach leis an seanteach i gceann míosa. Bheadh ar gach éinne a sciar féin den obair a dhéanamh, agus rud eile, má bhí sise ag dul ag ceannach is ag cócaireacht ba choir go mbeadh an t-airgead ar fáil aici chuige sin.

'Bhuel, nílimse ag dul ag déanamh aon focin obair ban!' arsa Joe. Bhí fonn ar Rós a rá nach raibh sé ag déanamh aon focin obair fear ach oiread. Tar éis beagán argóna tháinig siad ar chomhréiteach. Bhreathnódh Joe i ndiaidh an ghairdín agus an bhruscair. Bhí a fhios ag Rós nach raibh sé ar chumas a máthar mórán a dhéanamh agus roinn sí formhór na hoibre eile idir í féin, Michael agus Patrick.

'Níl sé ar intinn agam a bheith ag iarnáil daoibh,' ar sise. 'Tá gach éinne agaibh sách mór lena dhéanamh.'

'Obair ban é sin,' arsa Joe ach dhiúltaigh sí glan é a dhéanamh.

'Féadfaidh do chuid éadaí nua fanacht gan iarnáil mar sin!' ar sise, 'agus rud eile, tá éadaí breátha againn go léir. Mura gcrochann sibh suas iad san oíche beidh sibh go léir ar nós tincéirí i gceann seachtaine.'

Nuair a bhí deireadh ráite chuaigh Mary agus Joe amach ag ól.

'Maróidh mé an bheirt agaibh má mhilleann sibh an teach seo.' arsa Rós lena dheartháireacha. 'Bhí na cailíní sa chlochar ag rá gur chlann tincéirí muid is go raibh an teach ba bhrocaí sa sráidbhaile againn. Geallaim daoibh go maróidh mé sibh má shalaíonn sibh é, agus rud eile, tá sé ar intinn agam marcanna maithe a fháil sna scrúduithe agus post maith a fháil.'

'Is dócha go mbeidh post agat san ospidéal agus tiúb agat ag féachaint suas tóineanna daoine,' arsa Patrick agus lig sé béic gháire as. Rug Rós greim air agus d'fháisc a chluas go dtí gur lig sé scréach phéine as.

'Múinfidh sé sin ceacht duit agus múinfidh mé tuilleadh ceachtanna duit má mhilleann tú an teach seo nó mura mbíonn sibh ag foghlaim ar scoil.'

'Ní féidir leat iallach a chur orainn a bheith ag foghlaim,' ar seisean agus é ag tabhairt a dúshláin.

'Sin a mheasann tú,' ar sise agus rinne iarracht breith ar chluais arís air ach d'éalaigh sé uaithi ag cur strainceanna air féin agus ag cantaireacht, 'Ní féidir leat! Ní féidir leat! Ní féidir leat iallach a chur orainn!'

Lean sí trasna an tseomra é ach theith sé amach an doras, suas an staighre agus isteach ina sheomra. Chuir sé glas ar an doras agus lean dá chantaireacht, 'Ní féidir leat! Ní féidir leat! Ní féidir leat iallach a chur orainn!'

'Feicfidh tú gur féidir,' ar sise agus chuaigh sí síos an staighre.

Chuaigh sí go dtí an t-ollmhargadh, áit ar chroch sí suas fógra beag:

FEIGHLÍ LEANAÍ IONTAOFA AR FÁIL
DÉAN TEAGMHÁIL LE RÓS

agus chuir sí a seoladh nua faoi. Níorbh fhéidir léi a huimhir theileafóin phóca a chur leis. Scriosadh é oíche an dóiteáin. Nuair a bhí sí sásta lena cuid oibre d'fhill sí abhaile. Chuaigh sí go dtí a seomra, áit ar chaoin sí uisce a chinn. Thit a codladh uirthi ach dhúisigh sí níos déanaí. Bhí Mary ag briseadh a croí ag gol sa seomra taobh léi. Thit a codladh ar Rós tar éis tamaill ach bhí tromluí millteach aici. Shamhlaigh sí go raibh an teach ina spóirseach mhór thine agus a beirt deirfiúracha beaga ag scréachaíl uirthi teacht i gcabhair orthu.

2

Rinne an sagart mar a gheall sé. Bhailigh sé Rós, Michael agus Patrick maidin Luain.

'Rachaimid go dtí an Pobalscoil ar dtús óir is ann a bheidh an bheirt agaibhse i gceann bliana nó dhó,' ar seisean leis na buachaillí. 'Déarfainn gur mhaith libh an áit a fheiceáil.' Ba chuma leis i ndáiríre an bhfeicfeadh siad an áit nó nach bhfeicfeadh ach bhí imní air go bhféadfaí líomhaintí a dhéanamh faoi dá mbeadh Rós ina haonar leis ar an turas. Shuigh siad go léir isteach sa charr. Tháinig uamhan ar Rós nuair a thosaigh sé ag tiomáint. Ní raibh a fhios aici cad a bhí i ndán di sa scoil nua. D'fhéadfadh bulaí eile mar Lee Anne a bheith ag fanacht agus rún aici an croí a scóladh inti faoi mar a tharla sa chlochar.

Bhí oifig na scoile ina chíor thuathail le daoine ag teacht is ag imeacht nuair a chuaigh siad isteach. Bhí scuaine daltaí ina seasamh i líne, geansaí dearg ar gach duine acu, bríste liath ar na buachaillí, sciorta liath nó bríste liath ar na cailíní agus nótaí acu óna dtuismitheoirí. Bhí rúnaí gnóthach ag caint leo agus ag bailiú na nótaí. Bhí bean ag labhairt ar theileafón agus bean eile ag obair go dian ar ríomhaire. Chuaigh an sagart isteach in oifig an phríomhoide. D'fhéach Rós ar na daltaí lena nótaí agus iad ag magadh agus ag gáire agus mheas sí go bhféadfadh bulaí a bheith ina measc. D'fhéach Patrick agus Michael timpeall na hoifige. Bhí trealamh fótachóipeála taobh le balla amháin. Bhí seilfeanna agus cófraí leis na ballaí eile agus bhí an seomra go léir lán de bhearta agus de bhoscaí agus bhí mangarae de gach sórt ar bhoird, ar sheilfeanna agus ar an talamh. Chonaic Patrick corn mór a raibh dá chluas air ina sheasamh ar cheap plaisteach. Chuaigh sé ag féachaint air. Bhí *Student of the Year* greanta air agus ainmneacha na ndaltaí a bhuaigh é greamaithe den cheap. Thug sé cnag maith dó is tháinig glór toll trom uaidh.

'Cén fáth a ndearna tú é sin?' arsa Rós go teasaí.

'Ba chóir go mbeadh fuaim *duinnnnnng* uaidh mar a dhéanfadh clog,' ar seisean.

'Níl ionat ach focin amadán!' ar sise go teasaí faoina fiacla leis agus thug sé buille eile don chorn. Díreach ar an bpointe sin shiúil an Príomhoide amach óna oifig. Chroith sé lámh leo agus dúirt go raibh brón an domhain air faoin tubaist. Mheas Rós gur dhuine cneasta cóir é. Dúirt an sagart go raibh air an bheirt bhuachaillí a thabhairt chun na bunscoile agus thóg an Príomhoide Rós go seomra na múinteoirí le bualadh le Bean Uí Ghallchóir, a thugadh aire do dhaltaí na dara bliana. D'fhág sé Rós sa dorchla agus chuaigh isteach an doras. D'fhill sé le Bean Uí Ghallchóir.

Chuir sé iad in aithne dá chéile agus d'imigh sé leis.

Bean mhór bheathaithe ab ea Bean Uí Ghallchóir a raibh breis agus an leathchéad slán aici. Bhí gúna agus blús á gcaitheamh aici a raibh bláthanna móra ildaite orthu agus ní fhaca Rós bean riamh a raibh an oiread seodra óir a chaitheamh aici. Bhí méara a lámh ag glioscarnach le fáinní móra a fuair sí mar uacht óna gaolta nó mar bhronntanais óna fear nuair a bhí sé beagnach as a mheabhair le gean di. Lena chois sin bhí cúig shlabhra throma mhaisiúla óir timpeall a muiníl. Shíl Rós go bhféadfadh sí a bheith crosta dá gcuirfí olc uirthi.

'Fáilte romhat,' ar sise is í ag croitheadh lámh léi. 'Tá súil agam go mbeidh tú sona sásta sa scoil seo is go mbeidh a lán lán cairde agat.'

Rinne sí comhbhrón ó chroí léi faoin tragóid agus gheall go ndéanfadh sí a dícheall cabhrú léi socrú síos sa scoil nua. 'Múinteoir Tíreolaíochta agus Béarla mé ó cheart ach beidh mé ag múineadh cúrsa OSSP duit.'

Thosaigh sí ag útamáil lena slabhraí agus chuir sí ceisteanna uirthi faoi na hábhair a raibh staidéar déanta aici orthu go dtí sin.

'Measaim go n-oirfidh rang 2A duit,' ar sise agus thug sí tráthchlár agus leabharliosta di.

'Taispeánfaidh mé duit cén cófra a bheidh agat anois,' agus thóg sí síos an dorchla í go hionad cófraí lucht na dara bliana. 'Duitse an ceann seo. Féadfaidh tú do chuid leabhar agus eile a choinneáil ann,' ar sise agus thug sí glas beag práis di mar bhronntanas.

'Tar chugamsa láithreach má bhíonn aon deacracht agat nó má thosaíonn éinne ag déanamh bulaíochta ort. Ní ghlacfaimid le haon chineál bulaíochta sa scoil seo,' ar sise nuair a bhí gach rud socraithe acu.

Rinne Rós gáire agus gheall go ndéanfadh sí é sin. Ba bheag an chabhair di an gealladh sin faoin mbulaíocht, áfach, mar nár chreid sí go raibh Lee Anne agus a cairde sa chlochar ag déanamh bulaíochta uirthi toisc nach mbídís ag imirt na ndoirne ná na n-ingne uirthi.

'Ealaín atá ar siúl ag lucht na dara bliana ar sise,' agus thug sí go dtí an seomra Ealaíne í. Seomra mór fairsing a bhí ann agus bhí na ballaí clúdaithe le pictiúir ildaite, líníochtaí, peannaireacht agus saothar grafach na ndaltaí. B'álainn na dathanna geala a bhí orthu. Bhí seilfeanna ann freisin agus iad lán de dheilbhíní agus de shaothar potaireachta. Bhí breis agus fiche dalta ina suí ag boird mhóra agus iad ag obair, nó in ainm is a bheith ag obair.

'Seo é an tUasal Ó Domhnaill,' arsa Bean Uí Ghallchóir ag tagairt d'fhear téagartha teann a bhí ina shuí laistiar de bhord ag ceann an tseomra. Bhí sé ag tarraingt ar aois an dá scór. Bhí seaicéad leathair dubh air, jíons seanchaite agus léine ghorm. Bhí a chuid gruaige an-ghearr agus bhí spéaclaí á gcaitheamh aige a raibh frámaí dubha orthu. Shiúil an bheirt acu suas an seomra chuige agus chuir Bean Uí Ghallchóir Rós in aithne dó agus d'imigh sí. Chroith an múinteoir lámh léi agus dúirt go raibh na mic léinn ag cleachtadh peannaireachta. Mhothaigh Rós boladh bréan óna sheaicéad leathair.

'An ndearna tú peannaireacht riamh?'

'Ní dhearna.'

'Tús maith leath na hoibre,' ar seisean. Thug sé peann agus rialóir di agus leathanach ar a raibh cúpla stíl peannaireachta léirithe air agus mhínigh sé conas an obair a dhéanamh go slachtmhar.

'Tá spás thíos ansin,' ar seisean ag síneadh méire i dtreo bhun an tseomra. D'fhéach sé uirthi agus í ag imeacht uaidh. Ba dheas dhea-chumtha an iníon í cinnte.

Bhí an buachaill a chonaic sí ag fágáil an bhus scoile an tseachtain roimhe sin ina shuí taobh leis an stól folamh. Bhí sé dathúil, gruaig dhubh chatach ar a cheann agus aoibh an gháire ar a bhéal.

'Haló! Mise Cormac Ó Briain,' ar seisean léi. Bhí a dhá shúil ar leathadh aige agus stán sé díreach sna súile uirthi. Mheas sí nach bhfaca sí súile chomh dubh ag éinne riamh. Shín sé a lámh dheas ina threo féin.

'De shliocht an Ardrí Brian Bóraimhe mé,' ar seisean. Ansin sheol sé a lámh go grástúil tríd an aer i dtreo an stóil taobh leis faoi mar a bheadh rince bailé ar siúl aige agus dúirt: 'Suigh anseo ar mo láimh dheis agus bí mar bhanríon agam.' D'airigh sí boige aisteach agus cneastacht ina ghlór agus thaitin sé láithreach léi. Gháir sí agus shuigh sí síos taobh leis.

Mhínigh sé go raibh sé ag scríobh amach *Eleanor Rigby* leis na Beatles is go maiseodh sé é le pictiúr de sheanbhean ag cuartú i mbosca bruscair. Mheas Rós go raibh a chuid peannaireachta go hálainn.

Mhínigh an cailín taobh léi go raibh sí ag scríobh amach *Those lazy hazy crazy days of Summer* is go raibh sé ar intinn aici é a mhaisiú le pictiúr di féin is í sínte amach ina leaba luascáin.

'An-an-bhaolach go deo!' arsa Cormac ag síneadh méire go sollúnta ina treo.

'Cén fáth?'

Gháir sé. 'Dá dtitfeadh do chodladh ort is tú sínte ar do thaobh bheadh tú lúbtha ar leataobh ar nós banana nuair a dhúiseofá agus bheadh an riocht sin ort ar feadh do shaoil.'

Phléasc siad amach ag gáire.

Thosaigh Rós ag obair agus chabhraigh Cormac léi na litreacha a tharraingt go cruinn. Chabhraigh sé léi gob an phinn a choinneáil mar ba cheart agus d'fhógair: 'Braitheann sé go hiomlán ar an gcaoi a gcoinníonn tú i do láimh é.'

'Braitheann sé go hiomlán ar an gcaoi a gcoinníonn tú i do láimh é,' arsa buachaill laistiar di. D'fhéach sí timpeall agus chonaic sí buachaill caol cnámhach ag fáil páipéir ó chófra taobh thiar di. Bhí a chloigeann beagnach bearrtha aige ach bhí glib chorcra ag sileadh anuas ar a chlár éadain. Bhí trí fháinne i ngach mala aige. Bhí goiríní ar a éadan, straois mhór ar a bhéal agus súil theaspaigh á caitheamh aige ar Rós.

'Mise Larky. Feicfidh mé thuas ar chúl an ghiomnáisiam thú ag am sosa. Bainfidh tú taitneamh as.'

Thug sí gráin a croí dó láithreach.

'Focáil leat!' ar sise leis faoina fiacla.

'Feicfidh mé thuas ansin thú,' ar seisean agus an strainc chéanna ar a phus.

'Braitheann sé ar an gcaoi a gcoinníonn tú i do láimh é,' ar seisean agus dhoirt sé steall uisce anuas uirthi agus é ag imeacht.

'Sin é Larky Larkin,' arsa Cormac léi. 'Ná bac leis. Níl ann ach cunús!'

Ní raibh airde ná éirim i Larky. Bhí Cormac féin beagnach cúig troithe seacht n-orlaí ar airde agus bíodh go raibh Larky dhá bhliain níos sine ná é bhí sé i bhfad níos ísle. Bhí Cormac féin ar dhuine de na daltaí ab óige sa dara bliain.

Chuaigh an Dónallach timpeall an tseomra ag féachaint ar an obair. Ní mó ná sásta a bhí sé le peannaireacht Larky. Mhol sé dó tosú arís.

'Cad tá cearr leis?' arsa Larky go bagrach. Mhínigh an Dónallach nach raibh na línte comhthreomhar, nach raibh na litreacha déanta i gceart agus go raibh cuid acu ag titim ar dheis agus an chuid eile ag titim ar chlé. 'Tá sé cosúil le gort arbhair i ndiaidh stoirme le Van Gogh.'

D'imigh Larky le breis páipéir a fháil. 'Is do phiteoga an pheannaireacht,' ar seisean nuair a shiúil sé thar Chormac agus Rós arís. 'Ní fheicfear marbh mé á dhéanamh. Obair é sin do phiteoga, lútálaithe agus gandail!'

Shíl Rós go raibh sé níos dúire ná fiú a hathair féin sa bhaile.

'Ní fhéadfá é a dhéanamh fiú dá ndéanfá do mhíle dícheall!'
arsa Cormac.

'Focin líochánaí tóna!' arsa Larky agus d'imigh sé leis.

'Níl ann ach priompallán,' arsa Cormac le Rós. 'Ní mian leis
tada a fhoghlaim — ach is deacair a rá an bhféadfadh sé aon
cheo a fhoghlaim fiú dá mbeadh sé ag obair ó mhaidin go
hoíche,' agus rinne sé leamhgháire.

Ba ghráin le Cormac caint Larky. Chuaigh leasainmneacha
agus caint mar sin go smior ann. Ba chuma le Rós cad a
déarfadh Larky. Thaitin Cormac go mór léi.

Ba ghearr gur tháinig cailín suas chucu — folt casta dubh
go gualainn uirthi, éadan gleoite, súile geala gorma ag spréach-
arnach ina ceann agus béilín beag álainn dearg.

'Hi. Mise Chloe Ryan,' ar sise le Rós. 'Níl maith dá laghad
ionam ó thaobh na healaíne de — ní féidir liom fiú líne
dhíreach a tharraingt — nílim mar Chormac anseo.'

D'fhéach sí ar pheannaireacht Chormaic. 'Tá sé ar fheabhas!'
ar sise. 'Ginias is ea é. Ginias cruthanta, ach ní raibh aon dul as
agamsa ach ealaín a roghnú.'

D'fhéach an Dónallach síos orthu. 'Caithfidh mé imeacht,'
ar sise. 'Beidh mé ag caint leat ar ball.'

Ba léir do Rós gur thaitin Cormac leis na cailíní eile freisin.

Chuaigh an Dónallach timpeall an tseomra arís ag
féachaint ar an obair. Mhol sé, cháin sé, agus chomhairligh sé.
Dúirt sé le Rós go raibh sí ag dul ar aghaidh go breá. Ní mó ná
sásta a bhí sé nuair a tháinig sé ar obair Larky. Ba mheasa fós
a thríú iarracht. D'ordaigh sé dó tosú arís agus an obair a
chríochnú i gceart sa bhaile. D'éirigh Larky agus d'imigh sé
leis ag cnáimhseáil le páipéar a fháil.

'Is do lútálaithe agus piteoga an focin pheannaireacht sin,'
ar seisean nuair a shiúil sé thar Rós agus Cormac agus gheall

sé nach bhfeicfeadh an múinteoir a chuid oibre go deo mar go gcaithfeadh sé an páipéar sa bhosca bruscair ar a bhealach amach.

Buaileadh clog agus bhí chéad rang na maidine thart. Rang dúbailte Ealaíne a bhí acu, áfach.

'Maith go leor!' arsa an Dónallach is d'ordaigh sé do Chloe na pinn a bhailiú. D'fhógair na daltaí nach raibh siad críochnaithe ach dúirt an múinteoir leo go mbeadh siad ag dul go dtí an leabharlann. Bheadh orthu ainmhí nó pearsa éigin a roghnú mar go mbeadh orthu pictiúr, saothar grafach, píosa potaireachta agus leathanach peannaireachta a dhéanamh ar théama a bheadh bunaithe ar an miotaseolaíocht nó ar an stair. Daoine mar Romulus agus Remus a bhí i gceist aige nó ainmhí mar cioclóp nó troll a bhí uaidh. Thaispeáin sé pictiúr Poiséadón, dóibh — gruaig chatach ghearr air agus an solas ag lonrú mar ór ar a dhuail dhorcha. Dúirt sé go mbeadh seachtain acu le téama a roghnú agus na pictiúir go léir a bheadh ag teastáil uathu don tionscadal a bhailiú agus na pleananna a cheapadh. 'Agus, dála an scéil, níl cur síos fada fileata uaim faoi cad atá ar intinn agaibh a dhéanamh. Sceitsí atá uaim. Idir an dá linn féadfaidh sibh pictiúr díbh féin nó de dhuine éigin a tharraingt mar obair bhaile. Thosaigh Larky, agus scata eile ag gearán go mbeidís marbh ag an obair go léir. Ní bhogfadh an múinteoir. 'Tá dhá lá agaibh chun bhur sceitsí a dhéanamh agus seachtain chun na pictiúir a fháil le haghaidh an tionscadail.'

Chuir siad na saothair pheannaireachta isteach i gcófra agus bhog siad leo amach as an seomra. Shiúil Larky thar Chormac agus rinne iarracht sonc dá uillinn a thabhairt dó. Níor éirigh leis. Síos an dorchla leo go dtí gur tháinig siad go dtí an leabharlann. Seomra mór a bhí ann a raibh boird agus cathaoireacha ina lár agus na mílte leabhar ar leabhragáin thart faoi na ballaí. Chuaigh Rós agus Cormac ag féachaint ar leabhar faoi mhiotaseolaíocht na Róimhe.

'Is mian le Cormac pictiúr a tharraingt de shióg,' arsa Larky nuair a tharraing sé leabhar chuige féin.

'Ba chóir duitse ceann a tharraingt de mhíonótár,' arsa Cormac á fhreagairt go teasaí. 'Mar nach bhfuil tú ach leath-dhaonna agus go bhfuil tú ag clúdach na tíre le do chuid bualtraí.'

Thosaigh an múinteoir ag gáire cé nár thuig Larky go róchruinn cad a bhí i gceist.

'Focin piteog!' ar seisean faoina fhiacla.

'Cloigeann pota!' arsa Cormac.

'Focin peata! Focin cigire tóna!' arsa Larky.

Chuala an múinteoir iad agus d'ordaigh sé dóibh éirí as. D'imigh Larky leis. Mhínigh Cormac do Rós gur rugadh Larkin thuas i gcrann is go raibh sé chomh gránna sin gur lig a mháthair scréach aisti nuair a chonaic sí é. Lig sí dó titim go talamh. Bhuail sé a chloigeann ar charraig mhór is ní raibh sé i gceart ón lá sin amach. Thosaigh Rós ag gáire. Mheas Larky go raibh sí ag magadh faoi.

'Agus foc thusa freisin mar leispiach!' ar seisean léi.

Bhí cailín ar an taobh eile den seomra ag tarraingt leabhar chuici agus ag ligean dóibh titim ar an urlár. Cailín teann téagartha a bhí inti a raibh pus dearg agus gruaig rua uirthi.

D'fhiafraigh an múinteoir di cad a bhí ar siúl aici.

'Nach féidir liom féachaint ar leabhar?' ar sise de bhéic trasna an tseomra chuige.

'Rud amháin is ea a bheith á léamh, a Ruth. Rud eile ar fad is ea a bheith á gcaitheamh ar an urlár. Pioc suas iad agus cuir ar ais ar na seilfeanna iad.'

'Pioc suas iad agus cuir ar ais ar na seilfeanna iad!' ar sise ag déanamh scigaithrise air agus thosaigh sí ag canadh *Jingle bells, jingle bells, jingle all the way.*

'An bhfuil tú ag iarraidh aird an ranga a tharraingt ort féin arís, a Ruth?' arsa an múinteoir.

'Nílim! Nílim!' ar sise de bhéic agus lig sí do bheart leabhar titim.

Bhí ag éirí léi olc a chur air. Chuaigh sé chun cainte léi.

'Créatúr bocht truamhéalach eile,' arsa Cormac go heolasach. 'Root Reddy a thugtar uirthi, bíodh is gur Ruth a baisteadh uirthi.'

Ní bhfuair Rós ábhar go leor le dul i mbun oibre ar thionscadal ach dúirt Cormac go raibh a lán leabhar acu sa bhaile agus go bhféadfadh sí féachaint orthu. Gheall sí go rachadh sí chuige an oíche sin.

'Rang Staire an chéad rang eile agus beidh an Hipí againn,' arsa Cormac.

'Ach cén fáth an dtugann sibh an Hipí air?'

'Fan go bhfeicfidh tú.'

D'fhéach an Dónallach síos orthu agus luigh siad isteach ar an obair.

Nuair a bhí an rang ealaíne thart chuaigh siad go dtí an seomra staire. Bhí ballaí an tseomra lán de léarscáileanna agus de phictiúir a léirigh pearsana agus eachtraí móra na staire. Bhí an Hipí féin istigh rompu. Fear meánaosta a bhí ann, é chomh maol le bolgán leictreach agus é ag comhaireamh na mblianta go bhféadfadh sé dul ar pinsean. Bhí malaí troma, croiméal dorcha agus meigeall néata féasóige air. Bhí léine dhearg air agus seaicéad deinime a raibh formhór an datha imithe as. Thug Rós faoi ndeara go raibh cosúlacht áirithe le sonrú idir a chloigeann agus portráid Lenin a bhí ar an mballa, brat mór dearg laistiar de agus é ag gríosú a chuid fear chun gaiscí móra.

Ní amháin go raibh an múinteoir ina hipí tráth ach bhí sé ina shóisialach freisin. Cúrsaí eile a bhí ag déanamh buartha dó an lá sin agus bhí sé gnóthach ag socrú a chuid leabhar ar a bhord.

Shuigh Cormac agus Rós ag ceann an tseomra taobh le cailín teann téagartha a raibh pus uirthi. Ba chailín í a d'fhéadfadh a bheith dathúil murach an phúic a bhíodh go síoraí uirthi. Stíl ghruaige an Mhilléid a bhí uirthi. Ní raibh ach orlach gruaige fágtha ar mhullach a cinn ach bhí gruaig fhada ag titim anuas ar a cluasa agus ar a muineál. Bhí dath dearg curtha aici inti agus stríoca corcairdhearga ag rith tríthi. Cathy ab ainm di agus bhí sé de scéal ag Cormac fúithi ná gur sháigh sí a cuid gruaige isteach i mbuicéad péinte is gur ghearr sí le ciumhaisire gairdín í.

'Hi, Katty, tá dalta nua againn inniu,' ar seisean léi.

'Nach cuma liom sa foc?' ar sise agus í ag útamáil le teileafón póca a bhí i bhfolach aici ina mála scoile.

'Cheap mé go mbeadh spéis agat sa scéal.'

'Yea!' ar sise is ba léir gur chuma léi.

Mhínigh sé i gcogar do Rós gurbh ise Katty an Cat.

'Hi a Mhúinteoir! Tá dalta nua againn inniu,' ar seisean nuair a d'fhéach an múinteoir síos ar na daltaí a bhí ag teacht isteach sa seomra.

Chroith an Hipí lámh le Rós. Dúirt sé go raibh súil aige go dtaitneodh an scoil léi. Bhí coiléar a léine deirge ar oscailt agus thug Rós faoi ndeara go raibh iall leathair aige timpeall a mhuiníl agus dealbh bheag airgid crochta uirthi de rinceoir a raibh sé lámh air. Chuir sé cúpla ceist uirthi faoin gcúrsa a bhí déanta aici go dtí sin. Bhí gort eile treafa aici sa scoil eile ach dúirt Cormac go bhféadfadh sé cabhrú léi.

Diaidh ar ndiaidh tháinig na mic léinn eile agus ag deireadh thiar thall tháinig Larky agus buachaill eile leis a raibh a chloigeann lomtha beagnach go mullach a chinn aige ach bhí an méid gruaige a bhí fágtha ina cholgsheasamh in airde. Thosaigh an Hipí ag tabhairt íde béil dóibh as a bheith déanach arís. Níor bhac siad leis, thug a ndroim dó agus chuaigh go dtí a n-áiteanna ag bun an ranga.

'Sin é Dysfunctional Dick,' arsa Cormac i gcogar le Rós. Lean an Hipí Larky agus Dick agus dúirt go raibh sé ar intinn aige leathanach pionóis a thabhairt dóibh. Rinne siad agóid ina aghaidh agus bhí gach leithscéal acu.

D'fhill an múinteoir ar a bhord agus d'fhógair gur mhian leis polasaithe Hitler a phlé.

D'fhógair Larky go mba togha fir é Hitler.

Chuaigh meangadh gáire thar bhéal an mhúinteora agus dúirt sé gurbh ait leis go mbeadh meas ag lucht na gcloigne bearrtha agus ag nua-naitsithe ar Hitler, agus dá mbeadh Hitler féin beo gurb é an chéad rud a dhéanfadh sé ná iad a chur caol díreach chuig an bhFronta Thoir.

'Dhéanadh sé na naicéirí a ghásáil,' arsa Dysfunctional Dick.

'Is leor sin. Masla ciníoch is ea é sin,' arsa an Hipí. 'Dá bhféadfaí cine faoi leith a thabhairt ar dhaoine a bhfuil sloinnte Éireannacha orthu go léir.'

Thosaigh Cormac ag cogarnaíl le Rós agus dúirt sé gurb é an sainmhíniú a bhí aige ar mhasla ciníoch ná nuair a shínfeadh bean a lámh amach chugat ag iarraidh airgid is í ag rá (chuir sé dronn ar a dhroim agus shín amach a lámh): 'Gabh mo líííscéal, a dhuine úúúúasail, is ón Rúúúmáin dom' — agus a béal lán d'fhiacla óir.

Phléasc sí amach ag gáire. D'ordaigh an múinteoir do Chormac an scéal grinn a insint, rud a rinne sé.

Chuaigh gáire thar bhéal an mhúinteora agus dúirt sé leo an leabhar staire a oscailt.

'Féach! Tá tú ag gáire, a Mhúinteoir! Tá tú ag gáire!' arsa Cormac leis.

'Maith go leor!' ar seisean agus dúirt sé go raibh sé in am acu filleadh ar Hitler.

'Fear maith, cóir ab ea Hitler,' arsa Larky.

'An bhféadfá a insint dúinn cad a tharla nuair a chloígh na Gearmánaigh an Fhrainc?' arsa an Hipí le Katty an Cat a raibh dorn faoina smig aici, agus muc ar gach mala aici.

'Conas a bheadh a fhios agamsa?' ar sise agus í ag tabhairt a dhúshláin.

'Toisc gur chíoramar an scéal sa rang agus go ndúirt mé leat dul siar air mar obair bhaile.'

'Conas a d'fhéadfadh fios a bheith agam go raibh orm é a léamh?'

'Mar go ndúirt mé leat é a scríobh síos sa leabhrán obair bhaile.'

'Bhuel! Níl sé déanta agam! An bhfuil?' ar sise agus fearg agus dúshlán le sonrú i ngach siolla. D'fhéach sí go nimhneach, colgach air.

Dúirt sé léi aiste a scríobh ar an ábhar.

'Ó, in ainm Chríost, tá an stair focin amaideach!' ar sise faoina fiacla agus dúirt sí nach scríobhfadh sí oiread agus focin líne amháin. Chuala an Hipí í agus dúirt sé go dtabharfadh sé cárta dearg di.

'Cad chuige? Tá tú ag tabhairt cárta dheirg dom gan fáth ar bith!' ar sise agus thosaigh sí ag gearán go raibh sé ag tromaíocht uirthi.

D'fhógair an múinteoir go raibh sé á thabhairt di toisc a shotalaí is a bhí sí. D'ionsaigh sí go lasánta é ag scréachaíl go raibh sé ag tromaíocht uirthi gan ábhar.

'Tar liom suas chun na hoifige!' ar seisean. Shiúil Katty go dúshlánach amach roimhe — a cheann go hard san aer agus cuma stuacach ar a pus.

'Cad atá uirthi?' arsa Rós, agus chuala sí Larky ag fógairt go garbh graosta go raibh an tráth sin den mhí ag cur as di.

'A Íosa, ach tá seisean gránna,' ar sise.

'Ní haon scéal nua é sin.' arsa Cormac. 'Ach fan amach ó Katty. Bantíogar a bhíodh inti i saol roimhe seo agus í ag ithe daoine beo beathach. Sin é an fáth ar baisteadh Katty uirthi nuair a bhí sí óg.'

Gháir Rós.

'Cad é an rinceoir beag sin atá ag an Hipí ar crochadh faoina mhuineál — an ceann a bhfuil na sé lámh uirthi.'

'Ó, sin aisling atá aige — ba bhreá leis a bheith ina andúileach gnéis agus lámha aige gach áit,' ar seisean agus é ag gáire.

Gháir Rós freisin, agus mhínigh sé di go raibh sé aige ón am a bhí sé ina hipí. 'Thaispeáin sé pictiúr dúinn a tógadh de ag an am — bhí folt mór go gualainn air agus féasóg beagnach go hucht air — shílfeadh duine gur ghoraille mór a bhí ann, agus é chomh gioblach le tincéir.'

Lig Rós béic gáire aisti arís.

Níor thuig siad gur chaith an Hipí an dealbh sin agus an coiléar oscailte mar agóid in aghaidh shaol an rachmais.

D'fhill an Hipí ina aonar i gceann tamaillín agus cuma shásta ar a bhéal. Ba léir gur éirigh leis trioblóid a chothú do Katty. Chuir sé ceist ar Chormac faoinar tharla nuair a bhí an Fhrainc treascartha.

Bhí an freagra ar bharr a ghoib aige. 'D'ionsaigh Luftwaffe na Gearmáine an Bhreatain ach theip orthu ceannas na spéire a fháil. Bheartaigh Hitler ionradh a dhéanamh ar an Rúis.'

Mhol an Hipí é.

Dúirt duine de na daltaí gur chuala sé go raibh galar intinne

éigin ar Hitler — 'Measaim go dtosaíonn sé leis an litir O.
Níor chuimhin leis an Hipí aon ghalar den sórt a bheith air.
'B'fhéidir gur *autism* atá i gceist agat,' ar seisean.
'Sea. Sin é é.'
Chuaigh meangadh gáire thar bhéal an Hipí. 'Tosaíonn *autism* leis an litir A.'
'Á, bhuel. Tá a fhios agat. Tá siad go léir mar a chéile.'
'An bhfuil tú ag iarraidh a rá go raibh an galar *oatism* air — andúil i gcoirce!' arsa an Hipí is thosaigh sé ag gáire. 'Mhíneodh sé sin an chaoi a ndearna sé ionradh ar an Aontas Sóibhéideach — ba mhian leis goirt mhóra choirce na hÚcráine a ghabháil.'
Thosaigh cuid de na daltaí ag gáire is bhí an Hipí sásta go dtí gur chas Dick timpeall i dtreo na mbuachaillí laistiar de. Shín sé amach a dhá láimh agus thosaigh sé ag déanamh scigmhagaidh ardghlóraigh den scéal. Thacaigh siadsan leis is líonadh an seomra le gáire gáifeach bréagach. Bhí a fhios ag an Hipí nach bhféadfadh sé aon rud a dhéanamh faoin scéal. Ba ghráin leis na hathruithe a bhí tagtha ar an gcóras oideachais ó thosaigh sé ag múineadh ar dtús. Ba chairde iad na daltaí a bhíodh aige an tráth sin ach anois bhí scabhaitéirí i ngach rang ag iarraidh an t-atmaisféar a mhilleadh agus achrainn a thosú. D'athraigh sé a phort. D'fhiafraigh sé díobh an raibh aon rud ar eolas acu faoin gcaoi a raibh cúrsaí in Éirinn i rith an chogaidh. Ní raibh.
D'iarr sé orthu dul chun cainte lena seanathracha is lena seanmháithreacha nó le seanduine éigin eile ag féachaint an bhféadfaidís fáil amach faoin tréimhse sin.
D'ardaigh Rós a lámh is dúirt nach raibh aici ach a hathair is a máthair ach gur inis a seanmháthair di faoi na laethanta sin. 'An ndéanfadh sé sin an gnó?'
'Dhéanfadh cinnte.'

'Sliúúúúúúúúp!' arsa Larky agus Dysfunctional Dick ó chúl an tseomra ag tabhairt le fios go raibh sí ag iarraidh tóin an mhúinteora a lí. 'Sliúúúúúúúp!'

Thug sí gráin a croí dóibh. D'fhéach an Hipí síos ach ní fhéadfadh sé a rá go baileach cé a rinne an torann.

'Sewer! Sewer!' a ghlaoigh buachaill ó chúl an tseomra agus tuin na hardchathrach go soiléir ar a chuid cainte. 'Tá mo sheanathracha is mo sheanmháthracha i mBaile Átha Cliath. An mian leat go rachainn suas ar cuairt chucu? Turas 60 nó 80 míle a bheadh ansin, sewer.'

D'fhéach Rós siar agus chonaic sí buachaill mór a raibh a éadan breac le goiríní agus a cheann bearrtha ina shuí taobh le Dick.

'Sin é Dwain na nGoiríní,' arsa Cormac i gcogar léi, 'an crá croí ó Chluain Tarbh.'

Dúirt an Hipí leis glaoch teileafóin a chur orthu i rith an deireadh seachtaine, is thosaigh sé ag insint don rang gur chreid na Naitsithe gurbh iad na Gearmánaigh an máistirchine, is lean sé ar aghaidh ag caint faoin bplean a bhí ag Hitler deireadh a chur leis na Giúdaigh, na giofóga, na hómaighnéasaigh agus daoine a raibh éalang intinne orthu.

'But sewer, cá bhfios duit gur ghásáil sé na Giúdaigh. Tá col ceathrar liom i Learpholl agus deir sé nach bhfuil sa scéal sin go léir ach cacamas, agus nár tharla sé riamh, Sewer.'

'Cás an-tragóideach é Dwain,' arsa Cormac i gcogar le Rós. 'Rugadh i leithreas é. Thit sé síos sa bhabhla agus scuabadh chun siúil é. Chaith sé bliain thíos sa chóras séarachais go dtí gur tháinig múinteoir air. Ón lá sin i leith bíonn sé ag glaoch amach 'Sewer! Sewer!' nuair a fheiceann sé múinteoir.'

Chuaigh sí sna trithí dubha gáire. D'ordaigh an Hipí di éirí as agus d'fhreagair sé ceist Dwain.

'*But, Sewer*, nach raibh sé sin in aghaidh an dlí? *Like I mee-an?* Cén fáth nár caitheadh Hitler isteach i bpríosún?'

Mhínigh an múinteoir nach raibh dlí ar bith sa Ghearmáin ach toil Hitler is lean sé ar aghaidh ag insint dóibh faoi na campaí géibhinn agus na cillíní gáis. Bhí an rang beagnach thart nuair a chonaic sé Larky ag taispeáint bileog éigin do Dysfunctional Dick. D'ordaigh sé dó é a thabhairt aníos chuige rud a rinne Larky go fonnmhar. Bhí svaistice mhór ar bharr an leathanaigh agus liosta ainmneacha thíos faoi. Mhínigh sé gurbh iad sin na daoine a chuirfeadh sé go cillín gáis — 'Cormac ansin toisc gur gandal é. Is naicéirí nó Giúdaigh iad na daoine eile agus Miss Codd.'

Ní mó ná sásta a bhí an Hipí leis an tagairt sin don leas-phríomhoide ach bhí Dysfunctional Dick tar éis casadh i dtreo Larky agus bhí sé á ghríosadh chun tuilleadh dánachta.

'Cén fáth a bhfuil Miss Codd ar an liosta?' arsa an Hipí go tur.

'Toisc gur Giúdach í — ghearr sí €1.50 orm ar sheanleabhar a bhí ag titim as a chéile.'

Lig Dysfunctional Dick agus cuid dá chairde racht gáire astu. Dúirt an Hipí go raibh sé in am aige cuairt a thabhairt ar an múinteoir a bhí i gceannas lucht na dara bliana agus go mbeadh air pardún Miss Codd a iarraidh.

D'ardaigh Dick ordóg agus chaoch súil ar Larky i nganfhios don Hipí. Ba leor an leide.

'Cén fáth a ndéanfainn é sin? B'ise a dhíol an carn caca liom,' arsa Larky is thosaigh an Hipí ag scríobh cuntas faoina ndúirt sé ar chárta dearg. D'fhill Larky ar a shuíochán is d'fhógair faoina fhiacla do Dysfunctional Dick gur chóir an Hipí a chaitheamh isteach i gcillín gáis toisc nach raibh ann ach seanchigire tónach.

Ar mhí-ámhairí an tsaoil chuala an Hipí é. Thosaigh sé ag útamáil leis an Síve agus d'ordaigh sé dó é a rá arís.

'Ní dúirt mé tada!' arsa Larky, agus d'fhógair go raibh an múinteoir ag cur an mhilleáin air gan ábhar. Bhuail cuthach feirge an Hipí agus d'ordaigh sé dó dul leis go dtí an príomhoide. Amach leis an mbeirt acu.

'Bíonn an Hipí an-ghreannmhar uaireanta,' arsa Cormac, 'agus ní fada go mbeidh tú i do shaineolaí ar ghramaisc aineolach dúr na scoile.'

Fear mór scafánta, láidir, meánaosta ab ea an príomhoide, cloigeann cumasach air, smig láidir theann agus éirim le feiceáil ina shúile. Tom Potts an t-ainm ceart a bhí air ach nuair a chuala na daltaí go mbíodh sé ag imirt gailf bhaist duine acu Mr Putts air. Bhí grianghraf de ar bhalla amháin, aoibh shásta ar a bhéal agus trófaí mór ina ghlaic aige. Duine gealgháireach a bhíodh ann de gnáth. Ní mó ná sásta a bhí sé nuair a d'inis Hipí dó faoi iompar Larky.

'Cad atá le rá agatsa faoin scéal?' ar seisean le Larky. Shéan Larky gur thug sé seanchigire tónach air ach ní raibh sé in ann a rá go baileach cad a dúirt sé.

'Ar mhaith leat go dtógfainn isteach na daltaí ina nduine agus ina nduine le fáil amach cad a dúirt tú?' arsa Mr Putts go bagrach.

Faoi dheireadh d'admhaigh Larky an rud a dúirt sé ach dúirt gur sciorr na focail amach dá bhuíochas.

'Seafóid! Rud an-tromchúiseach ar fad é seo,' arsa Mr Potts agus d'iarr sé ar an rúnaí comhad Larky a thabhairt isteach chuige.

'Sílim go bhféadfaidh tú imeacht anois, a Mhic Uí Shúilleabháin,' arsa an príomhoide leis an Hipí. Ghabh seisean buíochas leis agus d'imigh sé ar ais chun an ranga. Scrúdaigh an príomhoide an comhad agus léigh sé amach na cártaí dearga a bhí scríofa faoi Larky.

'An-tromchúiseach go deo,' ar seisean nuair a bhí sé críochnaithe. 'Cuireadh ar fionraí cheana thú an téarma seo agus is cosúil nár fhoghlaim tú tada uaidh. Caithfidh mé a iarraidh ar do thuismitheoirí teacht isteach chun cainte liom mar ní dóigh liom gur féidir thú a choinneáil sa scoil seo a thuilleadh.' Tháinig imní ar Larky agus d'fhág na deora scamall ceo ar a shúile. D'iarr Mr Putts ar an rúnaí glaoch ar a thuismitheoirí. Ghlaoigh sí ach ní bhfuair sí freagra ar bith.

'Scríobhfaidh mé litir abhaile ag iarraidh orthu teacht isteach chugam,' arsa Mr Putts agus mura bhfuil tú sásta a bheith ag obair sa rang féadfaidh tú an chuid eile den lá a chaitheamh ag piocadh suas bruscair ar fud na scoile.'

Thug sé bosca bruscair dó, thug go doras na scoile é agus d'ordaigh dó a bheith ag bailiú. Níorbh fhada a bhí Larky lasmuigh nuair a d'imigh an scanradh de. Bhí a athair agus a mháthair ag obair. Bheadh sé sa bhaile rompu an tráthnóna dar gcionn agus scriosfadh sé an litir sula bhfeicfeadh siad í. Rinne sé gáire agus thug comhartha na méar i dtreo na hoifige. Chaith sé an lá ag féachaint isteach na fuinneoga ranga agus ag sá amach a theanga agus ag cur strainceanna air féin nuair a mheasfadh sé nach raibh na múinteoirí ag féachaint.

Buaileadh an clog. Bhí sé in am sosa. Shiúil Cormac, Rós agus slua mór daltaí go halla mór a raibh a lán boird agus binsí ina lár agus siopa milseán agus bia ar thaobh amháin. Bhí na céadta daltaí rompu ag ithe is ag ól, ag caint is ag béicíl in ard a ngutha agus geansaí dearg á chaitheamh ag gach duine acu. Chuir siad sceach gheal a bheadh trom le caora dearga i gcuimhne do Rós. Bhí beirt mhúinteoirí ar dualgas ag faire.

Bhí beagnach leathchéad daltaí i scuaine fada dearg ag gluaiseacht leo go mall i dtreo an tsiopa. Mhínigh Cormac di gurb é sin an Halla Tionóil. Thóg an bheirt acu áit ag deireadh na scuaine. Níor bhuail Rós le duine riamh a bhí cosúil le Cormac agus bhí sí sna trithí gáire le gach focal a deireadh sé.

Bhí cuma ghioblach ar sheomra na múinteoirí, bearta leabhar agus cóipleabhar, sean-nuachtáin agus boscaí cairtpháipéir ar fud na háite, agus bhí balla amháin clúdaithe le fógraí. Bhí breis agus scór múinteoirí bailithe cheana féin le cupán tae a fháil. Bhí cuid acu ina seasamh agus an chuid eile ina suí ag boird a bhí scaipthe anseo is ansiúd ar fud an tseomra. Bhí cuid acu ag léamh a nuachtán, cuid eile ag caint agus bhí duine amháin ar a mhíle dícheall ag iarraidh nótaí a fhótachóipeáil le haghaidh an chéad rang eile. Bhí Bean Uí Ghallchóir ag dul ó ghrúpa go grúpa ag insint dóibh faoi Rós agus faoin tragóid a bhí tarlaithe. Shiúil an Hipí isteach an doras agus é fós le ceangal.

'A Íosa! Tá an scoil seo ag dul chun donais ar fad,' ar seisean léi ó b'ise a bhí i gceannas lucht na dara bliana.

'Ní haon scéal iontais é sin,' ar sise agus thug sé cuntas di ar a raibh ar siúl ag Larky agus Katty.

'Níl a fhios agam cad a bhí ar siúl ag ceachtar acu sa scoil seo,' ar sise. 'Níl puinn oibre á dhéanamh acu ach iad in achrann le gach éinne. Dá mba mise an príomhoide dhéanfainn gortghlanadh agus thabharfainn bata agus bóthar do scór de na bastaird bheaga.'

'Tá an scoil imithe ó smacht ar fad,' arsa an Hipí.

'Cur amú ama is ea Put! Put!' ar sise go teasaí. B'in a thugadh sí ar Mr Potts. 'Cur amú iomlán! Caithfimid cur le chéile ag an gcéad chruinniú eile agus iallach a chur air iad a smachtú nó an ruaig a chur orthu.'

Ní raibh a fhios ag ceachtar acu go raibh an port céanna ag formhór mhúinteoirí na tíre faoina bpríomhoidí.

D'fhéach an Hipí amach an fhuinneog agus chonaic sé Larky ag féachaint isteach air — strainc mhór áiféiseach ar a phus aige is é ag geáitseáil. Tháinig fiuchadh na feirge ar an mbeirt acu. D'oscail Bean Uí Ghallchóir an fhuinneog.

'Gread leat amach as an áit sin!' ar sise de bhéic.

'Dúirt Putts liom an bruscar a ghlanadh.'

'Mr Potts a thabharfaidh tusa air, agus chuirfinnse geall air nach ndúirt sé leat a bheith ag sá amach do theanga leis na múinteoirí agus ag cur strainceanna ort féin mar a dhéanfadh moncaí néaltraithe. Gread leat sula dtabharfaidh mé cárta dearg duit!'

D'fhéach sé ar an Hipí agus chuir sé strainc eile air féin sular ghluais sé leis go mall drogallach, gáire ar a bhéal agus é ag féachaint siar thar a ghualainn orthu gach re nóiméad.

'Larky agus Dysfunctional Dick!' ar sise, 'iad sin dríodar agus gramaisc an tsaoil. D'fhéadfainn iad a shamhlú ina mbaill de SS na Gearmáine.

'Ní ... ní ... ní ... ní ... ní ghlacfaí leo!' arsa an Hipí, agus é ag stadaireacht le teann díocais. 'Dream cumasach éifeachtach ab ea an SS agus saighdiúirí den scoth. Bheadh Larky is a chairde ina mbaill de lucht na léinte donna. Ní raibh iontu siúd ach bulaithe. Níorbh ionann iad agus an SS ar chor ar bith.'

'Cibé rud is féidir a rá faoi Larky, tá an Ruth sin glan as a meabhair,' arsa an múinteoir ealaíne agus í ag teacht chucu lena muga tae. 'Cén fáth an bhfuil sí sa scoil seo ar chor ar bith? Ba chóir di a bheith i scoil speisialta do dhaoine mallintinneacha.'

'Baol cruthanta sláinte í!' arsa an múinteoir eacnamaíocht bhaile. 'Bhris sí gloine i mo sheomrasa an lá cheana. Murach go bhfaca mé na smidiríní sa siúcra bheadh toirtín úll agus gloine acu sa chéad rang eile.'

D'aontaigh múinteoirí eile leo ach bhí a fhios acu gurb é an beartas nua gur cheart oideachas príomhshrutha a chur ar dhaoine mar í.

Buaileadh an clog ach níor tharla aon rud. Mhínigh Cormac do Rós gur chóir dóibh a gcuid leabhar a fháil agus bogadh leo go dtí an chéad rang eile. Chuaigh sí leis go dtí a chófra. Ní raibh mórán eile ag gluaiseacht. D'fhan siad mar a raibh siad go dtí gur tháinig an leas-phríomhoide, Miss Codd, ag béicíl is ag ordú dóibh glanadh leo go dtí a ranganna. Bean mheánaosta ab ea í. Ní fhéadfaí a rá go raibh sí dathúil agus mar bharr ar an donas bhí ding ghearr ghruaige uirthi a raibh an chosúlacht uirthi, dar le Cormac 'nach gruagaire ach tuíodóir a thug an bearradh di is gur bhearr sé a folt caol díreach ó chúl a cinn síos go cúl a muiníl lena chorrán'. D'éirigh siad go mall drogallach agus chuaigh siad ag tochailt ina gcófraí ar lorg a leabhar. Rang Béarla an chéad rang eile agus bheadh an Ghaeilge acu ina dhiaidh sin.

'An bhfuil tú i mbun an chúrsa onóracha nó an cúrsa pas?' arsa Cormac le Rós.

Dúirt sí gur mhian léi dul go dtí an rang onóracha.

'Ar a laghad ní bheidh ort cur suas le Larky ná le gramaisc eile na scoile,' ar seisean.

Chuaigh na daltaí go dtí an Halla Tionóil lena lón a ithe le linn shos an mheánlae. Bhí a lón pacáilte i mboscaí ag cuid acu agus rith an chuid eile acu le háit a fháil sa scuaine fhada chun milseáin, anraith, tae, sceallóga, ispíní, borgair, agus bia den sórt sin a cheannach. Fuair Rós agus Cormac a lón óna gcófraí agus shuigh siad le chéile ag bord mór. Shuigh grúpa cailíní agus buachaill amháin leo agus iad go léir ag cabaireacht go gealgháireach. Chuir Cormac Rós in aithne dóibh. De réir mar a líon an halla mhéadaigh ar na glórtha go dtí go raibh an áit go léir in aon ruaille buaille mór amháin le gach éinne ag béicíl in ard a ngutha le go gcloisfí iad.

Chuaigh ógánach mór tharstu — bodach mór tréan a raibh a chloigeann bearrtha.

'Sin é Marcus Carcas,' arsa Cormac isteach i gcluais Rós agus dúirt gurbh fhearr fanacht amach uaidh. 'De shliocht na nArdrí eisean freisin — ach ina chás siúd ba é King Kong an rí.'

Thosaigh Rós ag gáire. Bhí an t-ádh le Cormac nár chuala Marcus é mar ba bhulaí míthrócaireach é.

Nuair a bhí a lón ite acu chuaigh Cormac agus Rós amach ag siúl faoin aer. Bhí an ghrian ag taitneamh agus chonaic siad scata cailíní bailithe timpeall ar bhuachaill agus gach aon liú uafáis agus déistine astu.

'Déan arís é,' arsa cailín acu.

'Ná déan! Ná déan!' arsa an chuid eile. Cibé rud a bhí ar siúl aige bhí siad go léir ag cur spéis an domhain ann is ba gheal leis an mbuachaill iad a bheith ag féachaint air. Chuaigh Rós agus Cormac anonn chucu. Bhí siad ina seasamh i mbláthcheapach a raibh na bláthanna is na toim briste go talamh inti. Murach cúpla géag ag gobadh aníos as an gcré ní bheadh a fhios ag éinne gur bhláthcheapach a bhí ann.

'Maith go leor,' arsa an buachaill agus strainc mhór ar a phus. Chuir sé péist mhór ramhar suas a shrón agus ba ghearr gur tháinig an créatúr bocht ag lúbarnaíl amach a bhéal. Thosaigh na cailíní eile ag scréachaíl arís.

'A Íosa, is é sin an rud is déistiní dá bhfaca mé riamh,' arsa

Rós agus chuaigh siad ag siúl go dtí an pháirc imeartha. D'inis sé di go mbíodh a mháthair á chrá i gcónaí.

'Ní shásódh an saol í ach a bheith ag labhairt Gaeilge liom agus bíonn sí ag fógairt, "Ó! A Chormaic, níor thóg tú na gréithe amach as an miasniteoir fós!"'

'Cad is miasniteoir ann?'

'Niteoir soithí,' is lean sé ar aghaidh ag déanamh scigaithrise uirthi: '"Ó! A Chormaic! Mo náire thú. Níor ghlan tú do sheomra go fóill. Tá sé mar a bheadh campa tincéaraí agat! Ó! A Chormaic, d'fhág tú an fhliúit fós ar an mbord is níor chuir tú suas an seastán ceoil ná na bileoga ceoil!" A Thiarna Dia, tá mé cráite aici,' agus d'fhiafraigh sé di a mbíodh sise cráite ag a mháthairse. Gháir sí is dúirt go mbíodh sí féin ag crá a máthar is nach bhféadfadh sí aon mhaith a bhaint aisti.

'Téimse go ranganna gach maidin Sathairn ag foghlaim conas an fhliúit a sheinm agus bíonn orm roinnt mhaith cleachtaidh a dhéanamh.' Thosaigh sé ag gáire agus dúirt, 'Samhlaím an lá a gheobhaidh mé glaoch teileafóin ó halla ceolchoirme ag rá go bhfuil James Galway plúchta le slaghdán agus iad ag iarraidh orm seinm ina áit, agus mise ag rá leo nár sheinn mé oiread agus nóta le sé mhí ach nach bhféadfainn iad a dhiúltú in am na práinne.'

Thosaigh Rós ag gáire agus lean Cormac ar aghaidh: 'Agus cuireann mo dheaid olc an domhain orm, freisin. Síleann sé go bhfuil sé an-ghreannmhar go deo — agus is é an rud is measa faoi ná go bhfuil.'

'Cén sórt rudaí a deir sé?'

'Bhí bailiúchán gheata an tseipéil ar siúl acu an Domhnach seo caite. "Cad é sin?" ar seisean. "An bhfuil siad ag dul ag bailiú geataí séipéal anois?"'

Thosaigh sí ag gáire arís.

'A Thiarna Dia, chráfadh sé thú! Níl a fhios agam cén fáth a dtugann mo mham grá dó, ach tugann.'

Bhí rang eacnamaíocht bhaile acu san iarnóin. Bhí ionadh ar Rós go raibh Cormac ag déanamh staidéir ar an ábhar sin ach d'fhógair sé gur mhian leis a bheith ina phríomhchócaire lá éigin agus daoine ag tarraingt ó chian is ó chóngar ar a phroinnteach. Bheadh na Francaigh ag bronnadh an *cordon bleu* mar ghradam air is iad ag fógairt: '*Mon Dieu! Cet dîner est magnifique!*'

'Ach dúirt tú go mbeidh tú i do fhliúiteadóir. An bhfuil tú ag dul le ceol nó le cócaireacht?'

'Déanfaidh mé an dá thrá a fhreastal. Seinnfidh mé ceol dóibh nuair a bheidh siad ag ithe.'

Bhí sé in am acu dul go dtí an seomra fuála. Bhailigh siad lasmuigh den doras agus chonaic Rós go raibh Chloe, Root agus Katty an Cat ann freisin.

'Ó a Íosa, bhí mé amuigh aréir agus rinne mé dearmad glan ar an gcaibidil sin a léamh faoi bhia! Maróidh sí mé! Cad iad na trí chineálacha bia?' arsa Chloe agus chuaigh sí ag féachaint ina leabhair. Ba ghearr go bhfaca siad Iníon Nic Lochlainn ag teacht. Ógbhean chaol dhathúil ab ea í a raibh a cuid duail ag titim ina fáinní anuas ar a guaillí. Tharraing sí eochair as a póca agus d'oscail sí an doras.

Seomra mór fairsing ab ea an seomra fuála agus bhí léaráidí faisin ar crochadh ar na ballaí. D'ordaigh an múinteoir dóibh na leabhair a oscailt san áit a raibh siad an lá cheana. Chuir Cormac Rós in aithne don mhúinteoir agus mhínigh sé di go gcabhródh sé léi na rudaí a bhí déanta acu a fhoghlaim.

'Is léir gur bhuail an bheirt agaibhse le chéile cheana,' ar sise.

'I saol eile roimhe seo, a mhúinteoir,' arsa Cormac.

'Agus cá raibh sé sin, murar mhiste an cheist a chur?'

'San India a mhúinteoir. B'ise brídeog gheal fhionn na súile gorma a phós mé. Is léir dom é sin óna súile geala ar dhath na saifíre.'

Mheas Iníon Nic Lochlainn go raibh gruaig dhubh agus súile dorcha acu san India.

'Steiréitíopáil de réir cine, is ea é sin,' ar seisean ag crochadh a dhá láimh in airde. 'Bíonn eisceachtaí ann i gcónaí. Thit mé i ngrá léi a luaithe is a chonaic mé a súile ar dhath na saifíre.'

Rinne Rós gáire.

'Dath na spéire an dath atá orthu,' arsa Iníon Nic Lochlainn.

'Ní hea. Dath gorm na saifíre, a Mhúinteoir. Cinnte dearfa, dath gorm na saifíre.'

'Sílim go bhfuil tú ag léamh an iomarca arís, a Chormaic,' ar sise agus miongháire ar a béal. 'B'fhéidir gur mhaith leat breathnú isteach sa leabhar eacnamaíochta baile,' agus lean sí ar aghaidh ag caint faoi éifeacht na gcineálacha éagsúla bia agus cad a bheadh ag teastáil le réim bia sláintiúil a bheith acu.

'Ach tá sé sin amaideach!' arsa Katty is thosaigh sí ag argóint go raibh a seanmháthair chomh folláin le breac agus gan aon rud a ithe aici ach criospaí, seacláid agus rudaí ón siopa sceallóg. Bhí sé ina argóint eatarthu agus ní ghlacfadh Katty le teagasc ar bith uaithi. Ba mhian leis an múinteoir Ruth a mholadh chun go dtiocfadh sí. Bhí súil aici go mbeadh cuimhne aici ar chineál amháin bia a bhí pléite acu an lá cheana.

'Luamar carbaihiodráití agus próitéiní inné. An cuimhin leat an cineál deireanach bia, a Ruth?'

Rinne Root machnamh. Chuir sí muca ar a malaí le teann dúthrachta.

'*Fats*,' arsa Chloe de chogar léi ach níor chuala Root i gceart í.

'An ndúirt tú *rats*, a mhúinteoir?'

Thosaigh na daltaí ag gáire.

'Cén chaoi a mbeadh a fhios agamsa?' arsa Root, agus thosaigh sí ag séideadh puth gaoithe le teann míshástachta.

'A Íosa, ach is iontach an spórt an scoil seo,' arsa Rós i gcogar le Cormac. Bhí sí ag baint taitneamh an domhain as an áit. Níorbh ionann í agus an clochar ar chor ar bith, agus thar gach aon rud eile thaitin Cormac léi agus an meangadh mór gealgháireach a bhí ar a bhéal i gcónaí.

Bhí an tAthair Lankton-Fisher ag ullmhú cupáin tae do féin ina theach nuair a thosaigh an teileafón ag bualadh arís.

'An é san an tAthair Plankton?' arsa fear a raibh tuin Chorcaí go tréan ar a chuid cainte.

Dúirt sé gurb é an tAthair Lankton-Fisher é.

'Caithfidh tú teacht chomh tapaidh agus is féidir leat. Bhí timpiste mhillteach thíos ar Bhóthar na Sionainne!'

'An bhfuil a lán daoine gortaithe?'

'Tá sé go huafásach, a athair. Tá a phutóga ar fud an bhóthair.'

Ó, a Dhia. Rachaidh mé ann caol díreach. An bhfuil a fhios agat cén t-ainm atá air?'

'Ní raibh aon ainm air, a athair. Níor bhaist a mháthair riamh é ach francach breá mór ramhar a bhí ann, a athair, agus fáisceadh chun báis é faoi rothaí an chairr.'

Lig an fear béic gháire as agus d'aithin an sagart gurb é a dheartháir Tommy a bhí ann. Bhí sé cúig bliana déag níos óige ná é féin is ba gheal leis a bheith ag cleasaíocht. Mhínigh sé gur ghlaoigh sé le comhghairdeas a dhéanamh leis agus rath a ghuí air ar a lá breithe.

'Is iontach an rud é 69 bliain a bheith slán agat — go mór mór ós sagart thú.'

'59, le do thoil,' arsa an sagart á cheartú, is dúirt go raibh sagairt na tíre chomh sláintiúil le dream ar bith.

Dá mbeadh éinne ag éisteacht leis an mbeirt dheartháireacha ag caint rachadh sé deacair air idirdhealú a dhéanamh eatarthu. Bhí an guth domhain fuinniúil céanna acu araon ach bhí guth an tsagairt beagán ní ba dhoimhne is ní ba shollúnta ná guth a dhearthár. Gháir Tommy is dúirt go raibh a fhios ag an saol go mbíodh rith na bó laige le fána ag na sagairt nuair a shroichidís an leathchéad.

'Ó, a Dhia, is millteach an cleasaí thú, Tommy,' arsa an sagart is é ag gáire.

'Is é sin an taighde is déanaí. Chuala mé ar an raidió é. Ach cogar, an mbeidh tú istigh ag a cúig? Beidh duine ag teacht agus bronntanas aige duit. Rud éigin a thabharfaidh sólás éigin duit i rith na laethanta deireanacha agat ar an saol seo,' agus phléasc sé amach ag gáire arís. Ghuigh sé lá breithe sona air agus chuir sé síos an sás láimhe.

D'fhéach an sagart ar a uaireadóir agus mheas sé go mbeadh an t-am aige cibé beart a bhí á sheoladh chuige a fháil agus cuairt a thabhairt ar thruán bocht breoite agus cúpla rud eile a dhéanamh sula rachadh sé amach ag ceiliúradh a lae bhreithe leis an Dochtúir Huntington i bproinnteach sa bhaile mór. Chuimhnigh sé go ndearna sé dearmad marc a chur ar a bhalla an oíche roimhe sin. Suas leis go dtí a sheomra codlata áit a raibh marcanna go néata aige ina gcúigeanna, ina ndeicheanna agus ina gcéadta os cionn a leaba mar chomóradh na laethanta ó d'fhág sé Teach an Aiséirí agus gan oiread agus deoch amháin ólta aige.

'A Dhia Mhóir, is maith an rud é a bheith beo agus gan a

bheith ar meisce,' ar seisean. Ba gheall le míorúilt é. 'Tá sé in am agat a bheith ag ceiliúradh,' ar seisean leis féin. 'Tá sé in am ceoil!' agus líon sé an teach le ceol buach lúcháireach *Water Music* le Handel.

Tháinig beirt fhear i gceann tamaill agus dúirt go raibh siad chun córas teilifíse satailíte a chur ar fáil dó. Bheadh a dhearthair Tommy ag íoc as an aeróg a chur ar an mballa agus d'íocfadh sé an táille dó ar feadh sé mhí. Chuir sé glaoch air le buíochas a ghabháil leis.

'Saol eile ar fad a bheas agat,' arsa Tommy leis, 'agus tú in ann breathnú ar na cláir Staire agus Discovery agus an National Geographic. Tabharfaidh sé rud éigin duit le bheith ag breathnú air sna blianta deireanacha atá fágtha agat.'

Gheall an sagart dó go mairfeadh sé an céad is go mbeadh sé ag cur aifrinntí lena anam.

'Is dearcadh iontach é sin ar an saol,' arsa Tommy, 'chomh fada is a choinníonn sé sona thú.'

Ba dheacair Tommy a shárú nuair a bhuaileadh fonn cleasaíochta é.

Shuigh Rós taobh le Cormac ar an mbus abhaile go dtí gur tháinig siad go teach Chormaic. Gheall sí go mbuailfeadh sí leis níos deireanaí chun go bhféadfadh sé cabhrú léi a cuid obair bhaile a dhéanamh. Thuirling Cormac is chroith sé lámh léi sular chas sé le himeacht isteach a gheata. Lean an bus ar aghaidh i dtreo an bhaile bhig. Tháinig gruaim an domhain uirthi nuair a chuimhnigh sí ar a deirfiúracha beaga sínte sa chré agus í féin ag magadh is ag gáire le Cormac. Chuimhnigh sí ar an Hipí ag rá leo dul i gcomhairle lena seanaithreacha agus lena seanmháithreacha faoin seansaol. B'in tubaist eile. Bhí rudaí ceart go leor fad a bhí a seanmháthair beo.

Dhéanadh sise an chócaireacht agus an níochán, agus ghlanadh sí an áit. Bhí Rós deich mbliana d'aois nuair a b'éigean dá seanmháthair dul go dtí an t-ospidéal. Ba chuimhin léi dul ar cuairt chuici. Bhí drochscéal faighte aici.

'Níl mórán ama fágtha agam a stór. Caithfidh tú breathnú i ndiaidh an teaghlaigh nuair a bheas mé imithe,' ar sise léi. 'Beidh ort a bheith i do mháithrín acu. Is ar éigin atá do mhamaí bocht in ann ceapaire a dhéanamh.'

Nuair a d'fhill sí abhaile ón ospidéal thug sí bosca mór cairtchláir do Rós le haire a thabhairt dó nuair a bheadh sí ar shlí na fírinne. Bhí sé lán de rudaí a bhain leis an teaghlach — grianghraif, litreacha, dialann, dhá vása agus soitheach a fuair sí óna seanmháthair féin. Bhí an bosca slán sábhailte ar bharr a cófra aici agus bhí foláireamh tugtha aici do Phatrick go maródh sí é dá leagfadh sé méar air, ach scriosadh an t-iomlán sa dóiteán. Ba bheag a shíl a seanmháthair bhocht go dtosódh Mary dóiteán ina loiscfí a beirt ghariníonacha.

Ba iad sochraidí a seanmháthar agus a deirfiúracha na laethanta ba mheasa a bhí aici riamh ina saol. Stad an bus sa sráidbhaile. Lig Rós do na daltaí eile tuirlingt ar dtús chun nach bhfeicfeadh siad na deora ag sileadh lena leicne.

Bhí a máthair roimpi sa chistin ag caitheamh toitíní mar ba dhual di. Bhí an teilifís ar siúl ach ní raibh sí ag féachaint air. Chonaic Rós go raibh deora lena leicne. Bhí Michael ina sheasamh sa chúinne ag féachaint ar an gclár. Chuimhnigh sí ar a sheanmháthair ag rá léi: 'Cailín cliste thú a Rós, bail ó Dhia ort, ach níor bhronn tú an bua sin ort féin. Níl leigheas ag do thuismitheoirí ar a gcás. Sin é an chaoi ina bhfuil siad. Caithfimid ár ndícheall a dhéanamh cabhrú leo.'

Chuir Rós a cuid éadaí nua uirthi. Nuair a tháinig sí anuas an staighre bhí Patrick roimpi sa chistin. Chuaigh sí timpeall an tí ag féachaint cad a bheadh le ceannach aici. Tháinig Joe isteach is d'fhiafraigh sé díobh conas ar thaitin na scoileanna nua leo.

Thosaigh Patrick ag gáire. Thóg sé amach cárta a fuair sé ar scoil. Bhí pictiúr de shearraichín gleoite asail air agus rinne sé aithris ar fhonn an amhráin *Twinkle twinkle little star* agus é ag cantaireacht:

A shearraichín asail
Is tú mo ghrása,
Ach cad a chosnódh
Dhá stéig de do mhása?

Thug Rós gráin a croí don rann agus ba mheasa fós a thaitin sé léi nuair a chas sé an cárta agus chonaic sí an t-asailín céanna in airde ar leaba, pluid faoina chosa agus liathróidí dorcha anuas uirthi. Thosaigh Patrick ag cantaireacht:

A shearraichín asail,
A ghrá is a chuid,
Ná cac do chuid borgar
Anuas ar mo phluid.

Chuaigh Patrick agus Joe sna trithí gáire ach d'fhógair Rós go raibh sé déistineach, gránna.

Bhí airgead ón Roinn Coimirce Sóisialaí acu agus d'ordaigh Rós do Phatrick dul léi go dtí an t-ollmhargadh agus cabhrú léi cuid de na rudaí a iompar abhaile. Bhí sé ag gearán is ag cnáimhseáil go dtí gur rug sí greim cluaise air is gur bhrúigh sí i dtreo an dorais é. Thosaigh sé ag aithris na véarsaí faoin asailín ar an mbealach d'fhonn olc a cur uirthi.

'Ná bí chomh focin déistineach,' ar sise go feargach. 'Cá bhfuair tú an gliogar sin go léir?'

Thosaigh sé ag magadh is ag gáire agus faoi dheireadh

d'admhaigh sé go bhfuair sé an cárta ó bhuachaill ar scoil. Aaron Larkin is ainm dó.

'A Íosa, ach is mór an spórt é! Bhí sé ag tiomáint an mhúinteora glan as a ciall, agus bhí sise ag rá 'conas a cheapann tú go bhfoghlaimeoidh tú aon rud nuair nach mbíonn tú ag tabhairt aire?' agus bhí seisean ag rá 'ní mian liom aon rud a fhoghlaim.' Agus chuaigh sise fiáin ar fad agus dúirt leis seasamh amach ag an líne agus thosaigh sé ag titim thar na málaí agus ag titim i gcoinne na mbuachaillí eile. Chuaigh an múinteoir focin as a meabhair ar fad ansin. A Íosa, ach is mór an spórt é!'

'Deargamadán é an Aaron sin!' ar sise.

Ní raibh a fhios ag ceachtar acu é ag an am gur deartháir Larky é Aaron. Thosaigh sé ag canadh faoin asailín arís is thug sí foláireamh dó éirí as nó go maródh sí é.

Nuair a shroich siad an t-ollmhargadh fuair sí arán, im, fataí, bainne, ispíní, slisíní bagúin, gríscíní agus na rudaí go léir a mheas sí a bheadh ag teastáil uathu go ceann tamaill.

'Faigh borgair asail,' ar seisean.

'Déanfaidh mise borgair de do chluasa,' ar sise agus rug sí greim cluaise arís air. Thug sí fáisceadh maith dó gur lig sé scréach péine as.

'Múinfidh sé sin ceacht duit!' ar sise. Fuair sí cúpla rud eile agus thug sí aghaidh ar an ionad seiceála.

Nuair a bhí béile ullamh aici chuir sí Patrick in airde staighre le glaoch ar Mhichael.

'Imigh leat!' ar seisean.

'Ní bheidh aon rud fágtha mura mbrostaíonn tú anuas,' arsa Patrick ach fuair sé an freagra céanna.

'Tiocfaidh sé má bhíonn ocras air,' arsa Joe.

Nuair a bhí an béile thart nigh Rós na gréithe agus

d'ordaigh sí do Phatrick iad a thriomú. Chuaigh sí go dtí a seomra le hullmhú le dul go teach Chormaic.

D'fhéach sí uirthi féin sa scáthán agus in ainneoin go raibh sí ina sliseog chaol girsí agus éadan gleoite uirthi ní fhaca sí sa scáthán ach cailín bocht ciotach gan faisean gan aon rud. Chuir sí strainc uirthi féin agus chuir a híomhá an strainc chéanna uirthise. Chuir sí béaldath uirthi féin agus ghléas sí í féin arís. Ní mó na sásta a bhí sí. Shocraigh sí a cuid gruaige ach bhí sí míshásta. D'athraigh sí arís í ach fós ní raibh sí sásta. Lig sí do chúpla dual órga titim anuas ar a clár éadain agus lena leicne sular cheangail sí an chuid eile siar le fáiscín flannbhuí. D'fhéach sí uirthi féin arís.

'Á, foc! Caithfidh sé cúis a dhéanamh,' ar sise léi féin agus d'éalaigh sí amach an doras. Dá mbeadh an t-airgead aici rachadh sí go gruagaire is déarfadh sí léi an t-iomlán a ghearradh, stíl nua agus dath faiseanta a chur inti.

Bhí an-imní uirthi agus í ag cnagadh ar dhoras theach Chormaic. D'oscail sé é agus bhí ionadh air í a fheiceáil ansin lena rothar.

'Chaill m'athair a cheadúnas tiomána,' ar sise agus í ag iarraidh greann a dhéanamh de mar leithscéal. Leath a súile uirthi le hiontas nuair a shiúil sí isteach sa halla. Bhí an áit cosúil le teach a d'fheicfí ar an teilifís nó in irisleabhar faisin. Chuaigh a súile ó iontas go hiontas — na cairpéid chostasacha, na pictiúir áille ar na ballaí, na bláthanna agus na plandaí a bhí ag fás laistigh den doras agus an dealramh rachmasach a bhí ar gach rud dar léi.

Tháinig Carmel, a mháthair, amach doras na cistine. Bean dhathúil, mheánaosta ab ea í agus bhí meangadh gáire ar a béal. Chuir Cormac iad in aithne dá chéile is mhínigh sé go raibh siad chun an obair bhaile a dhéanamh le chéile.

Chuaigh siad go seomra an staidéir. 'Cá bhfuair sibh na leabhair go léir?' arsa Rós agus í ag breathnú ar na mílte leabhar a bhí ar sheilfeanna timpeall an tseomra.

'Ó, anseo is ansiúd. Bíonn mo dheaid i gcónaí ag faire amach le haghaidh leabhar. Ní fhéadfadh an saol é a choinneáil amach as siopa seanleabhar, agus ceannaíonn Mam leabhair dó mar bhronntanais i gcomhair na Nollag is dá lá breithe.'

'Ar léigh sé iad go léir?'

'Níl a fhios sin agam ach bíonn Mam ag gearán go mbíodh sé ag léamh go dtí a dó nó a trí ar maidin.'

'Cén sórt leabhar iad?'

Tharraing sé anuas seanleabhar a raibh a theideal scríofa i litreacha óir. D'oscail sé é gan aon leathanach faoi leith a roghnú agus thosaigh sé ag léamh:

Oh, why did God form me a man,
And not dumb beast or angel?
I'd serve Him well as bird or deer
and never fear his anger....
This cage of clay
weighs down my days,
It's carnal ways
disgust me....

Ní raibh barúil ag ceachtar acu cad ba bhrí leis. Mheas Rós go raibh athair Chormaic an-éirimiúil go deo. Chuaigh Cormac ag cuartú i measc na leabhar mór ealaíne agus tharraing sé trí cinn mhóra chuige. Thosaigh siad á scrúdú. Ba ghearr go raibh stór mór pictiúr roghnaithe acu. Bhí ríomhaire agus printéir ar bhord os comhair na fuinneoige. Chuir sé an scanóir ar siúl agus rinne sé cóipeanna díobh. Chuaigh sé ag féachaint i measc beart CDanna. Chuir sé ceann acu isteach sa ríomhaire agus fuair siad lear mór pictiúr eile.

Bhí sé dubh dorcha nuair a bhuail Larky, Dwain agus Dysfunctional Dick le chéile ar imeall Eastát Radharc na hAbhann.

'An bhfuil aon haisis agat?' arsa Larky.

'Níl,' arsa Dick. 'Dhíol mé an chuid dheireanach de aréir.'

'Foc sin!' arsa Dwain.

'A Íosa, nuair a chaith mé an LSD cheap mé go raibh mé ag dul fiáin ar fad!' arsa Larky. 'Shíl mé nach raibh rud sa saol nach bhféadfainn a dhéanamh. Bhí sé go hiontach.'

Ní raibh tada le déanamh acu agus shiúil siad síos an tsráid, toitíní ar lasadh acu agus gach duine acu ag sárú an duine eile le caint bhrocach. Bhí mála bruscair caite ar thaobh na sráide agus an bruscar ag silleadh amach as. Bhí liathróid mhór ina lár. Bhí cuid mhaith den aer imithe aisti ach thosaigh Dwain ag imirt léi agus thug sé taispeántas sacair dóibh ar dheacair a shárú. Tháinig madra chucu ag croitheadh a eireabaill. Rug Dick air.

'Ceanglóimid spréachaire lena eireaball,' ar seisean.

'B'fhearr ceann pléascach a shá suas a thóin,' arsa Dwain.

Thug siad faoi ach nuair a thosaigh an madra ag drannadh agus ag taispeáint a chuid fiacla bheartaigh siad spréachaire a cheangal dá eireaball. Thosaigh bean ag fógairt orthu ach ba chuma leo. Las siad é agus chuir an t-ainmhí na fiacla i Dwain a bhí ag iarraidh greim a choinneáil air.

'A Íosa!' ar seisean agus chuaigh an créatúr síos an tsráid ag glamaíl agus spréacha ag eitilt uaidh. Tháinig bean amach ag fógairt orthu agus ag rá go mbeadh na gardaí aici ina ndiaidh. Theith siad leo agus iad sna trithí gáire.

Sheas siad lasmuigh de shiopa. Bhí an fógra SHOP TO LET le léamh go soiléir d'ainneoin go raibh cuid de shoilse na sráide briste. Thóg Dick peann feilte dubh as a phóca agus rinne sé SHOP TOILET de. Chuaigh siad sna trithí dubha gáire ar fad nuair a chonaic siad é.

'Déan mar a deir an fógra,' arsa Dick agus rinne sé a mhún ar leic an dorais. Ba bheag nár thit an bheirt eile as a seasamh le neart gáire agus lean siad a shampla.

Chuaigh siad go dtí an t-ollmhargadh agus iad ag súil go mbeadh duine éigin fásta ann a bheadh sásta toitíní a cheannach dóibh. Ní raibh istigh ach bean ag an ionad seiceála. Shiúil siad timpeall an tsiopa ag meilt aimsire agus iad ag féachaint ar na hirisí.

'Níl cead agat na hirisí a léamh anseo,' arsa an bhean.

'Nílimid ach ag féachaint ar na pictiúir,' arsa Larky go dúshlánach.

'Is ionann an dá rud.'

'Caithfimid é sin a insint do na múinteoirí ar scoil,' arsa Dick.

'Déan é sin,' arsa an bhean.

Shiúil madra mór dubh Labradór tharstu ag smúradh. Chroch sé cos in airde agus scaoil sé a mhún ar choirnéal seilf.

'Tá sé sin scannalach!' arsa Larky léi. 'Ba chóir do na húdaráis an focin s.coból brocach seo a dhúnadh.'

Chuir an bhean an ruaig ar an madra agus rinne Dwain iarracht a paicéad toitíní a sciobadh ón gcuntar i ngan fhios di. Theip air.

'An dtugann tú ollmhargadh ar an mbráca seo?' arsa Larky agus iad ag siúl amach thairsti. 'Níl focin tada anseo.'

Chuaigh siad sna trithí gáire lasmuigh den doras agus chuimhnigh Dick go ndúirt an Hipí nach dtuigeann póilíní Mheiriceá conas Béarla a labhairt. Nuair a deir siad go bhfuil 'white male' gafa acu ní léir an fear, coileach, madra, tarbh nó stail chapaill atá acu. Thosaigh sé ag gáire agus ghlaoigh sé ar na gardaí. Thug sé ainm an úinéara. 'Táim ag glaoch ón Ollmhargadh anseo. Tá fireannach dubh istigh anseo agus é ag scaoileadh a mhúin ar na seilfeanna.... Sea. Níl snáth éadaí air. Measaim gurb as Meiriceá dó.... Labradar measaim.'

Gheall an garda go gcuirfeadh sé carr patróil chucu láithreach.

Bhí siad fós ag sclogadh gáire nuair a chuaigh siad go teach tábhairne. Isteach leo sa halla púil. Ní raibh ann ach seomra mór, cúpla fógra ar na ballaí agus bord mór púil ina lár. Thosaigh siad ag imirt.

Ba ghearr gur chuir Katty a ceann isteach an doras. Bhí barréadach agus bríste uirthi nach bhféadfadh a bheith níos teinne gan an t-anam a fháisceadh aisti. Bhí muineál íseal ar an mbarréadach. Cailín mór cumasach a bhí inti. Bhí sí chomh mór le Dwain, níos airde ná Dick agus i bhfad níos mó ná Larky.

'Mí-amh! Mí-amh!' arsa na buachaillí agus d'fhógair Dwain go raibh sí ag iarraidh breith ar fhear.

'Is mó an seans go mbéarfadh sí ar fhrancach,' arsa Dick.

'Sea, go mór mór istigh anseo,' ar sise.

Dúirt Larky gur chóir di a bheith sa bhaile ag déanamh a cuid obair bhaile is phléasc an bheirt eile amach ag gáire.

D'fhógair Katty nach n-osclódh sí leabhar murar mian léi páipéar a fháil lena tóin a ghlanadh.

D'fhiafraigh Larky di an raibh an fhuil mhíosta uirthi agus spalp sé caint bhrocach chuici.

'Abair é sin arís a bhastaird bhig agus bainfidh mé an cloigeann amaideach sin díot!' ar sise agus borradh feirge le sonrú ina glór agus ar a héadan. Spalp Larky chuici arís é, agus thug sí faoi, á leadradh lena doirne, ag scríobadh a éadain agus ag stracadh a ghlibe. Buachaill beag tanaí a bhí ann agus bhí sí á mharú. B'éigean don bheirt eile teacht i gcabhair air. D'éirigh léi muineál Larky a ghreamú isteach faoina hascaill agus lean sí uirthi á ghreadadh. Bhí Larky ag scréachaíl le neart péine agus bhí an bheirt eile ag iarraidh é a shaoradh agus ag fógairt uirthi éirí as. D'éirigh leo a greim a scaoileadh ach rug sí greim ar a ghlib is ba bheag nár strac sí dá chloigeann é.

Chuir fear an tábhairne a cheann isteach an doras is d'ordaigh sé di imeacht.

'Ar fhiafraigh tú de cad a dúirt sé?' ar sise go lasánta.

'Fiafraigh de cad a dúirt sé!'

'Buille amháin agus amach leat — sin í an riail,' ar seisean.

'Ó sea! Caith amach mé ach ní fhiafróidh tú den bhastard beag cad a dúirt sé. Beag an focin baol! Fiafraigh de cad a dúirt sé!'

Níor éist an tábhairneoir léi ach sheol sé chuig an doras í.

'Níl le fáil istigh anseo ach francaigh!' ar sise le corp fuatha agus d'imigh sí léi.

'Bitseach focin amaideach!' arsa Larky ina diaidh agus é fós ag pusaíl ghoil.

'Is leor é sin!' arsa fear an tí.

Chuir sí a ceann isteach arís agus d'fhiafraigh de Larky an raibh a thuilleadh uaidh amuigh ar an tsráid.

'Ó in ainm Íosa, nach bhféadfá focáil leat agus ligean dúinn púl a imirt?' arsa Dick.

Nuair a bhí siad tuirseach den chluiche chuaigh siad amach ar an tsráid. Bheartaigh siad dul agus sceallóga a cheannach. Chonaic Dick go raibh cúpla fata mór ar an gcosán. Phioc sé suas ceann acu. D'fhéadfadh sé a bheith úsáideach. Bhí scata daoine bailithe lasmuigh den siopa sceallóga agus iasc. Chonaic siad Katty istigh sa siopa. Stop carr taobh leo agus chuaigh fear isteach sa siopa. Ní túisce istigh é ná rop Dick an fata suas i sceithphíopa an chairr. Bhí sé féin agus Dwain sna trithí dubha gáire arís agus fonn níos fearr ar Larky. Bhí rothar ceangailte le slabhra do chuaille leictreach taobh leo.

'Sin rothar Katty!' arsa Larky agus bheartaigh siad díoltas a imirt uirthi. D'éirigh leo an glas a oscailt agus cheangail siad de chúl an chairr é. Ba bheag nár thit an t-anam astu le neart gáire. Bhog siad leo síos an tsráid chun nach mbeadh éinne in amhras fúthu agus d'fhan siad ag faire. Bhí seanmhála taistil lán de bhruscar caite ar thaobh na sráide. Bhí seanghiobail ag silleadh amach as. Chuaigh siad á scrúdú. Bhí cúpla sean-nuachtán agus cannaí aerasóil ann.

D'fhógair Dick gur focin náire saolta é an bruscar go léir a bhí ag truailliú na tíre. Thóg sé leis iad go bosca mór bruscair a raibh a chlúdach briste. Chuir sé tine le leathanach den nuachtán agus chaith síos ann é. D'oscail sé na leathanaigh eile agus chaith sé síos ina dhiaidh é. Thosaigh an lasair ag méadú go ciúin.

'Seo libh,' ar seisean agus leag sé na haerasóil agus tuilleadh den nuachtán anuas ar na lasracha. Bhog siad leo gan focal. Diaidh ar ndiaidh mhéadaigh an tine. I gceann tamaillín tháinig an fear amach as an siopa agus shuigh sé isteach ina charr. Chas sé an eochair ach níor thosaigh an carr i gceart. Rinne sé cúpla iarracht agus ansin d'imigh síos an tsráid. Bhí gach aon ghliogram glagram as agus é ag tarraingt an rothair ina dhiaidh. Ansin d'imigh an práta de phléasc amach as an sceithphíopa. B'éigean dó stopadh agus dul ag féachaint cad ba chúis leis an gcnagadh agus leis an torann go léir. Ba bheag nár thacht an triúr buachaillí iad féin ag iarraidh gan a bheith ag pléascadh gáire. Go tobann phléasc aerasól is chuir sé nuachtáin dóite agus bruscar ag eitilt tríd an aer. Bhí cailín ag siúl thairis agus léim an t-iomlán amach chuici. Lig sí scréach aisti. Ansin phléasc an dara haerasól. Chuaigh na buachaillí sna trithí gáire agus lean siad orthu ag gáire go raibh pian ar chúl a gcinn. Nuair a bhí an spórt thart chuir siad aghaidh staidéarach orthu féin agus chuaigh siad ar lorg na sceallóg. Bhí Katty díreach tagtha amach as an siopa.

'Cá bhfuil mo focin rothar?' ar sise agus ní raibh spórt acu riamh mar a bhí acu ag insint di go ndearna fear iarracht é a ghoid ach gur shábháil siad é.

'Ba chóir duit a bheith focin buíoch dínn!' arsa Dick.

'Ba chóir foc!' ar sise is d'fhógair gurb iadsan a cheangail den charr é.

Rinne Larky tagairt ghraosta di arís.

'Thug mé foláireamh duit cheana, a focin chac bhig!' ar sise is thug sí buille sa cheann dó a bhain creathadh as. Rith an bheirt eile chuici chun é a fhuascailt. Rug sí greim ar a ghlib, tharraing a chloigeann anuas agus thug buille san éadan dó lena glúin. Lig sé scréach as.

'Múinfidh sé sin ceacht duit!' ar sise. Rug sí ar a rothar is ghread sí léi.

'Mí-amh! Mí-amh!' arsa an bheirt eile ina diaidh is gheall siad do Larky go mbainfidís díoltas amach. Bhí seisean ag snagaireacht goil agus fuil shróine go tréan leis. Níor mhian leo é a thabhairt isteach sa siopa agus é ag gol agus thug siad an t-airgead do Dwain. Isteach leis agus a cheannaigh sé trí phaicéad sceallóg. Ghlan Larky an fhuil dá shrón lena mhuinchille agus thosaigh sé ag ithe a sceallóga ach bhí an fhuil, deora agus smaois mar anlann aige anuas orthu. Ba bheag an trua a bhí ag an mbeirt eile dó. Dúirt Dwain go bhféadfadh sé an meascán a dhíol mar chitseap thrátaí agus lig sé féin agus Dick béic gháire eile astu.

'Cén fáth sa foc a bhfuil sibhse ag gáire?' arsa Larky go teasaí.

'Táimid ag gáire toisc go bhfuilimid ag smaoineamh ar an díoltas a imreoimid ar Katty,' arsa Dick. D'aontaigh Dwain leis agus rinne siad iarracht mil a chuimilt de Larky ach bhí ag teip orthu. Ba í fírinne an scéil í ná go gcuirfeadh sé na madraí ag tafann agus na cait ag gáire.

Ba mhian le Carmel a fháil amach cén chaoi a raibh ag éirí le Cormac ar scoil. D'fhan sí ar feadh uair a cloig agus ansin chuaigh go dtí an seomra staidéir.

'A Chormaic,' ar sise, 'is dona liom a bheith ag cur isteach ar an obair seo go léir ach níl braon bainne sa teach. An bhféadfá dul go dtí an t-ollmhargadh chun go mbeidh d'athair in ann cupán caife a ól nuair a fhilleann sé ón gcruinniú?'

Ní fhéadfadh Cormac gan cnáimhseáil a dhéanamh. 'Táimse ag obair. Nach bhféadfá tiomáint ann tú féin?'

'Táim ag fanacht ar ghlaoch práinneach teileafóin ó chliant Mr Greenbaum.'

Lean sé air ag gearán ach d'imigh sé leis.

Thosaigh Carmel ag cabaireacht le Rós agus i gceann tamaill d'fhiafraigh sí di an raibh Cormac ag réiteach go maith leis na buachaillí is na cailíní eile ar scoil. Dúirt Rós go raibh agus bhí áthas uirthi é sin a chloisteáil.

'Tá a athair ag múineadh sa Choláiste sa bhaile mór agus bhíodh sé ag dul ar scoil ansin, ach mheasamar go n-oirfeadh scoil mheasctha níos fearr dó. Ar aon nós níl sé ceart go mbeadh buachaill ag freastal ar scoil ina bhfuil a athair ina mhúinteoir.'

D'aontaigh Rós léi agus dúirt go raibh teach an-álainn acu.

'Ba bhreá linn Cormac a chur go scoil lánGhaelach ach níl aon cheann gar dúinn.'

Mhínigh Rós di gurbh é sin a céad lá aici sa scoil agus d'inis sí di faoin dóiteán. D'fháisc Carmel lena croí í agus rinne comhbhrón léi. Thuig sí go raibh croíthe daoine eile scóltá ag cúrsaí i bhfad níos measa ná an imní a bhí uirthi faoi Chormac. I gceann tamaillín chuir sí ceist ar Rós faoinar mhaith léi a dhéanamh nuair a bheadh an scoil fágtha aici is dúirt sí gur bhreá léi a bheith ina múinteoir.

'Bheadh sé sin go hiontach,' arsa Carmel agus d'fhiafraigh sí di ar thaitin sé léi a bheith ag foghlaim.

'Níl a fhios agam,' ar sise agus rinne sí gáire beag. 'Níor smaoinigh mé riamh air.'

'Sea, is dócha go dtaitníonn,' ar sise tar éis bomaite bhig. 'Sea. Taitníonn sé liom.'

Chuala Cormac na scréacha gáire ó Dwain sula bhfaca sé an triúr acu. Bhí barúil aige go raibh diabhlaíocht éigin ar siúl acu.

'Ná déan dearmad do chuid focin obair bhaile a dhéanamh!' arsa' Dwain in ard a ghutha agus lig siad béic gháire astu. Nuair a shroich Cormac an teach luigh sé féin agus Rós isteach ar an obair bhaile. Chabhraigh sé léi an pheannaireacht a dhéanamh is thug sé cúnamh di maidir leis an gcúrsa staire freisin.

Cuireadh moill ar na Gardaí. Bhí an triúr ina seasamh lasmuigh den tábhairne nuair a chonaic siad an carr patróil. D'imigh sé tharstu agus stop sé lasmuigh den ollmhargadh agus chuaigh beirt ghardaí isteach.

'Tá an fireannach dubh nocht ó Mheiriceá uathu,' arsa Dick, agus is ar éigean ar éirigh leo fanacht ina seasamh le neart gáire. Bheartaigh siad bogadh leo. Bhí siad ag siúl suas an tsráid nuair a d'fhógair Larky go raibh air dul abhaile. Fonn caca a bhí air. Dúirt Dwain go mba choir dó dul go dtí an *shop toilet.* Thosaigh siad ag gáire arís.

'Cad a dhéanfaidh tú má bheireann na Gardaí ort,' arsa Dick.

'Foc iad,' arsa Larky.

'Deir an fógra gur *Toilet* atá ann,' arsa Dwain agus fuair sé sean-nuachtán dóite a bhí caite ar thaobh na sráide. Scrúdaigh sé leathanach a trí ag féachaint an raibh aon chailín leathnocht air. Ní raibh. Bhain Larky a bhríste de agus scaoil sé sruth caca le torann ar leic an dorais.

'Chríost! Seo chugainn na focin gardaí!' arsa Dwain. B'fhíor dó. Bhí an carr patróil ag teacht chucu. Tharraing Larky aníos a bhríste go tapaidh agus shiúil siad triúr síos an bóthar ag ligean orthu nár tharla aon rud. Bhí an tiománaí a cheannaigh na sceallóga tar éis scéal a chur go dtí na Gardaí ag insint dóibh go raibh scabhtaeirí gnóthach sa bhaile.

'Chríost! Chaithfeadh sé go bhfuil do bhríste lán de chac!' arsa Dwain.

'Á, gabh suas ort féin!' arsa Larky ach bhí an fhírinne ráite ag Dwain.

Tháinig seanbhean amach is thosaigh sí ag béicíl gurbh iad ba chiontach is nach raibh iontu ach dailtíní gan bhéasa. Rinne an triúr iarracht teitheadh ach rug na gardaí orthu.

Chuir an bhean ina leith gurb iad a bhí freagrach as an rothar a cheangal den charr agus an tine ealaíne a cheangal den mhadra.

'Tá sé in am againn a bheith ag caint,' arsa garda.

'Is ógánaigh muidne!' arsa Larky go dúshlánach. 'Ní féidir leat muid a ghabháil!'

'Ní cóir dúinn a bheith dian ar dhaoine a bhfuil míchumas meabhrach ag gabháil dóibh,' arsa garda eile.

'Ní gabháil é seo ach is mian linn labhairt libh agus measaim nár mhaith libh daoine a bheith ag breathnú agus ag éisteacht lena bhfuil le rá againn,' arsa an dara garda.

Shuigh siad isteach sa charr patróil agus las Garda amháin an solas os a gcionn. Chuir na Gardaí ceisteanna orthu faoina raibh ar siúl acu agus faoin nglaoch teileafóin ón ollmhargadh. Bhí Larky agus Dwain scanraithe ach bhí a fhios a chearta ag Dick agus bhí a fhios aige go raibh siad slán. Bhí foláireamh faighte aige, áfach, óna dheartháir Jason gan aird na nGardaí a tharraingt air féin ná ar éinne eile den teaghlach. Lig sé air go raibh sé scanraithe ina bheatha.

'Coir thromchúiseach is ea a bheith cruálach le hainmhithe,' arsa garda amháin, 'agus tá finné sásta fianaise a thabhairt in bhur n-aghaidh.

'A Íosa! Ní raibh ann ach píosa spraoi,' arsa Dwain.

'Cad is ainmneacha daoibh?'

Thug Larky agus Dwain a n-ainmneacha agus bhreac an garda síos iad. Thug Dick ainm bréige dóibh.

'Agus anois d'ainm ceart,' arsa an dara Garda a bhí ag faire go géar ar an mbeirt eile nuair a thug sé é. 'Féadfaimid dul ar scoil maidin amárach lena fháil amach.'

B'éigean do Dick é a thabhairt.

'Agus anois bhur n-uimhreacha teileafóin.'

'Cén fáth?' arsa Dick.

'Le bheith cinnte cé agaibh a rinne an glaoch faoin lomnochtán fireann ag scaoileadh a mhúin san ollmhargadh.' arsa an chéad gharda.

'Chríost! Ní raibh ann ach spraoi,' arsa Dwain. Thuig fiú Larky go raibh botún déanta aige agus an choir admhaithe aige.

'Ní fheicim aon duine ag gáire,' arsa an dara garda agus é ag cur na súile tríothu. 'Is coir é am na ngardaí a chur amú.'

Scaoileadh saor iad faoi dheireadh agus dúirt na Gardaí go mbeidís ag cur scéala abhaile fúthu agus nach raibh deireadh cloiste acu fós faoin scéal, ná baol air.

'Níl tada ar féidir leo a dhéanamh,' arsa Dick agus iad ag siúl abhaile. 'Fiú dá dtabharfaidís muid os comhair cúirte scaoilfí saor muid ar promhadh.'

Beagán ar bheagán thuig an bheirt eile go raibh an ceart aige.

'Cén bhail atá ar do focin bríste ina dhiaidh sin, Larky?' arsa Dwain. 'Déarfainn go bhfuil tuilleadh buinní air,' agus lig sé féin agus Dick béic mhór gháire astu.

'Mo thrua an chéad duine eile a shuífidh san áit a raibh tú i gcarr na focin gardaí.'

In ainneoin a gháire bhí Dick scanraithe. Bhí eagla an domhain air roimh a dheartháir Jason agus cúis aige leis. Ba dhíoltasach an mac é. Nuair a bhí an braon istigh ann thosaigh sé ag maíomh faoin sásamh a bhain sé as an múinteoir a tháinig air agus é ag díol drugaí ar scoil. Chuir sé scian trí bhoinn a chairr mar thús agus ansin tar éis cúpla mí chuir sé fear le peitreal a dhoirteadh isteach an bosca litreacha ina theach agus chaith sé cipín ar lasadh isteach ina dhiaidh. Ní bhfuarthas amach riamh cé a rinne é.

'Brisfidh mé do focin cosa má chothaíonn tú trioblóid dom,' arsa Jason leis. 'Brisfidh mé iad le blocanna coincréite.'

Bhí Jason sa bhaile roimhe nuair a d'fhill Dick.

'An bhfuil aon haisis agat,' arsa Dick.

Rinne Jason gáire agus dúirt go raibh. 'Táim tagtha abhaile ag féachaint an féidir liom mo ghnóthaí a leathnú amach sa taobh seo tíre,' agus chuir sé ceisteanna air faoi dhaoine a mbeadh drugaí uathu sa Phobalscoil.

Thug Dick gach eolas a bhí aige dó.

'Go breá,' arsa Jason. 'An bhfuil an focin homaighnéasach sin fós sa rang leat?'

'Tá.'

'Is gráin liom na bastaird! Caithfimid ceacht a mhúineadh dó oíche éigin.'

Rinne Dick gáire agus thug Jason beart beag haisis dó.

Ghlac Larky cithfholcadh nuair a chuaigh sé abhaile, chaith sé a bhríste in araid rothaí an bhruscair agus chuaigh ag féachaint ar an teilifís.

'Cad a tharla duit?' arsa a mháthair nuair a chonaic sí an bhail a bhí ar a éadan.

'Thit mé de chrann isteach sna sceacha.'

'An mian leat mo *quarium* a fheiceáil?' arsa Cormac le Rós nuair a bhí an obair bhaile críochnaithe acu.

Níor chuala Rós faoi *quarium* riamh.

Mhínigh sé gur *aquarium* a bhí ann ach gur bhaist a athair an '*quarium*' air mar mhagadh mar go mbíodh sé i gcónaí ag pleidhcíocht le focail. Thóg sé í go dtí a sheomra. Nuair a d'oscail sé an doras chonaic sí an t-uisceadán. Dabhach mór trí throigh ar leithead a bhí ann a raibh clúdach os a chionn. Bhí solas folaithe istigh faoin gclúdach agus é ag scalladh anuas ar an ngairbhéal ildaite ar bhun an uisceadáin, ar na plandaí uisce a bhí ag fás aníos uaidh agus ar na héisc órga a bhí ag snámh timpeall ar a suaimhneas. Níor las Cormac solas an tseomra ach chuaigh siad anonn, agus stán sí ar na héisc ghleoite a raibh an solas ag glioscarnach orthu. Ní raibh le déanamh acu ach corr a bhaint as a n-eireabaill agus ghluaisidís go maorga grástúil soir siar tríd an uisce. Bhain sí lán a dhá súl astu ag déanamh iontais dá ngleoiteacht. Mhínigh Cormac go ndeireadh a athair go raibh áilleacht uile na filíochta iontu agus iad ag gluaiseacht leo agus nach raibh barúil dá laghad acu cé chomh grástúil a bhí siad agus nach raibh file sa saol a bhféadfadh cur síos a dhéanamh orthu.

Ní raibh barúil dá laghad ag ceachtar acu go raibh solas ón uisceadán ag scalladh ar a n-aghaidheanna óga is go bhféadfadh ealaíontóir mar Caravagio nó George de la Tour sárshaothar a dhéanamh díobh ansin i ndorchadas an tseomra agus iad ag stánadh le hiontas ar na créatúir ghleoite.

Thóg sé bosca anuas ó sheilf, d'oscail é agus thóg sé fliúit airgid amach as. Chuir sé na codanna le chéile agus sheinn sé an ceol ab áille dar chuala sí riamh. Bhí sí beagnach as a craiceann le hiontas is le haoibhneas. Mheas sí go raibh na héisc ag snámh timpeall is iad faoi dhraíocht ag an gceol. Nuair a bhí cúpla píosa seinnte aige chuir sé an fhliúit ar ais ina bhosca agus bhain sé an clúdach den uisceadán chun a mbeatha a thabhairt do na héisc. Tháinig siad go huachtar an uisce agus iad ag geiteadh timpeall ag feitheamh lena mbéile. Scaoil sé bruscar bia isteach chucu agus leath siad a mbéal ag iarraidh é a alpadh.

'Féach ar a mbéal,' ar seisean. 'Tá siad ag rá "Níos MÓ! Níos MÓ! Níos MÓ!"'

'Sin díreach atá á rá acu,' ar sise agus gáire ar a béal. Las sé solas an tseomra ansin agus rinne sí iontas de na leabhair a bhí aige ar sheilfeanna os cionn a leapa agus den dá eitleán a bhí ar crochadh ón tsíleáil agus de na póstaeir gheala a bhí ar na ballaí aige. Chuaigh siad síos go dtí an chistin ansin chun brioscaí a ithe agus deoch oráiste a ól.

Nuair a bhí deireadh ite agus ólta acu rug siad ar na rothair agus chuaigh siad ag rothaíocht chomh mear tapaidh agus a bhí iontu i dtreo an tsráidbhaile. Stop siad gar do theach Rós agus sheas siad in áit fhoscúil.

Gháir Cormac agus dúirt sé nár bhain sé oiread taitnimh riamh as a bheith ag déanamh a chuid obair bhaile.

'Ná mise ach oiread,' ar sise is í ag gáire freisin.

Leag sé lámh ar a gualainn agus bhog sé níos cóngaraí di. D'inis sé di go raibh sí an-álainn is go raibh áthas an domhain air a bheith ina cuideachta. Chuir sé a béal go bog ar a béalsa agus sheas siad ansin ar feadh tamaill gan cor astu. Bhí sí amuigh le buachaillí roimhe sin agus ní raibh uathu ach a lámha a ropadh thar a corp agus teanga a sá siar a craos. Bhí Cormac cneasta caoin agus ba gheal lena croí é. Ba bhuachaill thar buachaillí é agus chuir sé gliondar uirthi. D'fháisc sí chuici féin é.

'Is cosúil gur cailín an-deas í, a Chormaic,' arsa a mháthair nuair a d'fhill sé agus d'fhiafraigh sí de cá raibh cónaí uirthi. Dúirt sé go raibh cónaí uirthi in Eastát Radharc na hAbhann ach ní dúirt sí tada. Bhí a fhios acu araon go raibh teaghlaigh dheasa agus ruifínigh ag cur fúthu san eastát céanna.

'Ní chreidfeá an scéal is déanaí,' ar sise nuair a tháinig Gearóid isteach óna chruinniú. 'Tá cailín ag Cormac. Bhí Dia ag éisteacht lenár nguí. Cinnte bhí.'

'Cén sórt cailín í?' ar seisean ag baint a sheaicéid de is ag cur geansaí air ina áit.

'Spéirbhean álainn óg ach nuair a osclaíonn sí béal níl aici ach '*dis an' dat an' de odder ting.*'

Nuair a luigh Rós siar ina leaba chuimhnigh sí ar na héisc órga agus iad go gleoite ag snámh leo gan stró san uisceadán. Chuimhnigh sí ar an gceol draíochta a sheinn Cormac. Chuimhnigh sí ar an gceol a bhíodh á chleachtadh aici féin sa bhunscoil ar fheadóg stáin go dtí gur mhill Patrick í nuair a lig sé do chloch titim uirthi. Chuimhnigh sí ar a tuismitheoirí agus an phraiseach ghránna a bhí á dhéanamh acu dá saol is de gach rud a raibh baint acu leis. Chuimhnigh sí ar Chormac agus an saol aoibhinn a bhí aige. Bhí Carmel go deas cneasta ach ní bheadh meas madra aici uirthi féin dá dtuigfeadh sí an chaoi a raibh cúrsaí aici sa bhaile.

'Gread leat!' arsa Michael nuair a ghlaoigh Rós air an mhaidin dar gcionn.
'Ach tá ort dul ar scoil.'
'Gread leat! focáil leat!'
Níor bhac sí le glaoch air arís.
Bhí Rós, Dick, Dwain, Root agus scata daltaí ag fanacht leis an mbus nuair a chonaic siad Larky ag teacht chucu.
'Cad a tharla duit?' arsa buachaill acu le Larky nuair a chonaic sé go raibh a éadan scríobhta agus caipín dubh ar leathshúil leis.
'Thit mé de chrann isteach sna sceacha,' arsa Larky agus mhínigh Dwain go raibh sé thuas i gcrann ag faire isteach an fhuinneog ar Katty agus í ag baint a cuid éadaí di nuair a thit sé go talamh. Ba bheag nár thit siad as a seasamh le neart gáire.
'Tá cíocha breátha aici ach tá a tóin rómhór,' arsa Dwain.
Tháinig an bus. Chuaigh siad ar bord agus shuigh Rós suas chun tosaigh. Chuaigh Larky, Dwain agus Dick siar ar chúl.
'Mí-amh! Mí-amh!' arsa Larky nuair a tháinig Katty ar bord. Síos léi chuige.
'Abair é sin arís agus stracfaidh mé an cloigeann díot, a chunúisín chaca!' ar sise.
'Ara, suigh síos,' arsa Dick léi.
'Focal eile asat agus focin maróidh mé thú!' ar sise is shuigh sí síos.

Bhog an bus chun siúil, agus mhínigh Dick dóibh go bhfaca sé plean iontach i gceann d'irisí a dhearthár is go rachadh sí le craobhacha ar fad nuair a d'imreodh sé uirthi é. Shásaigh sé sin iad. Dhéanfadh sé é a luaithe is a bheadh ceamara digiteach aige.

'Déan dearmad ar an mbitseach,' arsa Dwain agus thosaigh sé ag béicíl in ard a ghutha:

'Cic sa tóin maidin Dé Luain
agus dorn sna magarlaí Dé hAoine!'

'Múinteoirí le céasadh ag diabhail gan bhéasa,
agus muidne an dream lena dhéanamh!'

Bhí an bheirt eile á fhreagairt de bhéic. Bhí sé mar a bheadh rosc catha acu. Bhéic siad arís agus arís eile é agus in ainneoin go raibh Larky ar dhuine de na buachaillí ba lú ina rang agus gur beag an seans go n-éireodh leis cic sa tóin ná dorn sna magarlaí a thabhairt do dhuine fásta bhain sé taitneamh an domhain as an gcantaireacht.

Stop an bus, tháinig Cormac ar bord. Chuaigh aoibh mhór gháire thar a bhéal nuair a chonaic sé Rós. Shuigh sé síos taobh léi.

An tAthair Plankton a bhí acu don chéad rang. Bhí a chuid oibre ullmhaithe go maith aige agus súil le Dia aige go rachadh sé i gcion orthu agus go dtabharfadh sé tuiscint dóibh ar roghanna morálta.

'Fáilte romhat, a Rós,' ar seisean nuair a shiúil sí isteach sa seomra, agus d'fhiafraigh sé di an ndeachaigh Michael agus Patrick ar scoil.

Nuair a bhí na daltaí go léir tagtha theilg an sagart grianghraf mór ar scáileán. Pictiúr d'fhear óg fionn a bhí ann, leanbh ar a bhaclainn aige agus aoibh chneasta ar a bhéal. Mhínigh sé dóibh gurbh é Reinhard Heydrich a bhí ann, go dtugtaí Crochadóir Phrág air agus go raibh sé freagrach as an slad a rinne na Naitsithe ar na Giúdaigh a eagrú. Bhí talann faoi leith ag an sagart is é ag déileáil le gasúir, agus bíodh is go raibh cuid mhaith de mhúinteoirí creidimh na tíre a dtiomáint glan as a gciall, bhí a chuid daltaí féin béasach formhór an ama. Lena chois sin bhí a fhios acu go bhféadfaidís dul chuige dá mbeadh fadhb le réiteach acu. Thuig an sagart go mbídís ag triall ar a sheomra mar leithscéal go minic mar nach mbíodh aon obair bhaile déanta acu do mhúinteoirí eile.

'Bhí an Reinhard maith go leor mar sin.' arsa Larky.

'Cén fáth an ndéarfá é sin?'

'Toisc gur ghásáil sé na Giúdaigh.'

'Ní dóigh liom go gcreideann tú é sin i ndáiríre,' arsa an sagart go cneasta. Bhí a fhios aige dá ndéarfadh sé oiread is focal teasaí le duine acu go raibh seans ann go mbainfeadh an té sin díoltas amach trí chúl a thabhairt dá chreideamh. Bhí an t-ádh leis nach raibh mórán ranganna aige is nach mbíodh sé marbh le tuirse ag dul isteach chucu.

'An rang staire eile é seo?' arsa Katty go stuacach. Thug sí gráin a croí don stair is ní raibh rang eile den sórt uaithi.

'D'fhéadfá a rá gur cineál machnaimh ar ghnéithe den stair atá ann,' ar seisean agus bheartaigh sí gan suim ar bith a chur ann. Chas sí a ceann ar chlé agus stán sí amach an fhuinneog.

Mheas formhór an ranga gurbh uafásach an duine é Reinhard ach dúirt Chloe gurbh álainn an leanbh a bhí aige. Dúirt Rós gur cheap sí go raibh maitheas éigin ann má bhí gean aige ar a leanbh.

'An ndéarfá mar sin go bhfuil splanc mhaitheasa le fáil i gcroí na ndaoine is measa?' arsa an sagart, agus mar thaca lena argóint thaispeáin sé grianghraf eile dóibh a léirigh Hitler agus a ghrá Eva Braun.

'An bhfuil tú a rá go raibh sé ag dul suas uirthi?' arsa Dwain.

'Phós an bheirt acu sular chuir siad lámh ina mbás féin.'

Thaispeáin sé grianghraf dóibh ansin de Hitler agus a mhadra Blondi. D'aontaigh siad leis gur mhadra deas a bhí aige.

'Leanann madra a dhúchas agus bíonn sé díreach mar is cóir do mhadra a bheith,' arsa an sagart. 'Ní mar sin dúinne. Caithfimid roghanna a dhéanamh agus ár ndícheall a dhéanamh maireachtáil mar is cóir.'

D'aontaigh siad go léir leis. Chuimhnigh Rós ar na héisc áille órga agus iad ag snámh go maorga san uisceadán.

'Tá Larky tar éis éirí as an iarracht!' arsa Dwain agus lig na daltaí racht gáire astu.

'Measaim go bhfuilimid beagán dian ar Larky bocht,' arsa an sagart. 'Ach cad faoi na roghanna a dhéanaimid gach lá?'

'A Íosa!' arsa Katty, agus d'fhógair nár chuala sí rud chomh háiféiseach leis riamh.

'Téigh ar ais a codladh, Katty,' arsa an sagart agus rith sé chuige go mb'fhéidir nach raibh ag éirí leis dul i gcion orthu ar chor ar bith.

'Mura miste leat, Dwain!' arsa an sagart nuair a chonaic sé é agus é ag fáisceadh ábhair as ceann de na goiríní iomadúla a bhí ar a éadan lena ordóga.

'Cad é?'

'Déan in áit éigin eile é, le do thoil.'

Chíor an rang ceist na saoirse. Scrúdaigh Dwain a dhá ordóg agus glan sé iad ar a bhríste.

Thaispeáin an sagart grianghraf de Mháthair Treasa Chalcúta dóibh agus í ag tabhairt aire do sheanduine.

'Tá sí ag féachaint an bhfuil dreancaidí air,' arsa Dwain agus phléasc siad go léir amach ag gáire.

'Go raibh maith agat, Dwain,' arsa an sagart. Bhí an ócáid millte agus é in am acu filleadh ar an téacsleabhar. Bhí sé ag rith chuige le tamall gur obair in aisce a bhí ar siúl aige agus nach mbeadh cuimhne dá laghad acu i gceann tamaill ar aon rud a bhí déanta aige.

Bhí na daltaí ag ithe lóin nuair a d'fhiafraigh Root de Katty cén fáth nár tharraing sí na cuirtíní nuair a bhí sí ag baint a cuid éadaí di.

'Cad sa foc atá ar siúl agat?' ar sise.

Mhínigh Root scéal Larky di agus go ndúirt sé go raibh tóin mhillteach mhór uirthi.

'A Chríost! Maróidh mé an focin cac beag!' ar sise. Chuaigh sí á lorg. Tháinig sí air ar chúl an árais ghleacaíochta. Bhí sé ag caint le Dick agus Dwain agus iad ag caitheamh toitíní. Níor airigh siad ag teacht í.

'Cabhróidh sé sin leat rudaí a fheiceáil níos fearr!' ar sise agus thug sí dorn sa tsúil do Larky. Lig sé béic as agus lean sí uirthi á ghreadadh. Rinne Dick agus Dwain iarracht iad a scaradh ó chéile ach bhailigh na daltaí eile timpeall orthu á ngríosú chun troda. D'fháisc Dwain a dhá láimh timpeall uirthi á sáinniú ach thug sí cic sna lorga dó le sáil chrua a bróige agus sonc millteach sa bholg dó lena huillinn. Lig sé gnúsacht as agus scaoil sé a ghreim. Bhí daltaí ag rith chucu chun an troid a fheiceáil agus iad ag béicíl 'Troid! Troid! Troid!' Bhí cuid eile acu ag meamhlach 'mí-amh! mí-amh! mí-amh!' Bhí Dick ag iarraidh dul i ngleic léi. Tharraing sí Larky timpeall agus rop a cheann isteach i mbolg Dick. Chúlaigh seisean siar uaithi agus bhí deis aici fraoch a feirge a imirt ar Larky.

Lig duine béic go raibh Miss Codd ag teacht.

'Múinfidh sé sin duit gan a bheith ag insint focin bréaga fúm!' ar sise nuair a thug sí cic scoir sa tóin dó. 'agus rud eile níl aon focin crann ná sceacha ar chúl mo thíse, a bhuinneacháin!'

Ghread sí léi agus d'éirigh Larky ón talamh. Bhí sé ag smuasaíl goil agus na deora lena leicne.

'Is trua nach raibh cúpla canna *Kitty Kat* againn lena haire a bhaint díobh,' arsa buachaill eile agus lig siad béic gháire astu.

Bhí rún daingean ag Dick agus ag Dwain díoltas a imirt uirthi. Thóg siad Larky leo go dtí an leithreas áit ar chuir sé uisce fuar ar a éadan. Bhí sé fánach acu. Bhí á éadan ag ramhrú cheana féin agus dath an ghuail ag teacht ar a shúile. Bheadh sé i bhfad níos deacra é sin a mhíniú ná an scríobadh a thug sí dó sa sráidbhaile.

Nuair a d'fhill Rós ar an teach bhí Michael fós sa leaba.

'Gread leat!' ar seisean nuair a ghlaoigh sí air.

'Ach an bhfuil tú tinn?'

'Gread leat!'

An bhfuil dochtúir uait?

'In ainm Dé, focáil leat!'

Chuaigh sí síos an staighre. Ní raibh a fhios ag a máthair ar ith sé aon rud nó nár ith. D'ullmhaigh Rós an dinnéar agus d'iarr sí air teacht anuas. Fuair sí an freagra céanna. Nuair a bhí a cuid gnóthaí déanta aici chuir sí glaoch ar Chormac agus chuaigh an bheirt acu go dtína theachsan chun an obair bhaile a dhéanamh.

Ní raibh éinne sa bhaile nuair a shroich Larky a theach. Bhí litir an phríomhoide roimhe sa halla. Strac sé as a chéile í, thug isteach sa seomra suite í agus loisc ar an tinteán í. Rinne sé gáire agus chuir sé a mhallacht ar Mr Putts agus ar an Hipí nuair nach raibh fágtha di ach an luaith. Mheas sé go raibh sé glic ach ní raibh sé glic go leor. Bhí alltacht ar a mháthair nuair a tháinig sí abhaile agus nuair a chonaic sí an bhail a bhí ar a éadan.

'D'ionsaigh Katty an Cat mé ar scoil — gan fáth gan ábhar.'

Cheistigh a mháthair é agus dúirt sé go raibh sé ag caint go ciúin lena chairde nuair a tháinig sí air agus gur thug sí léasadh gan trócaire dó.

'Táimse ag dul chun cainte le Mr Potts. Ní féidir rud mar sin a cheadú ar chor ar bith,' ar sise agus chuir sí ungadh ar a éadan.

Bhí a athair le ceangal nuair a chonaic sé an chuma a bhí ar a éadan. Thug sé go dochtúir é chun go ndéanfadh sé é a scrúdú agus thóg sé sraith ghrianghraf de nuair a d'fhill siad abhaile. 'Beidh siad ag teastáil uainn i gcomhair an cháis chúirte.'

Thaitin an chaint sin le Larky.

'Beidh port eile ag an Mr Potts sin nuair a chloisfidh sé uaimse ar maidin,' arsa a athair, 'ach ná habair oiread agus focal le héinne go fóill.'

Bhí Gearóid ag obair sa seomra staidéir nuair a shroich Cormac agus Rós an teach. Chuaigh siad ag obair sa chistin. Bhí Carmel ann roimpi agus fuair sí brioscaí agus deoch coke dóibh.

'Cad atá idir lámha agaibh?' arsa Gearóid agus é ag teacht isteach le cupán caife a fháil dó féin. Bhí gruaig thanaí liath air a bhí ag caolú siar agus bhí croiméal liath air freisin. Chroith sé lámh le Rós. Mhínigh Cormac dó go raibh tionscnamh le déanamh acu don rang creidimh. Gháir Gearóid.

'Deireadh na Protastúnaigh ó thuaidh gurb ionann *Home Rule* agus *Rome Rule*, ach sa chás seo is ionann *Home Work* agus *Rome Work*.'

Gháir Rós. Chaith siad tamall ag cabaireacht agus dúirt Cormac go mbeadh togha na hoibre ag teastáil ón Athair Plankton.

'An tAthair Fiosrach Ó Fiosraigh!' arsa Gearóid agus chaith sé siar a raibh fágtha dá chaife. 'Há! Síos an *cloaca maxima* leis,' ar seisean agus d'imigh sé leis.

'Cad é an *cloaca maxima*?' arsa Rós.

'B'in an draein mhór a bhí acu sa Róimh fadó.'

Thosaigh Rós ag sciotaíl gáire. 'An mbíonn caint mar sin ar siúl aige i gcónaí?' ar sise.

'Is minic a bhíonn sé níos measa ná sin.'

Ní dúirt sí go mbíodh caint ag a tuismitheoirí a chuirfeadh na cait ag gáire.

'Bhí an ceart agat, tá sí dathúil,' arsa Gearóid le Carmel ar ball. 'B'fhéidir go gcuirfinn féin cluain uirthi murach go bhfuil sí curtha in áirithe cheana féin ag Cormac.'

'Déan é sin agus maróidh mé thú!' arsa Carmel agus í ag gáire ach bhí casadh tagtha ar an scéal nár thaitin léi ar chor ar bith.

Bhí obair bhaile ealaíne le déanamh ag Cormac agus ag Rós. Dúirt Cormac go ndéanfadh sé í a sceitseáil nuair a bheadh sí ag scríobh. Fuair sé a leabhar sceitseála is chuaigh sé i mbun oibre.

'A Dhia! Tá tú an-dathúil! An-dathúil go deo!' ar seisean agus é ag iarraidh í a tharraingt. Ní mó ná sásta a bhí sé lena mhíle dícheall ach mheas Rós go raibh sé go han-mhaith. Ansin thosaigh seisean ag scríobh agus rinne sise an sceitseáil.

Chuaigh siad in airde ar na rothair nuair a bhí siad

críochnaithe agus d'imigh siad chomh mear is a bhí sé iontu
i dtreo an bhaile.

Stop siad gar dá teach agus thóg sé ina lámha arís í is chuir
sé a bhéal lena béal.

'An mbeidh tú mar chailín agam?' ar seisean.

'Cinnte beidh!' ar sise agus phóg sí go fonnmhar arís é.

D'fhill sí abhaile agus gliondar ar a croí. Bhí gliondar ar
Chormac freisin. Bhí néal imní ag imeacht dá aigne.

Ghlaoigh athair Larky ar Mr Putts a luaithe agus a d'oscail an
scoil ar maidin agus dúirt gur mhian leis labhairt leis, agus é
sin a dhéanamh a luaithe agus ab fhéidir.

'Tá an litir léite agat, mar sin,' arsa Mr Potts.

'Cén litir?'

'An litir faoi iompar do mhic.'

Ní raibh tada ar eolas ag a athair faoi litir ar bith.
Bheartaigh siad bualadh le chéile ag a haon déag.

'Agus tóg do bhean in éineacht leat más féidir.'

Bhí Cormac agus Rós sa Halla Tionóil nuair a bhuail an tAthair
Plankton leo. D'fhiafraigh sé de Rós an raibh a deartháireacha
imithe ar scoil.

'Diúltaíonn Michael éirí aníos ón leaba ar chor ar bith,' ar
sise.

Níor thaitin an scéal leis. Thug sé nóta di le tabhairt dá
múinteoir agus d'iarr sé uirthi bualadh leis ina oifig ag meán
lae.

Carr mór faoi thiomáint ceithre roth a bhí ag athair Larky.
Shuigh sé féin agus a bhean isteach ann agus thiomáin siad
díreach chun na scoile. Bhí Mr Putts rompu ina oifig agus

chuir sé fáilte rompu. Chonaic siad go raibh an seomra trína chéile agus bearta, boscaí, leabhair, nótaí agus comhaid ar a bhord, ar an urlár agus ar na seilfeanna. Rinneadar suntas den ghrianghraf mór de Mr Putts a bhí ar an mballa, agus trófaí mór airgid ardaithe go buacach aige. Chroith sé lámh leo agus d'iarr orthu suigh síos. Bhí cóip aige den litir a bhí seolta aige chucu ach ní raibh deis aige é a thabhairt dóibh.

'An bhfaca tú ár macsa i ndiaidh an ionsaithe a rinneadh air sa scoil seo inné?' arsa athair Larky.

Ar an drochuair ní fhaca.

'Seo cuntas a thug an dochtúir ar an mbail a bhí air nuair a thugamar chuige aréir é,' arsa a athair ag síneadh fótachóipe chuige. 'Ba chóir córas smachta ceart a bheith agat sa scoil seo agus táimid chun an cás seo a chur faoi bhráid ár ndlíodóra.'

'Caithfear an scéal seo a iniúchadh,' arsa Mr Putts agus ghlaoigh ar an rúnaí agus d'iarr uirthi Larky a thabhairt chun na hoifige.

'Idir an dá linn b'fhéidir gur mhaith leat an litir a sheol mé chugaibh a léamh.'

Léigh siad í agus ní mór ná sásta a bhí siad leis an gcasadh a bhí tagtha ar an scéal. Tháinig Larky. D'iarr Mr Putts air a insint dóibh cad a tharla. Bhí an scéal céanna aige dóibh is a bhí aige dá thuismitheoirí an oíche roimh ré.

'Ní bheadh sé ceart ná cóir gan a iarraidh ar Cathy teacht isteach agus a hinsint féin a thabhairt dúinn ar an scéal,' arsa Mr Putts. 'Fanaigí anseo go bhfaighidh mé í.'

Dúirt athair Larky gur fhear gnóthach é agus nach raibh am le meilt aige agus go raibh a bhean ag cailleadh pá fad a bhí an scéal ag imeacht chun leadráin.

Bhí aithne mhaith ag Mr Putts ar Katty. Rinne sé miongháire agus dúirt sé nár mheas sé go dtógfadh sé rófhada.

Chuaigh sé go dtí an seomra ranga agus ghlaoigh amach í. D'inis sé di faoi na líomhaintí a bhí déanta ina haghaidh.

'Ar mhaith leat an scéal a mhíniú dóibh?'

'M'anam gur mhaith!' ar sise. 'Ar fhiafraigh tú de cad a thug sé ormsa? Cuir ceist air faoina ndúirt sé liom. Sin rud nach ndéanfaidh tú ach geallaim duit má deir sé arís é go maróidh mé an francach beag!'

'An bhfuil tú toilteanach labhairt lena thuismitheoirí?'

'Cinnte dearfa labhródh mé leo faoin focin cac beag.'

'Ní bheidh caint mar sin agam i m'oifigse,' ar seisean agus bhog siad leo. Ba léir do thuismitheoirí Larky go mba cailín teann téagartha í agus go raibh sí ar lasadh le teann feirge.

'Inis dóibh cad a dúirt tú liom sa teach tábhairne!' ar sise le Larky.

Rinne Larky iarracht leathfhreagra a thabhairt ach ní ghlacfadh sí le seafóid uaidh agus náirigh sí a thuismitheoirí nuair d'inis sí go neamhbhalbh dóibh cad a dúirt sé.

'Agus cad a rinne tú do mo rothar?'

Dúirt Larky gurbh iad an bheirt eile a cheangail den charr é.

'Abair amach anois cad a dúirt tú liom ansin!' ar sise.

Shéan sé go ndúirt sé aon rud agus spalp sí chuige na rudaí a dúirt sé. Bhí náire ar a mháthair.

'Anois inis dóibh cad a dúirt tú faoi bheith thuas sa chrann ag breathnú isteach an fhuinneog orm agus mé ag baint mo chuid éadaigh díom.'

Ba bhreá le Mr Putts an chaoi a raibh an scéal á nochtadh féin beagán ar bheagán agus ba bheag nár lig sé búir gháire as nuair a d'fhógair Katty go ndúirt Larky go raibh tóin mhillteach mhór uirthi. Choinnigh sé guaim air féin, áfach, agus d'fhógair Katty go mbainfeadh sí an cloigeann den bhastard beag dá gcuirfeadh sé isteach uirthi a thuilleadh.

'Is leor sin a Cathy,' arsa Mr Putts. 'Féadfaidh tú filleadh ar do rang. Beidh mé ag caint leat ar ball.'

'Maróidh mé an focin cac beag,' ar sise faoina fiacla agus í ag imeacht.

'An gá dom tada eile a rá?' arsa Mr Putts.

Bhí bata gearrtha ag béal Larky a bhí ag greadadh a dhroma féin. D'fhiafraigh Mr Putts de na tuismitheoirí cad ba mhian leo a rá. Rinne a athair iarracht dul san ionsaí arís ach léigh Mr Putts amach na cártaí dearga a bhí scríofa ag na múinteoirí faoi Larky agus d'iarr sé air labhairt faoin masla a bhí tugtha aige don Hipí. Rinne Larky iarracht sleamhnú amach ón sáinn ina raibh sé.

'Ar mhaith leat go n-iarrfainn ar an múinteoir teacht agus insint dúinn cad a tharla?'

'Níor mhaith.'

B'éigean dó an fhírinne a insint.

Dúirt Mr Putts go mbeadh ar Larky leithscéal a ghabháil leis an múinteoir agus a phardún a iarraidh agus d'fhógair sé go raibh sé ar intinn é a chur ar fionraí ar feadh trí lá ag tosú ar an Máirt a bhí chucu. 'Féadfaidh sibh labhairt le bhur n-aturnae más mian libh, agus tá sé de cheart agaibh achomharc a dhéanamh chuig an mBord Bainistíochta, ach geallaim daoibh má leanann sé ar aghaidh lena iompar go gcuirfidh mé os comhair an Bhoird chéanna é. Féadfaidh siadsan cinneadh a dhéanamh faoi.'

Chaith siad tamall ag plé an scéil agus faoi dheireadh chroith Mr Putts lámh le tuismitheoirí Larky sular fhág siad triúr an oifig.

'Táimid náirithe agat,' arsa a mháthair leis.

'Beidh tusa faoi ghlas go ceann coicíse,' arsa a athair, 'agus ní bheidh cead agat féachaint ar an teilifís ná a bheith ag imirt cluichí ar do ríomhaire, agus déanfaidh tú cibé obair bhaile a thabharfar duit.'

'An amhlaidh nach bhfuil Michael ar fónamh?' arsa an tAthair Plankton le Rós.

D'inis sí an scéal dó.

'An bhfuil sé ag ithe?'

'Níl a fhios agam.'

'An dóigh leat go bhféadfadh an dúlagar a bheith ag teacht air?'

Ní raibh a fhios sin aici ach dúirt sí go raibh an galar sin air bliain nó dhó roimhe sin. Níor lig sé air go raibh an t-eolas sin aige cheana féin ó shagart paróiste Bhaile an Chaisleáin, ach dúirt sé go mb'fhéidir go mbuailfeadh sé isteach chuige ar ball.

Rinne sé mar a gheall sé. D'oscail an mháthair an doras. Bhí sí ag caitheamh toitíní agus an dealramh ar a cuid éadaigh nua gur chodail sí iontu. Labhair sé léi ar feadh tamaill agus ansin d'fhiafraigh sé di cén chaoi a raibh Michael. Bhí sé sa leaba fós. Chuaigh an sagart chun cainte leis.

'Imigh leat!' ar seisean.

'Ach an bhfuil tú go maith? Ar ith tú do bhricfeasta fós?

'Imigh leat le do thoil!'

D'fhill an sagart ar a mháthair agus ba ghearr gur chuir sé fios ar an dochtúir. Bhí seisean sa chomharsanacht agus tháinig sé gan mhoill. Bhí sé cinnte go raibh dúlagar ar Mhichael agus é go dona. Baile nua, teach nua, scoil nua, agus tubaist na tine — ní raibh an buachaill bocht in ann déileáil leo. Mheas sé gurbh fhearr é a chur go dtí an t-ospidéal síciatrach. Thiomáin an sagart ann é agus choinnigh siad istigh é.

An Dochtúir Woods a bhí baiste ag na daltaí ar an múinteoir adhmadóireachta. Bhí an Hipí ag gáire is ag cabaireacht leis nuair a bhuail Mr Putts isteach sa seomra foirne. D'inis sé scéal Larky dóibh agus na fáthanna go mbeadh sé á chur ar fionraí. Dúirt sé go mbeadh Katty á cur ar fionraí freisin de bharr an ionsaithe a rinne sí air.

'Ní fhéadfadh sí buachaill níos deise a ionsaí,' arsa Bean Uí Ghallchóir agus thosaigh na múinteoirí ag gáire ach níorbh aon rud an gáire sin i gcomparáid leis an ngreann a bhí acu nuair a d'inis sé dóibh faoina ndúirt Larky fúithi agus í ag baint a cuid éadaigh di.

'B'fhéidir gurb é an t-ionsaí a rinne Katty air an ceacht is fearr a fhoghlaimeoidh sé go deo,' arsa an Hipí. 'Tá córas scoile agus dlí againn anois ina gcosnaítear daoine óga ó thorthaí a ngníomhartha. Sin an fáth a bhfuil siad mar atá.'

An Dochtúir Spellman a bhí baiste ag na daltaí ar an múinteoir thacaíocht foghlama. 'Tá tú ag rá mar sin gur chóir go mbeadh slat ag gach múinteoir agus go ndéanfaí slatáil ar phríosúnaigh?' ar seisean.

'Dá mbeifeá ag éisteacht thuigfeá an rud a dúirt mé,' arsa an Hipí go giorraisc, 'agus ní raibh á rá agam ach an rud a dúirt Rousseau agus é ag scríobh faoi dhisiplín na dtorthaí nádúrtha.'

Bhí a fhios ag Larky go raibh sé i dtrioblóid agus d'inis sé an scéal go léir do Dick agus Dwain.

'An maith leat an scoil seo?' arsa Dwain.

'Is fuath liom an focin poll seo.'

'Beidh trí lá saoire agat mar sin,' arsa Dwain agus thosaigh an triúr acu ag gáire.

'Ligeann siad orthu go bhfuil siad chun daltaí a dhíbirt ón

scoil ach ní féidir leo focin tada a dhéanamh. Focin tada,' arsa Dick. 'Sin é an dlí. Focin tada.'

Chuir sé sin Larky ar a shuaimhneas agus thosaigh siad ag ceapadh seifteanna chun díoltas a imirt ar Katty.

'Ní dhéanfaimid aon rud go ceann tamaill,' arsa Dick, 'nó ceapfaidh siad gur muidne atá freagrach.'

Faoin am a raibh an rang deireanach thart sa tráthnóna bhí áthas ar Larky agus é ag smaoineamh ar an tsaoire a bhí i ndán dó.

'Cic sa tóin maidin Dé Luain agus dorn sna magarlaí Dé hAoine!' arsa Dwain nuair a shuigh siad síos sa bhus.

'Múinteoirí le céasadh ag diabhail gan bhéasa

agus is muidne an dream lena dhéanamh!' arsa an bheirt eile á fhreagairt in ard a ngutha.

Bhí Rós le Cormac sa Halla Tionóil nuair a sheas an Hipí gar dóibh. Bhí sé ag féachaint ar an slua timpeall air agus greim láimhe aige ar an Síve a bhí thart faoina mhuineál.

'Cuir ceist air faoin deilbhín sin,' arsa Rós.

Suas le Cormac chuige agus chuir sé ceist air faoi.

'Á! Síve an scriosaire,' ar seisean. 'Dia Hiondúch is ea é. Dia na beatha. Dia an bháis. Nuair a bhí mé i mo mhac léinn bhí mé ag cur fúm le scata mac léinn i dteach mór i Londain. Bhí cailín ann agus thug sí dom é.

'An raibh sibh i ngrá le chéile?' arsa Cormac. 'An raibh sí mar leannán agat?'

Rinne an Hipí meangadh gáire.

'Ba mhian leis na daoine ar leo an teach é a leagadh agus oifigí a thógáil. Chuir siad slua mór le clogaid is le smachtíní chun muid a thiomáint amach as an áit. Ní fhaca mé riamh ó shin í.'

Tháinig an tAthair Plankton chucu agus dúirt gur mhian leis labhairt le Rós. Chuaigh sí leis.

'An bhfuil aon scéal faighte agaibh faoi Mhichael?'

'Níl.'

'An bhfuil aon bhealach agaibh dul ar cuairt chuige?'

'Níl.'

'Bhuel, d'fhéadfainnse sibh a thabhairt go dtí an t-ospidéal tráthnóna Domhnaigh.'

Ghabh sí míle buíochas leis.

Gheall sé go mbuailfeadh sé leo ag an teach ag a leathuair tar éis a dó cé go mb'fhearr leis go mór dá ndéarfadh sí go raibh duine de na comharsana tar éis a rá go dtiomáinfeadh sé ann iad.

Bhí an Hipí imithe nuair a d'fhill sí ach bhí Root tagtha, gáire mór ar a béal agus í ag fógairt go raibh sé socair ag Dick, Dwain, Larky agus buachaillí eile raic a thógáil i rang Iníon de Paor. 'Beidh an-chraic againn,' ar sise agus d'imigh sí léi go lúcháireach chun an nuacht a scaipeadh.

'Tá Iníon de Paor maith go leor,' arsa Cormac go míshásta, 'ach chuireann sí portán mór dubh i gcuimhne dom.'

Bhí Iníon de Paor rompu nuair a chuaigh siad isteach sa seomra. Dóbair do Rós pléascadh amach ag gáire mar bhí an ceart ag Cormac fúithi. Bean bheag leathan mhíscéimhiúil a bhí inti. Bhí a cuid gruaige duibhe ag titim anuas ar a clár éadan agus bhí malaí troma dorcha uirthi. Murar leor é sin bhí spéaclaí le frámaí dorcha á gcaitheamh aici. Bhí sí beagán os cionn na ceithre bliana is fiche d'aois.

'Dia duit ar maidin, a mhúinteoir,' ar seisean léi agus chuir sé Rós in aithne di.

'Cá bhfuil an chuid eile den rang?' ar sise.

'Tá siad ag teacht tríd an Halla Tionóil,' arsa Cormac. I

gceann tamaill tháinig siad ag tarraingt na gcos ina ndiaidh. B'iad Dick, Dwain agus Larky an triúr deireanach a tháinig. Bhí orthu dul go dtí an leithreas, dar leo, agus chuaigh siad go cúl an tseomra ag déanamh a ndícheall cur isteach ar na daltaí eile ar a mbealach. Bhí sé socair acu go dtosódh Larky clampar is go gcuirfeadh an bheirt eile leis ach bhí sé ar intinn ag Larky gan dul thar fóir lena chuid seafóide ar eagla na heagla.

'Tógaigí amach na leabhair!' ar sise go teasaí agus d'fhiafraigh sí de Larky an raibh na línte scríofa aige.

'Tá siad i mo leabhar ach tá an leabhar sa bhaile. Rinne mé dearmad air.'

Níor chreid sí focal de agus dúirt sí leis féachaint isteach i leabhar Dwain.

'Thóg mé an leabhar mata liom de thimpiste, a Mhúinteoir,' ar seisean agus strainc mhór gháire ar a phus.

D'fhógair Larky go raibh dearmad déanta aige is go raibh a leabhar féin amuigh ina chófra. 'An féidir liom dul amach lena fháil?'

Mhothaigh Iníon de Paor an fhearg ag éirí inti. Bhíodh leithscéalta acu i gcónaí. D'ordaigh sí dó seasamh amach ag an mballa.

Thosaigh Larky ag gearán go raibh sí ag cur an mhilleáin air arís.

'Níl sé sin ceart ná cóir,' arsa Dwain ag tacú leis. 'Tá tú ag cur an mhilleáin air toisc gur amadán é!' Chuaigh formhór an ranga sna trithí gáire. Ba bhreá le Larky aird an ranga a bheith tarraingthe air agus bhog sé leis amach go dtí an balla agus straois mhór go cluasa air. D'éirigh leis leabhair bheirt dhaltaí eile a leagadh go talamh ar a bhealach.

'Tar aníos anseo,' ar sise agus d'fhógair sí go raibh sí chun leathanach pionóis a thabhairt dó.

'Cén fáth? Cén fáth? Cad atá déanta agam?' ar seisean agus thosaigh sé ag gearán go raibh sí ag tromaíocht air is go mbeadh a athair isteach chuici le béasa a mhúineadh di. Thug sí leathanach pionóis dó le líonadh amach is lean sé ar aghaidh ag gearán is ag bagairt a athar uirthi.

'Tá tú ag tromaíocht air toisc gur rugadh é ina amadán ciotach,' arsa Dick. 'Ní air atá an locht gur rugadh ina amadán é.'

Thosaigh Larky agus na daltaí ag gáire arís. D'ordaigh sí dóibh éirí as agus dúirt sí leo na leabhair a oscailt. Thosaigh siad ag plé na ceiste a bhí acu sa rang roimhe sin agus shíl an múinteoir go raibh ag éirí léi go dtí gur tháinig béic ó chúl an tseomra is gur thosaigh beirt bhuachaillí ag plancadh a chéile lena ndoirne.

'Éirígí as an troid sin láithreach!' ar sise in ard a gutha agus chuaigh sí síos ag fiosrú an scéil.

'Thosaigh seisean é!' arsa duine acu.

'Ach, a Mhúinteoir, sháigh seisean ar dtús mé lena pheann. Ní raibh mé ach do mo chosaint féin.'

'Tá sé de cheart ag duine é féin a chosaint,' arsa Dick agus é ag cur a ladar isteach sa scéal.

D'ordaigh sí don bheirt acu seasamh amach ag an mballa is dúirt go dtabharfadh sí cártaí dearga dóibh.

'Níl sé sin ceart ná cóir. D'ionsaigh seisean mé! Ní raibh mé ach do mo chosaint féin.'

Thosaigh Dick á gcosaint arís agus d'ordaigh sí do seasamh amach freisin. Ní bhogfadh sé. Ní raibh sé ach ag nochtadh na fírinne.

'Fan siar ag deireadh an ranga,' ar sise leis.

'An mbeidh coinne agat leis, a mhúinteoir?' arsa Dwain agus lig an rang béic mhór gháire astu.

'Amach!' ar sise.

Ghluais siad idir na boird i dtreo an bhalla agus thar Larky agus d'éirigh leis cor coise a chur i nduine acu. Chaith seisean é féin ina chnap i gcoinne boird is leag sé na leabhair go talamh.

'Maith go leor! Beidh an ceathrar agaibhse ag teacht isteach i gcomhair seisiúin phionóis!' ar sise ach thosaigh siad á gcosaint féin is ag fógairt nach raibh sé ceart ná cóir agus go raibh sí ag tromaíocht orthu.

D'fhógair sí nach n-éistfeadh sí le focal eile uathu agus lean sí ar aghaidh ag iarraidh an rang a mhúineadh. Rinne siad a ndícheall í a chur dá cois, agus iad ag gearán nach raibh sí ag caitheamh leo mar ba chóir, is ag fógairt go mbeadh cothrom na féinne acu sa deireadh thiar ar bhealach amháin nó ar bhealach eile. Nuair a tháinig deireadh an ranga d'ordaigh sí don chúigear teacht isteach ag a haon a chlog agus cuntas a scríobh faoi gach rud a tharla.

'Nílimid ag teacht isteach,' ar siad agus d'fhógair siad go raibh sí ag tromaíocht orthu arís. Mhothaigh Larky slán agus é ina sheasamh lena chompánaigh agus ba chuimhin leis comhairle Dick nach bhféadfaí éinne a ruaigeadh amach as an scoil.

'Tiocfaidh sibh isteach má tá fios bhur leasa agaibh,' ar sise agus d'imigh sí léi i dtreo an tseomra foirne.

'Nílimid ag teacht isteach!' arsa Larky de bhéic ina diaidh. Gháir na buachaillí eile agus d'ardaigh Dwain a ordóg mar chomhartha bua. Ba leor é sin mar spreagadh do Larky agus ghlaoigh sé na hainmneacha ba ghraosta a d'fhéadfadh sé cuimhneamh orthu ina diaidh.

Chuala sí go maith é ach ní raibh a fhios aici cé acu a dúirt é. Lean sí uirthi ag siúl.

Bhí Bean Uí Ghallchóir ag ullmhú cupáin tae sa seomra nuair a tháinig Iníon de Paor isteach agus í corraithe go mór.

Thosaigh sí cur síos go lasánta faoina raibh ar siúl ag Larky agus ag a chairde.

'Tá dhá rud ag teastáil,' arsa Bean Uí Ghallchóir léi. 'Cupán tae uaitse agus léasadh a mbeatha ó Larky agus a chairde.'

Nuair a bhí an tae ólta acu chuaigh siad go dtí an seomra ranga agus ghlaoigh siad amach an cúigear a bhí ag cothú trioblóide. Thosaigh siadsan ar a seanphort ach ba ghearr a bhí Bean Uí Ghallchóir ag cur stop leo. 'Tiocfaidh sibh isteach ag a haon le cuntas iomlán a scríobh faoinar tharla agus tá sé ar intinn agam na cuntais a ghreamú do chartaí dearga. An dtuigeann sibh mé?'

Dúirt siad gur thuig.

'Anois, cé a lig an bhéic ghraosta i ndiaidh Iníon de Paor?'

Dúirt siad nár chuala siad aon rud ach ní ghlacfadh sí le seafóid uathu.

'Tá sibh go léir ciontach, agus mura bhfuil sé de mhisneach ag an té a lig an bhéic a choir a admháil beidh sibh go léir thíos leis.'

'Cad a tharlóidh don duine sin?' arsa Dick.

D'fhéach sí orthu agus rinne machnamh go tapaidh. Dá mbeadh pionós trom i gceist ní bhfaigheadh sí amach an fhírinne go deo.

'Coinneofar an duine sin isteach ar feadh dhá lá agus gheobhaidh sé cárta dearg,' ar sise. 'Mura n-admhaíonn sé é beidh sibh go léir ag teacht isteach ar feadh dhá lá. Glacaigí uaimse é go dtagann rudaí mar sin chun solais agus nuair a gheobhaimid amach cé atá ciontach féachfaidh mé chuige go ruaigfear amach as an scoil é. Mholfainn daoibh machnamh a dhéanamh ar an scéal mar go bhfuil sibh go léir i dtrioblóid mhór,' agus sheol sí ar ais sa rang iad.

'Ní féidir leo thú a chaitheamh amach as an scoil má tá tú

faoi bhun a 15,' arsa Dick i gcogar leo. Bhí a dheartháir Jason tar éis an scéal go léir a fháil amach. 'Agus níl focin tada ar féidir a dhéanamh má tá tú os cionn a 15.'

Tháinig an cúigear isteach ag a haon. D'admhaigh Larky a choir. Scríobh siad litreacha chuig Iníon de Paor ag iarraidh a pardúin agus ag gealladh nach dtarlódh a leithéid arís. Bhí cosúlacht na haithrí orthu ach bhí rún acu díoltas a imirt uirthi. Ón lá sin amach bhí rudaí graosta á mbreacadh mar gheall uirthi ar chóipleabhair, ar chláir dhubha agus ar bhallaí na scoile agus teachtaireachtaí gáirsiúla á scríobh ar dhoirse leithreas na mbuachaillí.

Bhí an Hipí ag gáire agus é ag dul isteach ina rang Ardteist-iméireachta san iarnóin ach ba ghearr a mhair a ghreann. Sheas cailín darbh ainm Lisa Bhreathnach in airde agus d'fhógair nach raibh sé ag múineadh an chúrsa i gceart. Cailín ard dathúil seang a bhí inti a raibh folt dubh casta uirthi. 'Tá cara liom ag dul ar scoil sa bhaile mór agus tá leagan amach eile ar fad ar an gcúrsa acu ansin. Níl leath den chúrsa críochnaithe againn agus tá rudaí á dhéanamh agat nach gcuirfear ceist fúthu go deo.'

Ghoill an t-ionsaí éagórach go mór air.

'Is mór an chúis ghrinn é sin, a Lisa, go mór mór uaitse. Ní thugann tú aire riamh dá mbíonn á rá agam. Ní dhéanann tú aon obair bhaile agus bíonn tú as láthair go mion minic.'

'Níl aon cheart agatsa labhairt léi mar sin!' arsa Samantha Murphy, deirfiúr Dick, agus d'fhógair sí go lasánta go mbeadh an milleán air dá dteipfeadh uirthi san Ardteist agus go mbeadh sí ag scríobh chun an Aire Oideachais agus chuig a Teachtaí Dála.

'Scríobh leat,' ar seisean, 'agus inseoidh mé dóibh nach ndearna sibh puinn oibre ó thús na bliana.'

'Tá an stair leadránach agus is é an jab atá agatsa a chinntiú go mbeadh sé spéisiúil,' arsa Lisa.

Dúirt sé nach raibh sé ag cur suas lena thuilleadh seafóide agus d'ordaigh sé dóibh na leabhair a oscailt. Thosaigh sé ag insint dóibh faoi pholasaithe Bhismark i leith na Fraince agus faoi theileagram Ems. Shíl sé go raibh ag éirí go maith leis go dtí go bhfaca sé Lisa ag tabhairt nóta chuig Samantha. D'ordaigh sé di é a thabhairt aníos chuige ach shéan sí go raibh aon rud scríofa aici. Síos leis agus fuair sé nóta faoina leabhar.

Jasus! Tá sé leadránach níl suim ag éinne sa chac seo!

Chlis a fhoighne air. 'Tusa an gob sa chac is mó sa scoil,' ar seisean léi.

'Níl aon cheart agatsa rud mar sin a rá le dalta!' arsa Samantha go teasaí.

D'fhiafraigh sé di ar mhaith leo dul chun cainte leis an bPríomhoide. Ba mhaith.

'Maith go leor,' ar seisean agus é ar lasadh. Shiúil sé amach rompu go dtí an oifig. Labhair sé leis an rúnaí ach dúirt sise go raibh Mr Putts imithe go cruinniú. D'fhéadfaidís bualadh leis maidin Dé Luain. D'ordaigh an Hipí don bheirt chailíní a bheith ag an oifig ar a 9 ar an Luan.

Rang dúbailte le lucht na céad bhliana a bhí aige ansin, agus má bhí fonn gáire air agus é ag dul ar scoil ar maidin bhí fonn murdair air nuair a bhuail sé le Bean Uí Ghallchóir.

'A Íosa! Tá siad cosúil le scata *Balubas*,' ar seisean.

'Táimid mar a bheadh ceannasaithe leon i sorcas ach gan fuip ná cathaoir againn, agus an lucht féachana go léir ag magadh fúinn,' ar sise agus d'éalaigh sí uaidh sula dtosódh sé ar aitheasc fada eile.

Chuir an Hipí a chulaith reatha air féin nuair a shroich sé a árasán agus chuaigh ag rith amach faoin tuath go dtí gur mhothaigh sé an fhearg ag trá ann. Chuaigh sé faoi chith-fholcadh, thriomaigh é féin agus bheartaigh roinnt taighde a dhéanamh. Bhí sé ar intinn aige céim mháistreachta a bhaint amach sa Stair. Bhí tráchtas á scríobh aige agus chabhródh sé leis dearmad a dhéanamh ar an scoil.

Bhí sé déanach san oíche nuair a tháinig Joe isteach agus boladh an óil uaidh.

'Nílimse ag dul go haon focin teach na ngealt,' ar seisean nuair a d'inis Rós dó go dtabharfadh an tAthair Plankton ann iad Dé Domhnaigh le bualadh le Michael. 'Beidh mé ag dul ann mé féin luath go leor agus sibhse go léir dom chrá.'

3

D'éirigh Rós go luath maidin Dé Sathairn agus bheartaigh sí na héadaí a ní. Nuair a chuaigh sí go dtí an meaisín níocháin fuair sí beart éadaí ann agus iad nite. Ba bheag nár thosaigh sí ag caoineadh nuair a chonaic sí a blúsanna nua. Bhí dath gránna liath orthu.

'Cé a chuir an focin meaisín níocháin ar siúl?' ar sise de bhéic ó bhun an staighre.

'Mise,' arsa Mary, agus dúirt go raibh siad ullamh lena gcur amach ar an líne. D'fhógair Rós go raibh siad millte mar go raibh éadaí dubha agus éadaí geala measctha le chéile. Bhí sé ina raic eatarthu go dtí gur bhéic Joe anuas an staighre: 'Éirígí as. Is mian liom néal codlata a fháil agus mura stopann sibh an gleo bainfidh mé an focin cloigeann díobh.'

D'fhill Rós ar a seomra, chaith sí í féin síos ar a leaba agus ghoil sí go croíbhriste.

Thit a codladh uirthi agus nuair a dhúisigh sí bhí a máthair tar éis na héadaí a chrochadh amach. Ba ghránna an radharc iad. Chuaigh sí go dtí an leithreas agus d'fholc sí í féin. Mhothaigh sí níos fearr ina dhiaidh. D'ullmhaigh sí bricfeasta di féin. Nuair a bhí sé sin caite aici chuir sí caoi ar an teach, rinne cúpla rud a bhí le déanamh sular réitigh sí béile. Tháinig a máthair ag féachaint ach d'ordaigh Rós di glanadh léi agus gan praiseach a dhéanamh den obair. Las sise toitín eile agus chuaigh sí ag féachaint ar an teilifís.

'Ná cuir an meaisín níocháin ar siúl arís go deo!' arsa Rós go feargach léi nuair a shuigh siad chun boird. Bhí a blús nua millte agus bheadh uirthi éadaí cnis nua a cheannach freisin.

'A Íosa, cé sa foc a bheadh ag iarraidh breathnú ar do focin brístíní?' arsa a hathair. 'Déanfaidh siad focin cúis.'

D'fhógair Rós nach gcaithfeadh sí iad agus bhí sé ina raic eatarthu.

'Nílimse ag dul ag íoc pingin rua le cinn nua a cheannach,' arsa a hathair. 'Féadfaidh tú dul ag tabhairt aire do focin leanaí más mian leat an t-airgead a fháil.'

Nuair a bhí an béile ite acu d'ordaigh Rós do Phatrick na gréithe a ní agus a thriomú. Ansin chuir sí a cuid éadaí ab fhearr uirthi agus d'ullmhaigh sí a cuid gruaige. Chuir sí béaldath ar a beola agus sheas sí siar ag féachaint uirthi féin. Ní raibh sí sásta lena bhfaca sí ach chaithfeadh sé gnó a dhéanamh. Ní raibh an t-airgead aici aon rud eile a cheannach. Amach léi agus rug sí greim ar a rothar.

Bhí grian na Samhna ag scaladh anuas ar an dúiche nuair a tháinig sí go teach Chormaic. D'oscail sé an doras agus aoibh mhór gháire air. Rug sé barróg uirthi agus dúirt sé go raibh sí ag féachaint go hálainn. Chuaigh sé go dtí an garáiste chun a rothar a fháil.

D'fhéach Carmel amach an doras. Bheannaigh sí do Rós agus d'fhiafraigh de Chormac an raibh a chuid gnóthaí déanta aige. Bhí. D'imigh a mháthair isteach. Chuir sé púic air féin.

'Seo linn amach as an focin áit seo,' ar seisean.

'Cá rachaimid?'

'Áit ar bith nó beidh tuilleadh oibre aici dom.'

D'imigh siad leo síos an bóthar chomh tapaidh agus a bhí sé iontu, an ghrian ag scalladh anuas orthu agus an ghaoth ag feadaíl ina gcluasa. Mhothaigh Rós a cuid gruaige á scuabadh siar. Lig sí liú aisti agus ghéaraigh sí ar a luas.

D'fhág siad an sráidbhaile ina ndiaidh agus lean siad ar aghaidh amach faoin tuath. Chuaigh siad thar phortach a bhí geal le féar feoite buídhonn a mheas Rós a bheith ar aon dath le brioscaí. Bhí scáil ghorm na spéire agus dath dorcha na bport le feiceáil sna poill bháite mhóna. Lean siad ar aghaidh go talamh mhéith agus stop siad nuair a tháinig siad go coill. Chuir siad na rothair i bhfolach agus chuaigh siad ag siúl i measc na gcrann. Bhí gliondar uirthi agus í ag baint glóir as an spíonlach giúise agus as an raithneach fheoite lena bróga ach chuimhnigh sí ar a beirt dheirfiúracha bheaga a bhí sínte ina gcónraí beaga bána. Ní rachaidís ag siúl lena mbuachaillí trí choillte go deo. Ansin chuimhnigh sí ar an Athair Langton Fisher ag insint dóibh go raibh siad i nglóir Dé sna flaithis agus iad ag cur a gcroí amach ag guí ar a son go léir.

'A Dhia, ach chuirfeadh mo mháthair fearg ar dhuine!' arsa Cormac. "An bhfuil do sheomra glanta agat, a Chormaic?' 'An bhfuil an miasniteoir sin folmhaithe agat fós, a Chormaic?' agus tá m'athair níos measa fós. 'Ar scuab tú na duilleoga ó chúl an tí, a Chormaic?' 'Ar stoith tú na fiailí sin fós, a Chormaic?' Níl teora leo.'

D'fhiafraigh sé di an raibh sí cráite ag a tuismitheoirí.

D'fhreagair sí go raibh mar nach ndéanaidís aon rud.

Bheartaigh sí an fhírinne a insint dó. Gheobhadh sé amach fúthu luath nó mall. 'Tá m'athair agus mo mháthair cosúil le Larky agus Root — más cuimhin leat an cuntas a thug tú orthu.'

Níor chuimhin leis cad a bhí ráite aige fúthu.

'Dúirt tú gur rugadh Larky thuas i gcrann agus nuair a thit sé gur bhuail sé a chloigeann ar charraig.'

Phléasc sé amach ag gáire nuair a chuimhnigh sé air.

'Rugadh Root thuas sa zú agus thóg a máthair urangatang beag rua abhaile léi de thimpiste. Sin mar atá siad sa bhaile.'

'Ach cé atá i mbun an tí?'

'Mura ndéanaimse an obair mé féin ní dhéanfaí go deo é,' ar sise is í ag searradh a guaillí, 'sin nó dhéanfaí praiseach de.'

Ba ar éigin ar fhéad sé an scéal a chreidiúint. D'inis sí dó faoin mbealach ar mhill a máthair na héadaí ar maidin agus na rudaí áiféiseacha a dhéanadh sí agus faoin gcúntóir gan éifeacht a thugadh cuairt chucu.

Bhí ionadh an domhain air.

'An tusa a bhíonn ag breathnú i ndiaidh an tí go léir?'

'Sea. Is mé.'

'Ach cé a bhíonn ag féachaint in bhur ndiaidh nuair a bhíonn sibh tinn?'

'Dhéanadh mo sheanmháthair é sin go dtí go bhfuair sí bás agus breathnaímse ina ndiaidh anois. Ní fhéadfaí mó mháthair a ligean gar do na piollairí. Bhí tinneas cinn ar Mhichael bliain ó shin — sin buachaill eile a rugadh thuas i gcrann — agus bhí scornach thinn air freisin. Labhair sé le mo mháthair agus cad a thabharfadh sí dó ach piollairí codlata.'

Lig Cormac racht gáire as.

'Bíonn Michael ina leathchodladh formhór an ama agus nuair a chuaigh sé ar scoil thit sé ina chodladh i rang. Níor fhéad na múinteoirí é a dhúiseacht. Chraith siad é agus bhéic siad isteach ina chluais ach níor fhéad siad é a mhúscailt. Chuir siad fios ar Phatrick agus dúirt seisean: "Sea, bhí tinneas cinn millteach air ar maidin agus bhí muineál tinn aige freisin." Chuir siad glaoch ar an dochtúir láithreach. "D'fhéadfadh

meiningíteas a bheith air," ar seisean nuair a tháinig sé. D'ord-
aigh sé dóibh é a choinneáil glan amach ó na scoláirí eile agus
fios a chur ar an ospidéal láithreach. Chuir siad otharcharr ag
rásaíocht chun na scoile, *ní ná! ní ná! ní ná!* Sciob siad leo é go
dtí an t-ionad dianchúram *ní ná! ní ná!* áit a bhfuair siad amach
go raibh an fliú air.'

Ba bheag nár thit Cormac as a sheasamh le neart gáire.
Chuir sé ceisteanna uirthi faoina ndéanadh sí agus dúirt sé
gurb ise an cailín ab iontaí sa tír, agus phóg sé go bog í ar a
béal. Chuir sé sceitimíní áthais uirthi agus theann sí chuici
féin é. D'fhan siad ansin ar feadh i bhfad, ise á theannadh
chuici féin agus eisean á pógadh agus ag insint di gurb ise an
cailín ab áille agus ab iontaí dar bhuail leis riamh. Nuair a
thosaigh siad ag siúl arís d'inis sí dó faoin dóiteán, agus faoi
bhás a deirfiúracha agus go raibh Michael bocht imithe go dtí
an t-ospidéal meabharghalair. Bhí trua an domhain aige di.
Dúirt sé go bhfaca sé an tsochraid ar an teilifís. Tháinig tocht
ina glór agus bhris a gol uirthi. Thóg sé ina lámha í agus
theann sé chuige féin í.

'Tá brón orm,' ar sise nuair a tháinig a caint chuici. D'fhill
siad ar na rothair agus lean siad ar aghaidh go hardán áit a
bhfaca siad an tSionainn mhór thíos fúthu agus í go lonrach
álainn gorm. Thuirling siad de na rothair.

'Á! Nach maorga í!' ar seisean ag síneadh amach a dhá lámh
agus á seoladh tríd an aer. Ghair Rós agus d'fhiafraigh sí de
cén fáth a ndéanfadh sé rudaí mar sin.

'Cén fáth a n-oibrím mo lámha, an ea, agus an chaoi a
gcuirim mé féin in iúl le gothaí lámh?' ar seisean is é ag oscailt
a dhá lámh.

'Sea.'

'Is é an domhan is cúis leis, a Rós. Cuireann an domhan

iallach orm é a dhéanamh,' ar seisean ag ardú a dhá lámh suas chun na spéire agus amach chun na habhann, agus mhínigh sé gur chuir an saol an oiread sin ionadh agus aoibhnis air go gcaithfeadh sé a lámha a sheoladh timpeall mar sin. 'Cén chaoi a bhféadfadh duine méar a shíneadh i dtreo abhann, nó éin, nó blátha amhail is dá mbeadh sé á sáitheadh le scian? Ní fhéadfaí rud mar sin a fhulaingt.'

'An mbíonn freagra agat ar gach aon rud?' ar sise is í ag sclogadh gáire.

'Nuair a bhímse i mo dhúiseacht, ar aon nós,' ar seisean is é ag gáire agus ag luascadh a dhá lámh tríd an aer arís. 'Ní sháfainn méar i dtreo ainmhí ar bith ach amháin i gcás gráinneoige a d'fhéadfadh freagra den sórt a thabhairt orm.'

D'fhéach sé amach i dtreo na Sionainne agus d'fhógair go raibh sé ar intinn aige bróidnéireacht a dhéanamh sa rang eacnamaíocht bhaile agus go mbeadh iasc mór lonrach mar ghréas aige ar t-léine dubh. 'Is féidir liom é a shamhlú anois — an t-iasc mór ina lár, feamainn laistiar de, gairbhéal ildaite thíos faoi agus an t-uisce gorm timpeall air.'

'Ní dhearna mé bróidnéireacht riamh,' ar sise.

'Taispeánfaidh mise duit an chaoi lena dhéanamh. Níl sé deacair.'

Chuaigh siad ag rothaíocht arís go dtí gur tháinig siad go fothrach briste. Seanmhainistir a bhí ann agus bhí reilig timpeall uirthi. Bhí cúpla crann ag fás ar imeall na reilige agus bhí croiseanna agus leaca ag marcáil na n-uaigheanna. Chuimhnigh sí ar an lá ar adhlacadh a beirt dheirfiúracha beaga.

'Seo, féadfaimid dul suas sa túr. Tá radharc breá óna bharr.'

D'fhág siad na rothair ag an ngeata agus chuaigh siad isteach sa reilig. Ní raibh mórán den fhoirgneamh fágtha — ballaí briste mar ar chónaigh na manaigh, blúirí fánacha den chlabhstra, cuid de bhallaí an tséipéil agus túr cearnógach ag éirí os a chionn.

Isteach leo trí sheandoras. Rinne siad a mbealach in airde go cúramach thar chéimeanna briste an staighre go dtí gur tháinig siad amach i seomra go hard sa túr. Bhí bearna sa mballa ar thaobh amháin ach bhí na trí bhalla eile beagnach slán agus fuinneoga beaga caola iontu. B'ait leo go raibh buidéil bheorach ina seasamh sa bhearna.

'Is dócha go raibh na manaigh ag ól,' ar seisean. Gháir sí. Thóg sé ina lámha í agus d'fhéach siad amach trí cheann de na fuinneoga ar an tSionainn. Bhí an ghrian ag ísliú siar sa spéir agus bhí dealramh álainn ar an tír go léir. Chuir sé gliondar orthu. D'fháisc sé chuige féin í agus d'inis sé di go raibh sí go gleoite. Chuir sé a bhéal ar a béal agus d'fhan siad ansin gan focal. Tháinig na cága agus thosaigh siad ag glaoch i gcraobhacha loma na gcrann. Líon siad an t-aer lena nglórtha géara ach is ar éigin a chuala Cormac ná Rós iad. Bhí siad gnóthach agus bhí méara Chormaic ag gluaiseacht suas a droma agus ag útamáil le crúca agus cró a cíochbhirt.

Go tobann chuala siad plimp agus bhuail rud éigin de smeach isteach sa bhalla taobh leo. Lig na cága grág astu agus d'éirigh siad go hard san aer ag grágaíl go glórach.

'B'in piléar!' arsa Cormac. Lean piléar eile é agus phléasc buidéal. Chaith siad iad féin ar an talamh agus thosaigh ag snámhachán thar an urlár i dtreo an staighre. Rinneadh smidiríní de bhuidéil eile agus bhuail na piléir de smeach in aghaidh an bhalla nó chuaigh ag feadaíl tríd an aer. Bhí Rós cinnte go raibh duine éigin ag iarraidh iad a mharú. D'éirigh leo an staighre a bhaint amach agus chuaigh siad síos leathbhealaigh. Bhí a theileafón póca ag Cormac agus ghlaoigh sé ar na gardaí.

Bhuail piléar eile an túr fad a bhí sé ag caint.

'Coinnigí bhur gcloigne síos agus cuirfimid carr patróil chugaibh láithreach.'

Choinnigh sé í go daingean ina lámha agus mhothaigh sé go raibh sí ag crith le faitíos. Chuala siad cúpla plimp eile agus rinneadh smionagar de na buidéil a bhí fágtha. Chuala siad béic bhuach. Leanadh den lámhach agus d'airigh siad na piléir ag cnagadh i gcoinne an túir. Stop an lámhach ansin. I gceann tamaill bhí sé de mhisneach aige a cheann a ardú agus féachaint amach trí fhuinneoigín chaol sa mballa. Bhí beirt a raibh raidhfil acu i bpáirc tamall uaidh agus iad ag siúl i dtreo an bhóthair.

'A Dhia! Nach iad sin na focin amadáin!' ar seisean. Bhog Rós go cúramach i dtreo na fuinneoige agus d'fhéach sí amach. Bhí an bheirt ag fágáil na páirce agus ag dul isteach i gcarr. D'airigh siad an t-inneall ag tosnú agus tháinig an carr anuas an bóthar chucu. Ar mhí-ámhairí an tsaoil d'éirigh leo an cláruimhir a fheiceáil.

Tháinig beirt Ghardaí. Thug Rós agus Cormac cuntas dóibh faoinar tharla agus thug sé uimhir an chairr dóibh. Chuir siad glaoch ar an stáisiún ag fiafraí cé ar leis é. Scrúdaigh Garda amháin an mhainistir agus in ainneoin go raibh an ghrian ag dul faoi ba ghearr a thóg sé air teacht ar rian na bpiléar. Chuaigh an ceathrar leo ansin ag scrúdú na páirce agus chonaic siad cásanna na bpiléar ag glioscarnach ar an bhféar gar don áit a bhfaca Cormac an bheirt. Bhailigh na Gardaí go cúramach iad.

Nuair a bhí siad sásta lena gcuid oibre d'imigh siad leo sa charr. Chuaigh Rós agus Cormac ag rothaíocht i dtreo an tsráidbhaile. D'inis sí dó faoin bhfógra a chroch sí san ollmhargadh ag rá go mbeadh sí go maith ag tabhairt aire do leanaí ach nach bhfuair sí freagra ar bith.

'Creachadh tithe sa chomharsanacht le déanaí,' ar seisean.

'Fuair na Gardaí amach go raibh cailín ó Eastát Radharc na hAbhann ag déanamh feighlíocht ar leanaí agus ag insint dá deartháireacha cad a bhí sna tithe. Tá drochainm ar an eastát céanna. Ní bhfaighidh tú post go deo má thugann tú an seoladh sin. Beidh ort d'uimhir theileafóin a thabhairt.'

'Tá mo theileafón póca briste.'

'D'fhéadfá m'uimhir theileafóin a úsáid.'

Ghabh sí míle buíochas leis.

Thosaigh sé ag gáire. 'Bíonn imní ar mo mháthair mé a fhágáil sa bhaile liom féin. D'fhéadfá teacht agus mé a chur a chodladh.'

Bhí sé dorcha nuair a shroich siad an sráidbhaile. Mheas Rós go mbeadh bail mhaith ar an teach agus go mbeadh a tuismitheoirí amuigh. Thug sí cuireadh isteach do Chormac. D'fhéadfadh sí ceapairí deasa a ullmhú dó.

'Tá gairdín deas agaibh,' ar seisean.

'Go raibh maith agat,' ar sise ach thit an lug ar an lag uirthi nuair a shiúil sí isteach sa chistin. Bhí an áit ina cíor thuathail. Bhí Joe tar éis éadaí salacha a fhágáil os cionn an mheaisín níocháin agus bhí Patrick tar éis gach rud a thógáil as na cófraí agus fógra mór a scríobh ar an mbord le citseap trátaí:

Hi a Rós. An mbíonn tú istigh riamh? Cá bhfuil an t-im cnónna?

Bhí sí ar lasadh le fearg agus le náire agus gheall sí go maródh sí é a luaithe is a gheobhadh sí greim air.

Nuair a d'imigh Cormac abhaile chuaigh sí caol díreach go dtí an t-ollmhargadh agus chroch sí fógra ag rá go raibh cailín tuisceanach sásta dul ag feighlíocht leanaí. Chuir sí uimhir theileafóin Chormaic leis. D'fhill sí abhaile ansin chun béile a ullmhú don teaghlach. Bhí Patrick roimpi ag féachaint ar an teilifís. Thug sí laingín boise dó sa leiceann. Léim sé in airde go feargach ach rug sí greim air agus tharraing é go dtí an bord agus in ainneoin na n-iarrachtaí a rinne sé ghlan sí an citseap den bhord lena cheann.

'Múinfidh sé sin duit gan é a dhéanamh arís.'

D'fhiafraigh Dick dá dheartháir Jason an bhféadfadh sé cabhrú leis chun plean a cheapadh dá thionscadal ealaíne.

'Beidh an Dónallach ag scréachaíl mar a bheadh goraille buile ann mura mbeidh pleananna ullamh agam. Ba bhreá liom tionscadal a dhéanamh faoi dhrugaí agus fearg an domhain a chur air. Caithfidh mé an téama a roghnú ó sheanscéal mioteaseolaíochta éigin.'

Thosaigh Jason ag gáire agus chuaigh sé ag cuartú ar an idirlíon. Ba ghearr gur tháinig siad ar tagairt do *The Lotus Eaters* le Tennyson. Phléigh siad an scéal agus cheap siad pleananna don tionscadal.

Bhí siad ag féachaint ar DVD nuair a buaileadh cnag ar an doras. Na gardaí a bhí ann agus barántas acu chun an teach a chuardach.

'Cá bhfuil an raidhfil?'

'Tá ceadúnas agam dó,' arsa Jason.

'Níl ceadúnas agat beatha a chur i mbaol, ná a bheith ag lámhach gar do bhóthar poiblí, ná damáiste a dhéanamh do shéadchomhartha náisiúnta,' arsa an Garda.

'Ná habair tada,' arsa Jason le Dick faoina fhiacla agus shéan sé go ndearna sé aon rud in aghaidh an dlí.

'Ní hé sin a chualamar,' arsa Garda amháin agus thóg siad leo an raidhfil.

'A Íosa! Maróidh mé an focin bastard a bhí ag caint leo!' arsa Jason le Dick. 'Mura bhfaighidh mé mo raidhfil ar ais focin maróidh mé é!'

'Cad is féidir leis na Gardaí a dhéanamh?'

'Níl tada ar féidir leo a dhéanamh ach nuair a fhaighim amach cé a chuir an focin glaoch orthu focin maróidh mé é! Geallaimse duit é!'

Shroich an tAthair Plankton teach Rós ar a leathuair tar éis a dó mar a gheall sé.

'Is maith an rud é sibh a fheiceáil,' ar seisean ag siúl isteach an doras agus meangadh mór cairdiúil ar a bhéal. 'Cén chaoi a bhfuil sibh go léir? An bhfuil sibh ullamh le taisteal?'

Bhí Joe imithe go dtí an teach tábhairne ach shuigh Mary, Rós agus Pádraig isteach sa charr. Ba ghearr gur mhothaigh an sagart bréantas coirp gan ní.

'Cén chaoi a bhfuil sibh ar chor ar bith?' ar seisean agus é ag iarraidh aer úr a sheoladh isteach sa charr.

Dúirt Mary go raibh siad croíbhriste i ndiaidh na gcailíní.

'Beidh dea-laethanta agus drochlaethanta agaibh ach le cúnamh Dé tiocfaidh sibh slán tríd,' ar seisean agus lean sé ar aghaidh ag caint agus ag cur ceisteanna orthu go dtí gur shroich siad an t-ospidéal.

'B'fhéidir go bhfeicfidh sibh go bhfuil sé sámhaithe go mór acu,' ar seisean agus chuaigh siad isteach an doras.

B'éigean do Rós an téarma a mhíniú dá máthair.

Bhí an ceart aige. Bhíodh Michael ina leathchodladh formhór an ama ach bhí sé ina bhalbhán ar fad an uair seo. Ní raibh sé ar a chumas ach *tá* agus *níl* a rá agus ba dheacair an méid sin féin a tharraingt as.

Thosaigh Mary ag gol, ach dúirt an sagart go raibh sé líonta go barr na gcluas le drugaí agus nárbh fhada go mbeadh sé go breá arís.

Thiomáin sé abhaile iad agus mhínigh sé dóibh an chaoi a

d'fhéadfaidís an bus a fháil le dul ar cuairt chuige an chéad uair eile. Ghabh siad buíochas leis agus d'fhág sé slán acu. Ní túisce a shroich sé a theach féin ná rug sé greim ar úraitheoir aeir agus díghalrán agus rinne sé suíocháin an chairr a spraéáil go maith. Isteach leis sa teach ansin agus thug sé folcadh maith dó féin.

Nuair a bhí sé á ghléasadh féin bhuail cathú é dul amach ag ól ach d'fhan sé sa teach. Bhí litreacha le scríobh agus a lán oibre le déanamh aige. Nuair a tháinig sé chuig an sráidbhaile ar dtús shíl sé go mbeadh an t-am aige dul ag iascach ar an tSionainn agus éisteacht le ceol, agus fiú úrscéal nó dhó a léamh, ach bhí dul amú mór air. Bhíodh sé ag obair ó dhubh go dubh.

Bhí sé ag féachaint ar chláracha teilifíse níos déanaí an oíche sin nuair a tháinig sé de thimpiste ar chlár do dhaoine fásta. Scinn sé siar uaidh go clár eile. Ba bheag maitheas a bhí sa chlár sin agus chuaigh sé go clár eile. Bhí sé ag féachaint ar an scáileán ach bhí sé ag cuimhneamh i gcónaí ar an gcailín leathnocht a bhí ar an gclár eile. Rinne sé iarracht í a ruaigeadh amach as a cheann ach theip air. Chuaigh sé amach chun na cistine agus d'ullmhaigh sé cupán caife gan caiféin dó féin. Shuigh sé síos arís ag féachaint. Bhí a aigne corraithe agus bhí a chroí ag bualadh ina chliabh. D'fhéach sé ar an ngléas ciansmachta a bhí ina ghlaic agus tháinig uafás air nuair a chonaic sé a mhéara ag gluaiseacht mar a bheadh a toil féin acu agus iad ag cur an chláir eile ar siúl. Chuir a raibh le feiceáil uafás air. Chuaigh sé díreach go clár nuachta. Clár leadránach a bhí ann. Ba ghearr gur fhill sé ar an salachar. Rinne sé cúpla iarracht eile a anam a chosaint sular ghéill sé don chathú.

Ní mó ná sásta a bhí sé leis féin nuair a bhí an clár thart.

Rinne sé gníomh croíbhrú agus chuaigh sé go dtí a leaba. Níor thit a chodladh air. Luigh sé sa dorchadas ag déanamh a smaointe. Bhí cuimhne an scannáin ag cur aiféala air agus ag teacht idir é agus a choinsias.

Nuair a chuaigh Cormac agus Rós ar scoil d'inis siad dos na daltaí faoin eachtra sa Mhainistir. Ní dúirt Dick tada ach bhí gach focal cloiste aige. Bhí Cormac agus Rós sa Halla Tionóil nuair a chuaigh an Hipí tharstu, a fhiacla fáiscthe go daingean ar a chéile agus muc ar gach mala leis. Bheannaigh Cormac dó ach lean sé ar aghaidh trasna an halla gan é a chloisteáil ná a thabhairt faoi ndeara.

'Is cosúil go bhfuil drochghiúmar air,' arsa Rós.

Lean an Hipí ar aghaidh go dtí gur shroich sé an oifig. Bhí Lisa Bhreathnach roimhe. D'ordaigh sé di imeacht agus Samantha a fháil. Bhí Iníon Nic Lochlainn san oifig ag caint leis an rúnaí. Bhí sé ar tí labhairt léi nuair a chonaic sé Graham O'Mahoney, buachaill beag fionn ón gcéad bhliain.

'An bhfuil do leathanach pionóis líonta amach agat?' arsa an Hipí.

'Níl!' arsa Graham agus iontas an domhain ar a éadan amhail is nach ndearna sé tada as bealach ón lá a rugadh é. 'Cad atá déanta agam?'

'Ar an gcéad dul síos, bhí tú ag troid sa rang.'

'Ach d'ionsaigh seisean ar dtús mé!'

Dúirt an Hipí gurbh é riail na scoile nach mbeidís ag troid sa rang.

'Ach d'ionsaigh seisean ar dtús mé!'

'An raibh tú ag troid? Bhí. B'in riail amháin a bhris tú agus ar an dara dul síos, bhí tú ag cabaireacht gan stad ó thús go deireadh an ranga.'

'D'fhiafraigh mé de cén leathanach a bhí ann. B'in an méid. Bhí orm a fháil amach cén leathanach ar a raibh tú.'

'D'inis mé uimhir an leathanaigh duit ach ní raibh tú ag éisteacht mar bhí tú ag caint. Ar aon nós d'fhéadfá féachaint isteach i leabhar an bhuachalla eile agus uimhir an leathanaigh a fheiceáil.'

'Ní dhearna mé ach a fhiafraí de cén leathanach ar a raibh tú.'

'Is ionann é sin agus a bheith ag caint agus lena chois sin bhí tú ag cabaireacht leis an gcailín taobh leat.'

'Sea, ach d'fhiafraigh sí díom cén t-am a bhí ann.'

'Ar thug sé sin cead duit a bheith ag caint?'

'D'fhiafraigh sí díom cén t-am a bhí ann. Ní dhearna mé ach an t-am a insint di.'

'Is ionann é sin agus a bheith ag caint. Mura ndúirt tú ach focal amháin bhí tú ag caint, agus bhí tú ag cabaireacht ar feadh an ranga.'

'Ach d'fhiafraigh sí díom cén t-am a bhí ann!'

Bíodh is go raibh cuma ainglí ar an mbuachaill ba léir don Hipí nach nglacadh sé le hordú ar bith uaidh agus nach n-admhódh sé go deo go ndearna sé tada as an mbealach. 'Bhí tú ag caint. Chonaic mé ag caint thú arís agus arís eile agus chaith tú do leabhar ar an urlár.'

'Níor chaitheas. Thit sé!'

'Chonaic mé thú á chaitheamh.'

Shéan Graham é sin.

'An raibh tú ag iarraidh a rá go bhfuil galar éigin ort a chuireann do ghéaga ag geiteadh as a stuaim féin? An gá duit cuairt a thabhairt ar shaineolaí éigin?'

'Bhrú mé beagán é de thimpiste agus thit sé.' D'fhéach an Hipí ar Iníon Nic Lochlainn agus í ag teacht isteach agus d'fhiafraigh di cad a cheap sí faoin scéal. Dúirt sise go raibh Graham aici sa rang Eacnamaíocht Bhaile agus gur chreid sí gur cur amú ama a bhí ann a bheith ag caint leis mar nach raibh fonn air glacadh le rud ar bith sa scoil nár thaitin leis féin.

Ghabh an Hipí buíochas léi agus dúirt go raibh sé chun cárta dearg a scríobh amach faoi.

'Cad chuige?' arsa Graham agus iontas an domhain arís ar a éadan. 'Ní dhearna mé tada.'

'Nach é sin go díreach atá i gceist agam?' arsa Iníon Nic Lochlainn. 'Ní amháin nach n-admhaíonn sé go bhfuil aon rud déanta aige ach diúltaíonn sé fiú smaoineamh go bhféadfadh sé tarlú go mbeadh aon rud déanta aige.'

D'fhill Lisa agus Samantha léi. Chuaigh an bheirt acu agus an Hipí go hoifig an phríomhoide. Bhí Mr Putts féin ina shuí laistiar dá bhord agus ní amháin go raibh leabhair, litreacha, agus comhaid ina gcairn air ach bhí nuachtán oscailte aige os a gcionn go léir. D'fhill sé é nuair a tháinig an triúr isteach chuige.

D'inis an Hipí faoin ionsaí a rinne Lisa air mar mhúinteoir agus an nóta a fuair sé. d'fhógair gur thug seisean gob sa chac uirthi.

'Rud amháin sa turas,' arsa Putts agus d'fhógair sé go raibh an Hipí ar dhuine de na múinteoirí staire ab fhearr sa chontae. 'Faigheann a chuid daltaí marcanna chomh maith leis na marcanna a fhaigheann na daltaí i scoil ar bith. Ní ghlacfaidh mé le hoiread agus focal amháin ina aghaidh. Ba chóir don bheirt agaibh a phardún a iarraidh. Anois, cé agaibh a scríobh an nóta?'

'Thug cailín eile an nóta dom,' arsa Lisa.

'Cé a thug duit é?' arsa Putts. 'Cad is ainm di?'

'Níl a fhios agam. Duine éigin sa líne laistiar díom.'

'Ainmneacha! Tabhair dom ainmneacha,' arsa Mr Putts.

Dúirt an Hipí go bhféadfaidís an scríbhneoireacht a scrúdú. D'ordaigh Putts di cóipleabhar dá cuid a fháil.

'Ach thug sé gob sa chac uirthi,' arsa Samantha. 'Níl sé ceadaithe do mhúinteoir ainmneacha mar sin a thabhairt ar dhalta.'

'Rud amháin sa turas,' arsa Mr Putts arís, agus faoi dheireadh b'éigean do Lisa a admháil gurbh ise a scríobh an nóta, ach d'fhógair sí arís gur thug seisean gob sa chac uirthi agus nach raibh an cead sin aige.

D'fhiafraigh an Hipí di cén t-ainm a thabharfadh sí féin ar dhuine a scríobhfadh rud mar sin, agus mhol sé di a rogha a dhéanamh de *ignoramus, óinseach, dúramán, stumpa óinsí, creitín, simpleoir* agus *gob sa chac*, nó b'fhéidir go raibh ainmfhocal éigin aici le cur síos a dhéanamh uirthi féin.

'Níl sé de cheart aige ignoramus a thabhairt orm!' arsa Lisa go teasaí.

Shéan an Hipí gur thug sé é sin uirthi ach thacaigh Samantha léi.

'Thug sé le tuiscint gur *ignoramus* í. Ba chóir dó a pardún a iarradh.'

Dúirt an Hipí nach ndúirt sé tada dá shórt. Mhínigh sé gur tháinig an focal *ignoramus* ó choiméidé a scríobh George Ruggle sa bhliain 1615. Bhí daoine aineolacha ann agus gan de phort acu ach '*Ignoramus! Ignoramus!* — rud a chiallaigh: *Níl a fhios againn! Níl a fhios againn!* Ní raibh siad mar aos óg na linne seo. Bhí brón ar na daoine sin a bheith aineolach.

Thuig Mr Putts nach raibh an Hipí ag cabhrú lena chás ar chor ar bith. Bhris sé isteach air.

'Ní haon ionadh gur úsáid an múinteoir an téarma ó

tugadh a leithéid de mhasla dó. Ní fhéadfadh aon mhúinteoir in Éirinn cur suas lena leithéid. Tiocfaidh an bheirt agaibh isteach ag am lóin agus scríobhfaidh sibh aiste.'

Ní raibh Lisa, Samantha ná an Hipí sásta ar chor ar bith leis an gcinneadh sin. Rinne na cailíní agóid thréan ach bhí a aigne socair ag Mr Putts. 'Tá an t-ádh libh nach bhfuil sibh le cur ar fionraí. Tiocfaidh sibh isteach ag a ceathrú tar éis a haon agus sin sin.'

Thosaigh siad ag argóint ach ba bheag sásamh a fuair siad.

'Beidh oraibh comhoibriú feasta le bhur múinteoirí agus éirí as an bhligeardaíocht.'

D'fhág siad an oifig agus gob orthu. Bhí rún acu croí an Hipí a scóladh.

'Ba bheag an mhaith a rinne tú do do chás nuair a d'úsáid tú an téarma Angla-Shacsanach sin *gobshite*,' arsa Mr Putts.

'Ní ... ní ... ní ... ní hea ar chor ar bith!' arsa an Hipí. 'Is ón nGaeilge a thagann sé, bíodh is nach bhfuil a fhios sin ag mórán daoine.'

'Bíodh sé sin mar atá,' arsa Putts. 'Tuigim go dtiomáinfeadh drochiompar mar sin múinteoir ar bith as a chiall, ach má tá dalta le cur ar fionraí bheidh ar an múinteoir a bheith céad faoin gcéad saor ó locht — nó beidh an dalta ag sodar chuig dlíodóir, agus féadfaidh mé a insint duit gur de theaghlaigh an-bhaolacha an bheirt sin. Tá a fhios agam nach bhfuil sé ceart ná cóir ach sin mar atá cúrsaí inniu, agus dála an scéil, maidir leis an tagairt a rinne tú do dhráma Ruggle, ní dóigh liom go raibh sé — conas a déarfá? — ní raibh sé éifeachtach ó thaobh an oideachais de.'

Má bhí íoróin i gcaint an phríomhoide níor thug an Hipí faoi ndeara é. D'fhógair sé nach bhféadfaí teacht ar dhá shampla níos fearr den téarma gob sa chac sa scoil ná an bheirt sin. Ní raibh uathu ach a gcearta agus ba chuma sa diabhal leo faoi bhéasa, ná fhoghlaim ná faoina ndualgais féin.

'Gob sa chac, le do thoil,' arsa Putts agus é ag gáire. 'Beidh orm an téarma á úsáid gach lá feasta chun an teanga a chur chun cinn.'

D'inis an Hipí dó faoi mhí-iompar lucht na céad bhliana. 'Ní fhéadfadh éinne smacht a choinneáil orthu ar feadh deich nóiméad agus beidh siad agam ar feadh dhá thréimhse i ndiaidh a chéile san iarnóin. Beidh siad glan as a gciall sula rachaidh mé isteach an doras ar chor ar bith.'

Chuaigh Mr Putts go dtí a ríomhaire agus scrúdaigh sé an clár ama. Ar ámharaí an tsaoil d'éirigh leis cúpla athrú a dhéanamh agus dhá rang shingile a dhéanamh den rang dúbailte. Ghabh an Hipí buíochas leis. Bhí muc ar gach mala aige nuair a d'fhág sé an oifig agus é chomh míshásta le muc.

Bhí iarmhúinteoir ag caint le Bean Uí Ghallchóir nuair a bhuail an Hipí isteach sa seomra foirne. D'fhógair sé go raibh sé bréan den scoil, de mhíbhuíochas na ndaltaí, na dtuismitheoirí, na bpolaiteoirí agus lucht na meán cumarsáide ag scóladh an chroí ann. 'Dá mbeadh a fhios agam nuair a bhí mé ag tosnú amach go mbeadh cúrsaí mar sin ní rachainn le múinteoireacht ar chor ar bith. Ní le *hignorami* atá muid ag déileáil ach le *sub-ignorami* agus muid ár dtiomáint as ár gciall ag iarraidh péarlaí a chaitheamh os comhair muca allta.'

'Inis dom faoi!' arsa Bean Uí Ghallchóir agus d'imigh sí le cupán tae a dhéanamh di féin.

'*Mar sna laetha sin do bhí an gob sa chac fé bhláth agus an t-ignoramus i réim go ham tráite na ré....* arsa an t-iarmhúinteoir ar bhreá leis labhairt go sollúnta agus blas an Bhíobla a chur ar a chuid cainte.

Chuir an Hipí a mhallacht air. 'Níl ortsa déileáil leo.'

Fuair sé cupán caife dó féin agus chuaigh sé ag cuartú i nuachtán le féachaint cad a bhí á léamh ag Mr Putts. Ba ghearr gur tháinig sé air — comórtas gailf a bhí ar siúl i dTuaisceart Éireann agus bhí Putts féin le feiceáil i ngrianghraf agus a mhaidí gailf aige.

'An bastard!' arsa an Hipí faoina fhiacla. B'in an áit a ndeachaigh sé tráthnóna Dé hAoine in áit a bheith i bhfeighil na scoile.

Bhí ceithre sceitse déanta amach ag formhór na ndaltaí mar léiriú ar a raibh ar intinn acu a dhéanamh i gcomhair an tionscnaimh ealaíne. Ba mhian le Cormac a thionscnamh a bhunú ar scéal Oirféis. Scrúdaigh an múinteoir a chuid pleananna agus dúirt sé go raibh siad an-spéisiúil. Mhol sé obair Rós freisin. Bhí sé ar intinn aicise scéal Chlann Lir a léiriú.

Bhí gáire mór ar bhéal Dick agus é ag siúl suas chun a phleananna a thaispeáint don mhúinteoir. D'fhógair sé gur mhian leis scéal na *Lotus Eaters* a léiriú, toisc go raibh an druga moirfín á chaitheamh ag na hiteoirí loiteoige. Bheadh a thionscnamh bunaithe ar dhrugaí. Ba mhian leis pictiúr a dhéanamh de dhuine sona a bheadh glan as a chiall le drugaí, fógra mór a chruthú agus an manna *Ceadaítear an Canabas* air. Scríobhfadh sé na línte ó na *Lotus Eaters* 'All things have rest and ripen towards the grave.... Give us long rest or death, dark death, or dreamful ease....' i bpeannaireacht agus í maisithe le beacáin dhraíochta agus poipíní agus codlaidín, agus ba mhian leis plaic den Empire State Building a dhéanamh de chré ach é a bheith i bhfoirm steallaire ollmhóir.

Ní mó ná sásta a bhí an múinteoir lena phleananna, ach dúirt Dick gur thug sé cead a gcinn dóibh a rogha téama a phiocadh agus nach bhféadfadh sé é sin a shéanadh. B'éigean dó glacadh leis mar phlean. D'fhill Dick ar a áit agus meangadh mór gáire ar a bhéal.

Léirigh na daltaí a gcuid pleananna don mhúinteoir ina nduine agus ina nduine ach bhí slua beag nach raibh aon rud oiriúnach ullamh acu. Bhí Larky agus Chloe ina measc. Nuair a chuaigh Chloe suas chuige chonaic an múinteoir go raibh a muineál breac le spotaí dúghorma áit ar chuir buachaill éigin na fiacla inti.

'B'fhéidir gur mhaith leat tionscadal a dhéanamh faoi Dracula. Is cosúil go bhfuil seanaithne agat air,' ar seisean. Dhearg sí go bun na gcluas.

'Déan arís é.'

D'inis an múinteoir Ealaíne do Bhean Uí Ghallchóir faoin tionscadal ealaíne a bhí beartaithe ag Dick.

'Ní haon ionadh é sin. Déarfainn go bhfuil drugaí sa bhaile acu.'

'Ach nárbh iontach an smaoineamh é steallaire a dhéanamh den Empire State Building?'

'Samhlaíocht iontach ó aigne an choirpigh,' ar sise. 'Is mór an t-ionadh nach bhfuil An Biúró um Shócmhainní Coiriúla sa tóir orthu.'

'Cén fáth?'

'Ná bac le ceist a chur ach glac uaimse é,' ar sise, 'agus rud eile—tá siad go léir ag fáil cúnaimh dífhostaíochta agus iad ag tiomáint timpeall i ngluaisteáin mhóra nua.'

A luaithe agus a shroich Dick a theach chuir sé glaoch ar a dhearthháir Jason i mBaile Átha Cliath agus d'inis dó gurb é Cormac a d'inis dos na Gardaí fúthu.

'Cad a dhéanfaidh tú leis?' arsa Dick. 'An mbrisfidh tú na focin cosa dó?'

'Ní bhrisfidh ach déanfaidh mé jab i bhfad níos measa dó.'

'Cathain a dhéanfaidh tú an jab? Ba bhreá liom é a fheiceáil.'

'Ní fiú madra a bheith agat agus a bheith ag tafann tú féin,' arsa Jason is é ag gáire. 'Déanfaidh duine eile an beart, ach geallaimse duit, dar Íosa Críost, go réiteoidh mé an focin homaighnéasach beag sin i gceart!'

Chuaigh Dick sna trithí gáire, ach d'fhógair Jason go mbrisfeadh sé a chosa dó dá ndéarfadh sé oiread agus focal faoin scéal. D'imigh an gáire de bhéal Dick agus gheall sé go mbeadh sé ina rún aige go lá a bháis.

Gheall Jason do gurb é lá a bháis a bheadh ann an lá a d'osclódh sé a chlab, 'Ach cogar cén chaoi ar thaitin do thionscadal leis an múinteoir?'

'Chuaigh sé le focin craobhacha ach bhí air glacadh leis.'

'Go breá. Dá dtabharfaí cead a gcinn dos na focin múinteoirí sin bheidís ag satailt ar gach éinne, ach tá rudaí ag dul i bhfeabhas. Tá fear ag éirí as a bheith ag díol agus beidh mé féin ag leathnú amach ina cheantarsan feasta. B'fhéidir go mbeidh tú in ann roinnt airgid a dhéanamh.'

'A Íosa! Tá sé sin focin iontach! Focin iontach!' Ach cén fáth a bhfuil sé ag éirí as? An bhfuil na Gardaí ina dhiaidh?

'Níl! Níl a fhios aige faoi fós ach tá coinne aige le fear a shéidfidh pláitíní a ghlún de.'

Bhí Dick ag ól beorach agus ba bheag nár thacht sé é féin le neart gáire. Chuaigh an deoch de spré tríd an aer.

Tháinig Samantha isteach agus thosaigh sí ag gearán do Jason faoin Hipí agus an chaoi ar mhaslaigh sé í agus go mb'éigean dí fanacht isteach ag meán lae.

'Faigh amach uimhir a chairr,' arsa Jason go múinfidh mé ceacht dó.

Bhí Cormac ag ithe a dhinnéir nuair a chuala sé a theileafón póca ag déanamh ceoil ina sheomra. Síos leis de ruathar. Bhí bean ag iarraidh labhairt le Rós. Dúirt sé nach raibh sí istigh ach go nglaofadh sí ar ais uirthi i gceann tamaill bhig. Chaith sé siar a chuid bia, rith sé amach an doras, léim sé ar a rothar agus síos an bóthar leis. Bhí ionadh ar Rós é a fheiceáil. Mhínigh sé an scéal agus thug sé a theileafón di.

D'fhreagair an bhean í agus bhí gach eolas ag teastáil uaithi. Ba bhreá léi dá dtiocfadh Rós amach go dtí an teach. Ní raibh barúil ag Rós cá raibh an teach ach thóg Cormac an teileafón agus gheall sé go dtabharfadh sé ann í. Bheidís ann laistigh de chúpla nóiméad.

Chuir sí caipín olann agus seaicéad uirthi agus ghluais siad leo chomh tapaidh agus a bhí iontu. Bhí an teach breis agus míle ón mbaile ar cheann lána fada. Bhí solas ar lasadh lasmuigh de agus chonaic Rós na fuinneoga arda agus an doras a raibh feanléas os a chionn. D'fhág siad na rothair ag ráille agus chuaigh siad suas na céimeanna cloiche go dtí an doras.

D'oscail bean an tí an doras agus shiúil siad isteach i halla mór fairsing, a raibh staighre leathan ann go dtí an chéad urlár eile. Rinne Rós suntas den ráille maisiúil láimhe a bhí air agus de na pictiúir mhóra i bhfrámaí órga.

D'fhiafraigh an bhean di cén aois a bhí aici, cá raibh cónaí uirthi, agus cén taithí a bhí aici ar aire a thabhairt do leanaí.

'Ise mo chailínse agus féadaim a rá leat gur féidir gach muinín a chur inti,' arsa Cormac.

'Agus cé tú féin, mura miste liom ceist a chur?'

D'inis sé a ainm di agus cé dar díobh é. Ar ámharaí an

tsaoil, bhí aithne mhaith aici ar Charmel ach bhí sí fós in amhras faoi Rós agus bhí cuma an-óg ar an mbeirt acu. 'An bhfuil a fhios ag bhur dtuismitheoirí go bhfuil an bheirt agaibh ag dul amach le chéile?'

'Ó tá. Bíonn Rós thuas i mo theachsa gach oíche ag déanamh a cuid obair bhaile — cailín nua sa taobh seo tíre í. D'fhéadfá a rá gur mise a múinteoir.'

Gháir an bhean.

'Bhíodh cailín eile againn ach tá an fliú uirthi agus tá socruithe déanta againn dul amach anocht. Bheadh áthas orainn dá dtabharfá aire don triúr leanaí.'

'Beidh orm mo chuid leabhar a fháil ar dtús,' arsa Rós.

'Beidh orm mo mhála scoile a fháil freisin. Tiomáinfidh mo mháthair ar ais anseo muid. Tá orm a thaispeáint do Rós conas bróidnéireacht a dhéanamh. Níor fhoghlaim sí tada sa scoil eile ach conas hataí a dhéanamh.'

Bhí an mac ba shine ocht mbliana d'aois. Cúig bliana a bhí ag a dheirfiúr agus bhí an leanbh fós sa chliabhán. Mhínigh an bhean dóibh cad a bheadh le déanamh acu agus cá raibh gach rud. Bhí an leanbh ina chodladh. Nuair a thiomáin Carmel an bheirt acu ar ais chun an tí bhí an iníon gléasta ina culaith oíche. Bhí an mac ba shine ag féachaint ar an teilifís sa seomra mór. D'fhág na daoine fásta agus shuigh Cormac agus Rós síos gar dó agus iad ag déanamh iontais den troscán ársa agus de na pictiúir a bhí ar na ballaí.

Thóg sé amach a chuid bróidnéireachta agus mhínigh sé di na greamanna éagsúla a bheadh uirthi a dhéanamh le slacht a chur air. Bhí imlíne an éisc deartha aige cheana féin, agus bhí an fheamainn agus an grinneall ildaite marcáilte aige.

Thaispeáin sí sceitse a bhí déanta aici den *yin* agus den *yang* — iad dubh agus órga ach bheadh iasc órga ag snámh sa chuid dhubh agus iasc dubh ag snámh sa chuid órga. Mheas sé gurbh iontach ar fad an plean é.

Chuir an gasúr spéis san obair a bhí acu. D'imigh sé go dtí a sheomra agus thug sé anuas a chuid oibre féin. Dúirt Cormac go ndéanfadh sé ealaíontóir den scoth agus bhí áthas an domhain air é sin a chloisteáil.

Chríochnaigh siad an obair bhaile agus chuaigh mac an tí a chodladh. Bhí an teach go léir fúthu féin. Shuigh siad ar tholg mór ag féachaint ar an teilifís. Rug Cormac greim ar a láimh agus leag sé a cheann ar a gualainn. Mhothaigh sé boige a cuid gruaige ar a leiceann. Theann sí í féin níos cóngaraí dó. Chas sé ina treo.

'A Dhia! Ach tá tú go hálainn!' ar seisean, 'an-álainn go deo,' agus chuir sé a bhéal go bog ar a béal. Lean an clár teilifíse ar aghaidh ach níor chuir siad spéis ann. Tháinig na fógraí agus d'imigh siad. D'fhill an clár agus fós bhí siad ag pógadh ar a suaimhneas. Mhothaigh sí a mhéara ag sleamhnú in airde faoina barréide. B'aoibhinn léi nuair a rinne siad teangmháil lena cíocha. Mhothaigh sí a mhéara ag iarraidh cnaipí a blúis a oscailt agus níor stop sí é. D'oscail sé gach ceann acu i ndiaidh a chéile. Bhí a croí ag bualadh agus mhothaigh sí corraí ag éirí inti nár mhothaigh sí riamh cheana. Bhí sceitimíní uirthi. Theann sé chuige féin í agus chuir sé a dhá láimh laistiar dá droim. Choinnigh sé go daingean í ar feadh tamaillín agus ansin mhothaigh sí a mhéara ag útamáil le ceangal a cíochbhirt ag iarraidh é a oscailt. Ba léir nach raibh taithí aige ar a leithéid agus thóg sé tamall air an gnó a dhéanamh ach i gceann tamaillín bhí sí nocht go coim aige.

'A Dhia, tá tú chomh hálainn sin go bhfuil tú dochreidte!' ar seisean agus é ag stánadh uirthi agus é ag ceapadh go raibh sí díreach mar cheann de na dealbha geala marmair a bhí ag a athair i gceann dá leabhair mhóra ealaíne. Theann sé chuige féin arís í.

'Tá tú chomh hiontach sin agus tá meas níos mó agam ort ná mar atá agam ar dhuine ar bith eile sa saol,' ar seisean agus phóg sé a béal go bog arís agus arís eile.

Thosaigh an leanbh ag caoineadh agus b'éigean do Rós a blús a chur uirthi arís agus dul in airde staighre agus breathnú ina dhiaidh. Bhí sí tamall thuas agus lean sé suas í.

'Fuist!' ar sise. Bhí sí ag luascadh an chliabháin. D'fhan sé laistiar di sa dorchadas ag déanamh iontais den eolas go léir a bhí aici. Nuair a bhí an leanbh ina chodladh d'éalaigh siad go ciúin amach as an seomra. Phóg sé ar a béal arís í agus chuaigh siad timpeall ag féachaint ar na pictiúir agus ar na hiontais a bhí sa teach.

'A Dhia, ach ní raibh oíche mar í agam riamh i mo shaol,' ar seisean i gcogar léi agus iad ina suí ar an suíochán cúil i gcarr a mháthair.

'Ná agamsa ach oiread!' ar sise agus theann siad lámha a chéile.

Ba shona an buachaill é Cormac nuair a shín sé ar a leaba an oíche sin. Ba í Rós an duine ab iontaí dar bhuail leis riamh agus ba chosúil gur thaitin sé léi. Thar gach aon rud eile, bhí meáchan mór imní tógtha dá chroí. Bhí sé cinnte dearfa anois gur bhuachaill mar cách é a chuirfeadh spéis i gcailíní.

Bhí gliondar ar Rós freisin. Luigh sí ar a leaba ag déanamh a cuid smaointe. D'airigh sí bonnán otharchairr 'Ní! Ná! Ní! Ná!' i bhfad uaithi agus chuir sé oíche an tóiteáin i gcuimhne di. Chuimhnigh sí ar dhá chónra bhána a deirfiúracha agus bhris sé a croí. Luigh sí ar a leaba agus na deora léi go faíoch. Chuimhnigh sí ansin go mbeadh uirthi fianaise a thabhairt ag coiste cróinéara. Líon a croí le huamhan. B'in rud a bhí ag cur imní agus scéine uirthi.

Bhí an tAthair Plankton ina chodladh nuair a fuair sé glaoch práinne. Bhí bean ag dul as a ciall le scanradh. Bhí timpiste tarlaithe lasmuigh dá teach agus bhí fear óg go dona tinn. An bhféadfadh sé teacht láithreach?

Tharraing sé a chuid éadaigh os cionn a phitseamaí, rug greim ar an ola dhéanach agus amach leis go dtí a charr. Bhí sé ag clagarnach báistí agus thiomáin sé chomh tapaidh agus a d'fhéad sé go láthair na timpiste. Bhí otharcharr agus carr na nGardaí ann roimhe agus na soilse gorma ag geiteadh sa dorchadas. Bhí dhá charr ina smionagar ar thaobh an bhóthair agus bhí carr eile imithe isteach i ndíog. Rug sé greim ar an ola. Rith sé suas go dtí an t-otharcharr agus an bháisteach ag stealladh anuas air.

'Níl éinne ag fáil bháis, a athair,' arsa fear. 'Tá roinnt fola ar an mbóthar ach níl éinne gortaithe go dona.'

'Buíochas mór le Dia,' ar seisean agus labhair sé leis na daoine a bhí á dtabhairt go dtí an t-ospidéal.

D'fhill sé abhaile, thriomaigh é féin agus luigh sé ar a leaba. Theip glan air néal codlata a fháil. Luigh sé ansin ag machnamh. Cad a thug ar an seanóinseach glaoch air? Nach breá sámh a chodlódh sé dá mbeadh buidéal uisce beatha aige ar an gcófra le hais na leapa? 'One day at a time, Sweet Jesus....' Cad a thug air saol singil an tsagairt a roghnú? An dul amú a bhí air an chéad lá riamh ar smaoinigh sé ar dhul go dtí an coláiste? Bhí sé cinnte dearfa ag an am go raibh Dia ag glaoch air ach bhí Dia an-chiúin le tamall — an-chiúin ar fad, agus lena chois sin in ainneoin a chuid paidreacha bhí dúil san ól ag céasadh a anama, agus rud ba mheasa ná sin, bhí sé á mhealladh i dtreo na gcláracha do dhaoine fásta. 'One day at *a time sweet Jesus...*' ar seisean ach an raibh Íosa ag éisteacht? Bhí a chroí agus a chorp go léir ag glaoch amach ag éileamh na dí agus mhothaigh sé dúil mhillteach ann dul ag féachaint ar na cláracha brocacha teilifíse. Chuir sé an *Siansa Tréadach* le Beethoven ar siúl. Ba ghnách don cheol iontach sin ardú croí a thabhairt dó ach níor chuidigh sé leis an uair seo. Sheinn sé *Ceol an Uisce* le Handel ach ní dhearna sé ach cur lena ghruaim. Léigh sé píosa ach chuaigh a smaointe ar seachrán. Chuaigh sé síos staighre agus chas sé an teilifís ar siúl le go bhféachfadh sé ar chlár staire ach ba ghearr go raibh sé ag cuartú clár do dhaoine fásta. Bhí áthas air nach raibh aon cheann ar taispeáint ach thug sé gráin a chroí dó féin. Ba bhreá leis an aeróg satailíte a stracadh ó bhalla an tí agus an t-iomlán a chur ó mhaith ach ba mhillteach an masla é sin dá dheartháir. Rinne sé gníomh croíbhrú agus d'iarr cabhair ar Dhia. Bheadh air éirí go luath ar maidin agus an t-aifreann a léamh. Dia féin a thabharfadh breithiúnas air. D'iarr sé ar an Athair in ainm a Aonmhic teacht i gcabhair air agus é a fhuascailt ó na cathuithe a bhí á chrá. Gheall Íosa féin nach ndiúltófaí do ghuí ar bith a chuirfí ar a Athair ina ainm.

Thit a chodladh air tamall gearr sula raibh sé in am aige éirí agus aifreann a léamh. Bhí sé marbh le tuirse nuair a shroich sé an scoil ar maidin. Bhuail sé le Dick agus le Dwain sa Halla Tionóil.

'An raibh oíche chrua agat aréir, a Athair?' arsa Dick leis agus gáire mór ar a bhéal óir shíl sé go raibh sé amuigh ag ól.

'Bhí oíche chrua agam ceart go leor ach ní oíche den chineál a shamhlaíonn tusa,' ar seisean agus d'iarr sé orthu a rá le Katty gur mhaith leis labhairt léi.

Bhí a fhios aige go raibh a hathair i bpríosún. Bhí téarma príosúnachta gearrtha air sé mhí roimhe sin de bharr ionsaí fíochmhar a dhéanamh ar dhuine ach bhí an breitheamh sásta an pionós a chur ar fionraí ar choinníoll nach mbrisfeadh sé an tsíocháin. Tógadh os comhair cúirte arís é toisc go raibh sé caochta ar meisce, é ag achrann agus toisc gur ionsaigh sé an Garda a rinne iarracht é a ghabháil. Ní raibh an dara rogha ag an mbreitheamh ach é a sheoladh go dtí an príosún.

Chuaigh an sagart go dtí an seomra a bhí mar oifig aige. Bhí pána mór gloine curtha sa doras chun nach bhféadfadh duine aon drochiompar a chur ina leith. Chonaic sé go raibh duine éigin tar éis *péidifileach* a scríobh le peann feilte ar an ngloine. Chuaigh an masla go smior ann. Bhí sé ag déanamh a dhíchill ar son na ndaltaí, bhíodh fáilte aige rompu i gcónaí agus shíl sé gur mheas siad gur chara leo é. Ag Dia amháin a bhí a fhios cé acu a scríobh é. Fuair sé peann feilte agus mhill sé an scríbhinn. Chuaigh sé chun cainte le duine de na glantóirí agus d'iarr uirthi an doras a ghlanadh rud a rinne sí ar ball ach rinne sí ar bhealach é a d'fhág iarsma salach fós ar an ngloine. Bhí Katty roimhe nuair a shroich sé a oifig.

'Móra duit ar maidin, a Chaití, Is maith an rud é thú a fheiceáil inniu. Conas atá tú?' ar seisean le meangadh gáire ar a bhéal agus shín sé a lámh amach chuici. Sheas sí mar a raibh sí agus choinnigh sí a dá dhorn go daingean lena taobh.

'OK,' ar sise.

D'oscail sé an doras agus shiúil an bheirt acu isteach.

'Ar mhaith leat suí síos, a Chaití?' ar seisean go cairdiúil in ainneoin a doicheallaí agus a bhí sí, agus go bhféadfadh sí a bheith ciontach as a raibh scríofa ar a dhoras.

'Níor mhaith!' ar sise go dúshlánach agus d'fhill sí a dhá láimh go teann thar a chéile ar a hucht.

'Conas atá tú?'

'Táimse go maith. Cén fáth nach mbeinn go maith?'

115

Níor bhac an fear cóir lena fhreagairt ach d'fhiafraigh sé di an raibh bealach aici le dul ar cuairt chuig a hathair le linn an deireadh seachtaine.

'Sin é mo ghnósa.'

'Tá an ceart agat go hiomlán, a Chaití. Dar ndóigh, tá an ceart agat go hiomlán,' ar seisean agus mhínigh sé go mbeadh sé ag dul go Baile Átha Cliath ar an Domhnach le bualadh lena dhearbháir. Bheadh sé ag fágáil i ndiaidh Aifreann a haon déag.

'Bhuel! Cad faoi?' ar sise go stuacach dúshlánach.

'Dá mbeadh síob uait d'fhéadfainn thú a thabhairt suas liom. Shíl mé go mb'fhéidir gur mhaith le do dheaid duine muinteartha a fheiceáil, a Chaití.' Níor thug sé deis di é a dhiúltú ach dúirt go bhféadfadh sí machnamh a dhéanamh ar an scéal, 'agus rud eile, d'fhéadfainn a pháirtí a thabhairt linn freisin.'

'Focin chráin!' arsa Katty.

'B'fhéidir gur mhaith leis í a fheiceáil. Déan do mhachnamh faoi, a Chaití. Beidh Bean Uí Mhurchú ón siopa ag teacht liom,' ar seisean agus scríobh sé nóta di le tabhairt don mhúinteoir nuair a d'fhillfeadh sí ar an rang.

'Déarfainn gur mór le d'athair gur sheas tú leis nuair a bhí sé sa chúirt. Áit an-uaigneach é teach cúirte.'

'Conas a bheadh a fhios agam cad a cheap sé,' ar sise agus bhí sí imithe.

Bhí barúil aige go nglacfadh sí lena thairiscint. Triúr an-chorraithe ab ea iad Katty, a hathair agus leannán a hathar, agus le cúnamh Dé gheobhaidís tairbhe éigin ón turas. B'fhearr go mór dá mbeadh Bean Uí Mhurchú ag taisteal leo freisin. Ar a laghad bheadh duine éigin acu ag caint leis, ach ba é an rud ab fhearr leis ar fad ná go ndéarfaidís nach bhféadfadh siad glacadh lena thairiscint. Bhí a dhualgas

Críostaí déanta aige ar aon nós. Ní raibh mórán ama aige le bheith ag machnamh air mar scéal. Bhí sé in am aige dul ag múineadh ranga. Rith sé chuige go bhféadfadh an té a scríobh an rud ar a dhoras a bheith ina measc. Chuir sé uaidh mar smaoineamh é.

4

Tháinig an lá faoi dheireadh. Bhuail Garda cnag ar an doras. D'fhreagair Rós é.

'An bhfuil sibh go léir ullamh don inchoisne?' ar seisean. Ghlaoigh sí ar Joe, ar Mhary agus ar Phatrick. Chuaigh siad amach go dtí a charr.

'An bhfuil a fhios agaibh go mbeidh oraibh fianaise a thabhairt faoi mhionn?' ar seisean agus dúirt go mba pheaca uafásach agus coir thromchúiseach é bréag a insint.

'Seasaigí!' arsa oifigeach agus ghlac an cróinéir a áit ar an mbínse. Thug an Paiteolaí Stáit agus na saineolaithe a gcuid fianaise. Glaodh ar Rós. Chuaigh sí go clár na mionn. Thosaigh abhcóide á croscheistiú gan trua. Fear gránna a bhí ann a léirigh an fuath a bhí aige di le gach siolla dá ndúirt sé.

'Anois, a Iníon de Barra, tá a fhios againn gur thosaigh an tine sa tolg, inis dúinn an é do thuairim é gur thosaigh an tine seo de bharr toitín a d'fhág duine de do thuismitheoirí ann?'

Níor mhian léi é a admháil ach ní ligfeadh sé di éalú.

'Freagair an cheist, a Iníon de Barra. Thángthas ar rian toitíní ar an tolg nua atá agaibh.'

B'éigean dí a admháil gur chreid sí gur thosaigh duine acu an tine.

'Inis dúinn, a Iníon de Barra, an dóigh leat gur fhaillí

choiriúil a bhí ann? Ba mhaith liom a chur in iúil duit go bhfuil tú faoi mhion. Freagair an cheist a cuireadh ort, a Iníon de Barra. An dóigh leat gur fhaillí choiriúil a bhí ann?'

Níor fhreagair sí.

Labhair an cróinéir agus d'ordaigh sé di an cheist a fhreagairt agus faoi dheireadh d'admhaigh sí go mba fhaillí choiriúil a bhí ann.'

Chuaigh gáire buach thar bhéal an abhcóide. 'An bhféadfá a insint don giúiré, a Iníon de Barra, an dóigh leat go bhfuil duine de do thuismitheoirí ciontach as dúnmharú?'

Bhí Joe agus Mary ag cur na súl tríthi. D'oscail sí a béal ach níor fhéad sí oiread agus siolla a rá.

'Labhair amach go hard, a Iníon de Barra,' arsa an cróinéir go nimhneach.

'Is dóigh,' ar sise agus na focail á tachtadh.

Dhúisigh sí agus bhí an seomra dubh ina timpeall. Bhí sí báite le fuarallas agus ag crith le sceon.

Chuir sí ceist ar Chormac a luaithe agus a shuigh sé taobh léi ar an mbus cad a tharlaíodh ag coiste den sórt. Ní raibh barúil aige. Ní dúirt sí tada eile faoin scéal ach nuair a shroich siad an scoil, bhain sí gealladh as gan oiread agus focal a rá le duine faoin scéal agus nocht sí rún a croí dó.

'Tá an coiste cróinéara sin ag cur uamhain orm. Táimse cinnte gur thosaigh mo mháthair an tine le toitín. Má chuirfear faoi mhóid mé beidh orm an fhírinne a insint agus cad a tharlóidh ansin? An gcuirfear go príosún í ar feadh na mblianta? An gcuirfí go tithe altrama muid ansin?'

Ní raibh tuairim dá laghad aige ach gheall sé go gcuirfeadh sé ceist go discréideach ar a thuismitheoirí um thráthnóna.

Má bhí fíor-dhrochghiúmar ar an Hipí an tseachtain roimhe sin bhí aoibh níos fearr tagtha air agus é ag tiomáint ar scoil maidin Luain. Ní bheadh fonn chomh breá air, áfach, dá mbeadh a fhios aige go raibh deirfiúr Dick ag faire air agus é ag tiomáint isteach agus gur chuir sí glaoch ar a dhearthair ag insint uimhir a chairr dó.

Bhí fonn grinn fós air nuair a chuaigh sé isteach i seomra na múinteoirí. 'Bhí brionglóid uafásach agam aréir,' ar seisean. 'Bhí mé i bpríosún dorcha faoi thalamh agus chuala mé gliográn gránna slabhraí....'

D'fhéach na múinteoirí timpeall air agus lean sé ar aghaidh: 'Go tobann lasadh na soilse agus bhí mé anseo ar scoil.'

'Tromluí a bhí agat ceart go leor,' arsa an múinteoir adhmadóireachta, an Dr Woods, 'ach cá raibh na slabhraí?'

Thosaigh an Hipí ag gáire: 'Shíl mé go mbeadh a fhios agat gurb í Alice Uí Ghallchóir a bhí ag baint gliográn as a cuid slabhraí óir.'

Thosaigh na múinteoirí ag gáire. Buaileadh an clog agus thosaigh na daltaí agus na múinteoirí ag gluaiseacht tríd an Halla Tionóil. Chonaic an Hipí Graham O'Mahoney a bhí ag achrann le buachaill eile ina rang an tráthnóna roimhe sin. D'fhiafraigh sé de an raibh an leathanach pionóis scríofa amach aige.

'Cén leathanach pionóis?' arsa Graham amhail is dá mbeadh an Hipí ag fiafraí de an raibh leathanach eile scríofa aige le cur le Leabhar Cheanannais Mhóir.

'An ceann a thug mé duit toisc go raibh tú ag caint agus ag achrann gan stad sa rang inné?'

'Ní raibh mé ag caint. Ní dhearna mé ach a fhiafraí de an raibh iasacht pinn luaidhe aige!'

'Agus iasacht de leabhar agus bhí tú ag achrann, agus do

dhícheall á dhéanamh an rang a iompú bun os cionn. An bhfuil an obair déanta agat?'

'B'éigean dom rudaí a iarraidh air.'

Chlis a fhoighne ar an Hipí agus d'ordaigh sé dó teacht isteach ag a ceathrú tar éis a haon.

'Cad chuige? Ní dhearna mé aon rud. Nílimse ag teacht isteach.'

'Inseoidh mé do Miss Codd fút mura dtiocfaidh tú isteach.'

'Agus inseoidh mise do mo mháthair fútsa. Bíonn tú i gcónaí ag cur an mhilleáin orm gan fáth. Beidh sise ag caint leat ar maidin.'

Tháinig Bean Uí Ghallchóir tríd an slua agus d'inis an Hipí an scéal di.

'Buachaill eile nach ndéanann aon rud a deirtear leis agus a bhíonn i gceart i gcónaí!' ar sise. 'Ach ní haon rud nua é sin, a Mhic Uí Shúilleabháin,' agus d'imigh sí léi.

Ba bhreá leis an Hipí Graham a thabhairt chuig Miss Golden óir b'ise a bhí i bhfeighil daltaí na chéad bliana ach ní raibh sé féin ná ise ag beannú dá chéile.

Bhí Dick laistiar de Chormac agus de Rós nuair a chonaic siad an Hipí ag teacht go sciobtha, cuma chrosta ar a éadan agus é ag déanamh ar a sheomra. D'fhan Dick go dtí go raibh sé imithe thairis agus rinne sé brúcht chomh tréan agus a bhí sé in ann. Stop an Hipí láithreach agus chas sé ina dtreo. Thosaigh Dick ag feadaíl agus lig sé air nár chuala sé aon rud. Shiúil sé an bealach eile.

'Tár anseo a Risteaird Uí Mhurchú!' arsa an Hipí. Lean Dick air ag siúl. Bhéic an múinteoir amach a ainm arís ach fós níor thug Dick aon aird air. Lean an Hipí é agus sháigh sé a mhéar ina ghualainn.

'Cad atá ort?' arsa Dick is é ag casadh timpeall.

'Brúchtadh aineolach os ard! Sin é!'

'Cibé duine a rinne é, ní mise a rinne.'

Chuir an Hipí ina leith é, ach shéan seisean é agus dúirt nach raibh cead ag múinteoir dalta a bhualadh.

'Níor bhuail mé thú.'

'Níl cead agat oiread agus méar a leagan ar dhalta, agus má dhéanann tú arís é beidh mé ag dul suas go dtí an oifig ag gearán fút.'

'Táim ag feitheamh go n-iarrfaidh tú mo phardún!' arsa an Hipí.

'Cad chuige? Níl aon rud déanta agam. Tá tú ag cur an mhilleáin orm gan fáth. Cloisfidh tú ó m'athair.'

'Táim ag cur an mhilleáin ort de bharr brúchtadh aineolach ard a dhéanamh. Sin an fáth!'

'Tá na céadta dalta anseo. D'fhéadfadh duine ar bith acu é a dhéanamh.'

Bhí a fhios ag an Hipí nach n-éireodh leis agus thug sé foláireamh dó gan a leithéid a dhéanamh arís nó go mbeadh cárta dearg aige.

'Preit!' arsa Dick, agus nuair a d'imigh an Hipí lig sé racht gáire as agus shín sé na méara amach chuige.

Nuair a d'éirigh sé dorcha an oíche sin shiúil fear óg thar charr an Hipí. Chrom sé síos agus sháigh scian trí dhá bhonn.

Bhí Gearóid ag obair sa leabharlann nuair a tháinig Cormac agus Rós. Chuaigh an bheirt acu go dtí an chistin.

'Tá tú ag breathnú go han-álainn ar fad anocht, a Rós,' ar seisean agus chuir sé a mhéara thar a cuid gruaige agus thar a muineál.

'Go raibh maith agat,' ar sise. Phóg sí é agus d'oscail siad na leabhair. Bhí siad gnóthach nuair a tháinig Gearóid ar lorg roinnt nótaí a bhí fágtha aige ann.

'An bhfuil aon rud ar eolas agat faoina tharlaíonn ag coistí cróinéara?' arsa Cormac.

'Barúil dá laghad. Cad atá á dhéanamh agaibh?'

'Fraincis.'

'Thosaigh mé ag foghlaim na teanga sin ach b'éigean dom éirí as. Ní raibh ann ó thús go deireadh ach seafóid agus amaidí.' Shiúil Carmel isteach sa chistin ar an bpointe sin.

'Cén chaoi a bhfuil sí amaideach?' arsa Rós.

'Bíonn an t-ainm ceannann céanna ar gach cailín — dá gcuirfeá ceist ar dhuine ar bith acu déarfadh sí gurb ise Jemma Pelle — "Jemma Pelle Marie, Jemma Pelle Danielle."'

Níor thuig Rós cad a bhí i gceist aige ach phléasc sí amach ag gáire nuair a thuig sí é.

Gheall Gearóid di gurbh iad na huaisle Francacha an dream ba chraosaí ar domhan. D'ithidís gach rud ar an mbord agus ansin bhídís ag caitheamh aníos. B'in an fáth a raibh na fuaimeanna gránna go léir ann faoi mar a bheadh duine ag caitheamh aníos. '*Ah! Ma soeur, je suis Pierre, ton serviteur!*' agus d'imigh sé leis ag sclogadh gáire.

Ní mó ná sásta a bhí Carmel. Thuig sí nach ar mhaithe le greann ach le gean do Rós a bhí sé ag magadh agus ag rá rudaí barrúla. Mheas sí go raibh sé ag cur an iomarca spéise ar fad inti. Fuair sí na rudaí a bhí uaithi agus d'imigh sí léi.

'An mbíonn do dheaid chomh greannmhar sin i gcónaí?' arsa Rós.

'Measann sé i gcónaí go mbíonn.'

Bhí an Hipí le ceangal nuair a chonaic sé a charr. Bhí fógra beag faoi chuimilteoir gaothscátha: *Dhá bhonn eile an chéad oíche eile. P.S. fág faoi sholas na sráide í go bhfeicfimid níos fearr í.* Ba bhuille na tubaiste aige é. Bhí sé scartha óna bhean agus bhí ordú cúirte faighte aici go bhfanfadh sí leis na leanaí san áras teaghlaigh is go n-íocfadh sé airgead cothabhála leo. Ba mhinic a bhíodh sé ar an gcaolchuid. Chuir sé glaoch ar na Gardaí ach ba bheag a d'fhéadfaidís a dhéanamh. Chuir sé a mhallacht ar an scoil agus ar na daltaí. Bhí sé cinnte gurb í deartháir Samantha Murphy nó duine de na daltaí a bhí freagrach as. Bhí fonn air imeacht agus buidéal uisce beatha a cheannach ach ba bheag a bhí ina chuntas agus bheadh air boinn nua a cheannach. Chuir sé glaoch ar Bhean Uí Ghallchóir ag iarradh uirthi síob chun na scoile a thabhairt dó.

'A Íosa, ar sise lena fear céile. 'Beidh orm éisteacht leis ag gearán gan stad go sroichfimid an scoil.'

Bhí an ceart aici agus ní túisce a bhí an scoil sroichte acu ná chuaigh sé díreach go hoifig Mr Putts chun an scéal a insint dó.

'Táim cinnte gurbh í an gob sa chac sin Samantha Murphy ba chúis leis,' ar seisean.

'Nár inis mé duit gur teaghlach an-bhaolach iad? Caithfidh tú a bheith an-chúramach faoi aon rud a deir tú le duine ar bith acu.'

Níor dearnadh aon damáiste don charr an oíche sin ach milleadh dhá bhonn eile air sula raibh an deireadh seachtaine thart.

Tráthnóna Sathairn a bhí ann. Ghléas an tAthair Plankton é féin in éadaí troma teo tráthnóna Sathairn, chuir a chaipín ar a cheann, thóg a phortús leis agus chuaigh go dtí a bhád cois na Sionainne. Níorbh aon chúrsóir mór cábáin í ach bhí cábán stiúrach compordach uirthi a choinneodh an ghaoth agus an bháisteach amach. Scaoil sé na téada, thosaigh an t-inneall agus ghluais leis amach i lár na habhann. Stop sé an t-inneall agus lig sé don bhád gluaiseacht go mall le sruth. D'fhair sé ar bhruacha na habhann ag imeacht thairis. D'fhéach sé ar na scamaill liatha a bhí ag trasnú na spéire agus ar na scáileanna dorcha a d'fhág siad ar an uisce. D'airigh sé glórtha na n-éan agus fuaim na dtonnta beaga ag slaparnach in aghaidh chlár an bháid agus osnaíl agus siosarnach bhog na gaoithe sa ghiolcach. D'airíodh sé síocháin agus suaimhneas aigne de gnáth agus é amuigh ar an abhainn. Tharraing sé a scairf aníos ar a mhuineál agus d'fhan sé ansin ag déanamh a smaointe.

Mhothaigh sé míshásta ann féin le tamall. Níor bhain sé sult as na rudaí a bhaineadh sé sult astu, agus mheas sé go raibh saol leamh, easnamhach, gan bhrí á chaitheamh aige. Lena chois sin bhí an dúil san ól ag méadú ann agus bhí an rud a scríobhadh faoi ar dhoras a oifige ag scóladh an chroí ann. D'oscail sé a phortús ach ba ghearr a bhí sé á léamh nuair a chuimhnigh sé arís ar a raibh scríofa faoi ar an doras. Ghoil sé go mór air go scríobhfadh duine de na daltaí rud mar sin faoi. Rinne sé iarracht an tráth a léamh ach chuaigh a smaointe ar fuaidreamh. Thosaigh sé ag rá na salm arís ach in ainneoin go raibh na focail á rá aige ní raibh sé ag tabhairt aon aird orthu. Thuig sé go raibh gruaim ag teacht air ó bhí an samhradh ann. Cheap sé go mb'fhéidir go raibh tuirse air. Cinnte dearfa níorbh aon chabhair dó na cláir bhrocacha a chonaic sé ar an teilifís. Bheartaigh sé guí go tréan agus troid go daingean in aghaidh an cathaithe sin. Bhí sé in am aige dul go cruinniú de chuid an AA, freisin.

Bhí sé ag éirí dorcha. Bhí na héanacha ag eitilt go mall go dtí a bhfaraí. Bhí scáileanna dorcha ina luí ar uisce dubh na habhann. Bhí a fhios aige gur cheart dó a bheith ag gabháil buíochais: *A fharraigí agus a aibhneacha, beannaígí an Tiarna. A éanlaithe uile an aeir, beannaígí an Tiarna* ... mar a deireadh sé agus é amuigh ar an abhainn ach ní raibh fonn air aon phaidir a rá. Dúirt sé na focail ach mheas sé nach raibh éifeacht ar bith iontu. Bhí sé in am aige filleadh abhaile.

Chuaigh sé go cruinniú an AA sa bhaile mór an oíche sin.

'Tá súil agam nach bhfuil strus na múinteoireachta do do lagú,' arsa a chara an Dr Huntington, agus aoibh mhór gháire ar a bhéal. Bhuail siad le chéile ar dtús i dteach an Aiséirí nuair a bhí siad ag iarraidh éirí as an ól.

Rinne an sagart gáire. 'Níl.'

'Tá sé sin go hiontach,' arsa an Dochtúir agus dúirt go raibh cuid de lucht an AA ar an idirlíon agus go raibh siad ag seoladh teachtaireachtaí tacaíochta chuig a chéile gach oíche.

'Is breá an plean é sin,' arsa an sagart, 'ach níl aon seoladh ríomhphoist agam go fóill.

'Seo agat mo sheoladh ríomhphoist féin agus táim ag súil le teachtaireacht uaitse a luaithe agus a bheidh do sheoladh féin agat.'

D'fhill an sagart abhaile agus tógáil bheag ar a chroí, rud nár mhothaigh sé le tamall.

Bhí sé ag clagarnach báistí ar an Domhnach agus chuir Bean Uí Mhurchú scéala chuige ag rá go raibh an fliú uirthi agus nach bhféadfadh sí dul go Baile Átha Cliath. D'fhan sé tamall ag féachaint an dtiocfadh Katty agus leannán a hathar chuige le dul chun na hardchathrach. Níor tháinig.

'Tá Dia maith,' ar seisean leis féin agus thiomáin sé leis go sásta agus ceol ainglí Mozart mar thionlacan aige.

Bhí sé ag clagarnach báistí maidin Luain agus na daltaí ag

fanacht leis an mbus. Bhí Dick, Dwain agus Larky ag pléascadh gáire nuair a shroich Rós iad agus iad ag caint faoi chíréib a bhí sa bhaile mór oíche Shathairn. Ní raibh teora leis an méid fuinneog a briseadh ná cloigne a scoilteadh dar le Dick. Tháinig an bus agus chuaigh siad ar bord.

Bhí gach éinne ag caint faoin troid nuair a shroich siad an scoil. Bhí ceathrar ón scoil san ospidéal. Bhí beirt de na buachaillí ba chiúine gafa ag na Gardaí toisc go ndeachaigh siad le craobhacha ar fad. Rugadh orthu agus iad ar a ndícheall ógánach eile a theilgean trí fhuinneog siopa. Rug na Gardaí ar Mharcus Carcas agus é beagnach glan as a mheabhair de bharr drugaí a bhí caite aige. Rinne sé iarracht iad a throid ach smachtaigh siad é. Bhí sé ciúin go maith nuair a scaoileadh saor é faoi dheireadh agus bhí Dick ag maíomh go raibh dealramh nua cearnógach ar a chloigeann.

Shuigh an tAthair Plankton síos taobh leis an Hipí i seomra na múinteoirí chun a chuid ceapairí a ithe.

'Rinne an Tiarna na héachtaí dúinn; bhí áthas orainn go deimhin,' arsa an Hipí.

'Cúis iontais dom thú a chloisteáil ag lua na scrioptúr,' arsa an sagart agus gáire ar a bhéal.

'Ná déan dearmad gur féidir leis an diabhal féin na scrioptúir a lua,' arsa an Dr Woods agus é ag gáire.

'B'fhearr liom go mór a chreidiúint go bhfuil síolta beaga an chreidimh folaithe ina chroí,' arsa an sagart.

'Ní… ní… ní… ní… níl,' arsa an Hipí agus é á thachtadh féin le flosc chun cainte. 'D'fhógair an manach William Ockham sna meánaoiseanna nár ghá a bheith ag ceapadh finscéalta casta le rudaí simplí a mhíniú. Rásúr Ockham a thugtar air. Míníonn an eolaíocht an saol. Níl aon mhíniú eile ag teastáil.

QED. Tá scornach Dé gearrtha ag Rásúr Ockham. Ní chreidfidh mé aon rud nach bhfeicfidh mé le mo shúile cinn.'

'Ní mór do dhuine creideamh a bheith aige i nDia más mian leis é a fheiceáil,' arsa an sagart is é ag gáire go bog.

'Ach cén chaoi a bhféadfá seasamh le ráiteas mar sin?' arsa an Dr Spellman.

Bhí an sagart cinnte dearfa de. 'Mhothaigh mé Dia i mo shaol féin. Tá taithí phearsanta agam ar fhírinní na Críostaíochta.'

'Cá bhfios duit nach finscéal an t-iomlán?' arsa an Dr Spellman.

Tháinig cuid de na múinteoirí óga anall chucu ag éisteacht.

Gháir an sagart. 'Aon uair a bhímse ag titim i nduibheagán an amhrais léiríonn Dia é féin dom ar bhealach éigin a shlánaíonn mó chreideamh.'

'Ach cá bhfios duit nach bhfuil breall ort agus nach amaidí atá ann ó thús go deireadh?' arsa an Dochtúir Spellman.

'Tá a fhios agam nach mar sin atá,' arsa an sagart go cinnte. 'Tá a fhios sin agam.'

'Iascairí aineolacha ba iad na fir a scríobh na soiscéil,' arsa an Hipí. 'Daoine somheallta ab ea iad.'

'Tugann Dia cuireadh dúinn ár gcreideamh a chur ann. Faoi mar a dúirt sé le Tomás: *De bhrí go bhfaca tú mé, a Thomáis, chreid tú. Is méanar dóibh siúd nach bhfaca agus a chreid.*'

'D'fhéadfadh sé a rá lán chomh furasta *is méanar dóibh siúd atá soineanta somheallta,*' arsa an Dr Spellman.

'Ní chreidimse in UFOnna,' arsa an Hipí, 'ach tá cruthúnas níos fearr ann go bhfuil siad amuigh ansin ná gur éirigh Íosa ó na mairbh.'

Ghoill an masla go mór ar an sagart go mór mór ó bhí a

mhéar leagtha aige ar cheann de na fadhbanna móra creidimh a bhí aige.

'Níl éinne chomh dall leo siúd nár mhian leo aon rud a fheiceáil,' ar seisean.

'Níl éinne chomh dall leis an té a fheiceann rudaí nach bhfuil ann,' arsa an Hipí. 'Tá an lá go breá agus táim ag dul ag snámh. Tá súil agam nach gceapfaidh éinne go bhfuilim dom' bhaisteadh féin sa tSionainn.'

'Nach gcuireann an truailliú imní ort?' arsa an Dr Woods agus é ag ligean air go raibh imní air faoin scéal.

'Ní ... ní ... ní chuireann!' arsa an Hipí agus é ag stadaireacht arís. 'Rinneadh tástálacha ar an uisce agus fuarthas go raibh sé ar ardchaighdeán.'

'Bhí mé ag smaoineamh ar an truailliú a dhéanfása don abhainn,' arsa an Dr Woods.

'Ara, imigh leat agus bí ag déanamh ceann eile de na staighrí maisiúla adhmaid sin agat,' arsa an Hipí agus d'imigh sé leis.

'A Thiarna! Thiomáinfeadh sé fear maith amach ag ól,' arsa an Dr Woods a thuig go raibh an Hipí ag tagairt don obair adhmadóireachta a bhíodh á dhéanamh aige i ngan fhios do na Coimisinéirí Ioncaim. 'Tabharfaidh sé taom titimis dó féin leis an bhflosc millteach chun cainte sin a thagann air!'

'Léigh mé áit éigin,' arsa an sagart, 'nuair a bhí ár dTiarna ag fulaingt a chéasta gur mhúinteoir staire a d'fháisc an Choróin Spíne anuas ar a cheann. Ach cogar an bhféadfá a insint dom conas seoladh ríomhphoist a cheapadh dom féin.'

B'fhusa é a dhéanamh ná é a mhíniú agus thiomáin siad go teach an tsagairt. Chuaigh an dochtúir i mbun oibre agus ba ghearr go raibh sé ar líne. 'Cén seoladh ríomhphoist atá uait? 'Cad faoi *plankton@eircom.net*?'

Gháir an sagart agus shocraigh siad ar cheann eile.

Ba ghearr gur thuig an Dochtúir nár thuig an sagart mórán faoin tslí chun an t-idirlíon a chuardach. Thaispeáin sé dó an chaoi lena dhéanamh agus mhol dó gan a bheith ag tóraíocht na suíomhanna pornagrafacha. Gháir an sagart. 'Beag an baol,' ar seisean. Thiomáin siad ar ais ar scoil. B'ait leis an sagart an tagairt a rinne sé dos na suíomhanna pornagrafacha agus b'ait leis freisin go ndúirt sé go dtiomáinfeadh an Hipí fear maith i dtreo an óil. B'fhéidir nach raibh ann ach an ghnáthchabaireacht a bhíodh ar siúl aige, ach b'fhéidir nárbh ea.

Nuair a bhí sé ag tiomáint abhaile an tráthnóna sin ghuigh sé ar son an Hipí agus na múinteoirí a raibh an creideamh caillte acu ach nuair a bhí sé ag gluaiseacht thar an teach tábhairne ghlac cathú an óil seilbh air mar a dhéanfadh ainspiorad.

'Ó a Dhia uilechumhachtaigh, fóir ormsa atá faonlag,' ar seisean arís agus arís eile. Is ar éigean ar éirigh leis a theach a bhaint amach slán. Ghlaoigh sé ar a chara an Dr Huntington sa mbaile mór ach ní raibh seisean istigh. Bhí an cathú ag creimeadh a anama ar feadh an tráthnóna. Bhí cruinniú fada aige sa Halla Paróiste agus ba mhó fós an cathú a bhí air agus é ag filleadh abhaile. Líon a chroí le hamhras. Bhí sé i bhfad níos fusa fírinní an chreidimh a chosaint ó lucht an díchreidimh ar scoil ná a bheith cinnte fúthu agus é ina aonar. Ní raibh aon rud ráite ag an Hipí ná ag an Dr Spellman nár rith chuige féin go minic ach bhí na tuairimí sin ina luí ar an anam anois mar a bheadh meáchan ollmhór ag fáisceadh an chreidimh as. Ghlaoigh sé ar Dhia teacht i gcabhair air ach má bhí Dia ann ba chosúil nach raibh sé ag éisteacht.

Bhí air seanmóir an Domhnaigh a ullmhú. Chuaigh sé ag

cuartú ar an idirlíon an oíche dar gcionn ag iarraidh tagairt a
fháil don Mhaighdean Mhuire. Rinne sé botún agus tháinig
sé ar shuíomh a bhí breac le cailíní nochta. Bhí uafás air ach ní
raibh sé de neart ann an suíomh a dhúnadh.

'Cad atá ar siúl agam, a Dhia?' ar seisean.

Thóg Rós agus Patrick an bus ar an Satharn le cuairt a
thabhairt ar Mhichael. Ní dúirt sé mórán ach níorbh aon scéal
nua é sin. Ba léir dóibh go raibh sé i bhfad níos fearr. D'inis
banaltra dóibh nach raibh an oiread piollairí á gcaitheamh
aige.

Bhí an ghaoth ag feadaíl timpeall orthu agus an bháisteach
ag clagarnach anuas orthu agus iad ag fanacht leis an mbus.
Bhí siad fliuch go craiceann nuair a chuaigh siad ar bord agus
mar bharr ar an donas bhí an bus fuar agus an córas teasa
briste.

Ghlan Rós an ceo den fhuinneog i gceann tamaill agus
chonaic sí reilig. Chuimhnigh sí láithreach ar an reilig ina
raibh a beirt dheirfiúracha curtha. Tháinig náire an domhain
uirthi a bheith slán sábháilte agus é ar intinn aici dul amach le
Cormac agus a beirt dheirfiúracha bheaga sínte sa chré.
B'fhéidir go mbeidís beo fós murach gur rith sí amach an
doras ag iarraidh cabhair a fháil seachas rith suas an staighre
chun an teaghlach a mhúscailt.

Bhí sí sa Halla Tionóil an tseachtain dar gcionn nuair a d'iarr
an tAthair Plankton uirthi dul go dtí a oifig.

Chuir sé ceisteanna uirthi faoi Mhichael agus faoina
teaghlach agus an chaoi a raibh ag éirí leo déileáil leis an
tubaiste.

'Agus conas atá tú féin?'

Bhris sí amach ag gol, agus nuair a tháinig a caint chuici d'inis sí dó go raibh sí i ngrá le Cormac agus gur mheas sí gurb uafásach an rud é ise a bheith sona agus a beirt dheirfiúracha marbh.

'A Rós! A Rós!' ar seisean ag leagadh láimhe ar a gualainn. 'Inis dom é seo, a Rós. Dá mba rud é gurbh é tusa a fuair bás ar mhaith leat go mbeadh siad sin ag briseadh a gcroí ag gol?'

B'éigean di a admháil gurb é sin an rud deireanach sa saol a bheadh uaithi. Shín sé naipcín páipéir chuici agus thriomaigh sí a súile.

'Tá sé sin i bhfad níos fearr,' ar seisean agus d'fhiafraigh sé di cár cheap sí go raibh a deirfiúracha.

'Ar neamh, is dócha.'

'Meas tú cén sórt áite í neamh? An dóigh leat go mbíonn daoine ina gcodladh ann faoi shíocháin?'

'D'aontaigh sí leis. B'in a shíl sí.

'Ní mar sin atá sé ar chor ar bith, a Rós! Bíonn gliondar agus ríméad ar na daoine atá ann. Dúirt tú liom gurb aoibhinn leat radharc na n-iasc órga agus go bhfuil tú i ngrá le Cormac — agus is leaid an-bhreá é. Nárbh iontaí go mór ar fad a bheith in éineacht leis i láthair an Chruthaitheora a rinne na réalta agus an domhan agus na daoine iontacha go léir atá ann? Chaithfeadh sé go bhfuil na daoine atá ar neamh ag rince le háthas.'

Chonaic sé an tógáil croí agus an misneach a thug na briathra sin di. Bhí rudaí mar sin ráite aige le daoine eile agus chuidigh siad go mór leo ach mheas sé ar chúis éigin gur fhocail fholmha gan bhrí a bhí á rá aige an uair seo.

Rinne sí meangadh álainn gáire, ghabh buíochas leis agus d'fhág sí a oifig. Chuala sé a coiscéimeanna éadroma agus í ag imeacht síos an dorchla uaidh. Bhí ualach mór imithe dá haigne ach níor mhothaigh sé féin aon aiteas nó tógáil croí. D'fhéach sé timpeall a oifige agus mheas sé go raibh saol gan éifeacht á chaitheamh aige. Bhí sé ag obair i ngort an Tiarna ach ba léir dó go raibh ag teip glan air dul i gcionn ar an Hipí ná ar chuid de na múinteoirí agus ní raibh a fhios aige cén rath a bheadh ag an obair a bhí ar siúl aige leis na daltaí.

'Tá tuirse ort, a Sheáin,' ar seisean leis féin faoi dheireadh agus d'ullmhaigh sé cupán caife.

'Beidh bróidnéaracht againn inniu! Tógaigí amach an obair le bhur dtoil!' arsa Iníon Nic Lochlainn in ard a gutha nuair a bhailigh na daltaí. Chuaigh siad go dtí na cófraí agus ba ghearr go raibh siad ag obair ar a ndícheall. Chuaigh sí timpeall ag breathnú ar a gcuid oibre agus ag cabhrú leo. Thaispeáin Cormac a chuid oibre di. Mhol sí go hard é ach dúirt go mb'fhusa dó píosaí d'éadach daite a ghearradh agus iad a fhuáil don chúlra. D'fhéadfadh sé é a mhaisiú le bróidnéireacht ar ball.

D'fhéach sé ar a raibh déanta. Thuig sé nach gcríochnódh sé é go lá an lúbáin dá leanfadh sé ar aghaidh á bhróidniú. Bhí an moladh céanna aici do Rós. Chuaigh siad ag féachaint an raibh aon rud feiliúnach sa chófra agus ar ámharaí an tsaoil bhí. Bhí siad ag obair ar a ndícheall nuair a tháinig Bean Uí Ghallchóir agus dúirt leis an múinteoir gur mhian léi labhairt le Rós. Lean sise amach sa dorchla í agus imní uirthi.

'Ní gá a bheith buartha, a Rós. Cúpla ceist faoina bhfuil ag éirí leat sa scoil. Sin an méid. An dtaitníonn sé leat a bheith anseo?'

'Taitníonn sé thar cionn liom.'

'Is maith an rud é sin. Bhí mé ag caint leis na múinteoirí agus bhí an scéal céanna acu go léir, go bhfuil tú éirimiúil, go bhfuil tú ag déanamh do dhíchill agus go bhfuil tú ag dul chun cinn go maith.'

Thaitin sé go mór léi é sin a chloisteáil agus lean Bean Uí Ghallchóir ag cur ceisteanna uirthi.

'Ná bíodh drogall ar bith ort teacht chugamsa má bhíonn aon fhadhb agat sa scoil nó má thosaíonn éinne ag déanamh bulaíochta ort,' ar sise faoi dheireadh agus dúirt léi filleadh ar a rang.

Chaoch sí súil ar Chormac nuair a shuigh sí síos taobh leis, d'inis an scéal dó agus thosaigh sí ag obair.

Nuair nach raibh ach cúig nóiméad fágtha dúirt Iníon Nic Lochlainn leo gach rud a chur i dtaisce sa chófra. Bhí drogall orthu éirí as an obair mar bhí siad ag baint taitnimh as.

'Haidh! A Mhúinteoir, Tá rud éigin cearr leis an mbróidnéireacht seo!' arsa Root go teasaí. 'Tá sé tar éis é féin a ghreamú do mo bhríste.'

Thosaigh na daltaí ag gáire. Thosaigh Root ag séideadh agus ag puthaíl le teann míshástachta.

'Tá an t-ádh dearg leat nár fhuaigh tú do do chois í,' arsa an múinteoir.

'Mhothóinn é dá ndéanfainn é sin, nach mothóinn?' arsa Root go feargach. 'Ba chóir duit rabhadh a thabhairt dom faoi.'

'A Dhia, nach tusa an óinseach!' arsa Katty léi.

'Mí-amh! Mí-amh!' arsa Root á freagairt agus í ar lasadh le neart feirge, 'Ní fhéadfá fiú bia a chocaráil don chat. is gráin le gach éinne thú. Teipfidh ort agus is leispiach thú!'

'Féach cé atá ag caint,' arsa Katty. 'Tá tusa chomh dúr sin nach bhfuil a fhios agam cén chaoi a gcuimhníonn tú ar do bhrístín a chur ort ar maidin. B'fhéidir nach gcuireann tú aon rud ort.'

'Mí-amh! Mí-amh! Mí-amh! Mí-amh!'

'Abair é sin arís agus bainfidh mé an cloigeann amaideach sin díot!'

'Níl ionat ach liúdramán agus leispiach, agus is fuath le gach éinne thú,' arsa Root le corp fuatha. Phreab Katty in airde le díoltas a imirt uirthi. Theith Root uaithi agus í ag béicíl in ard a gutha: 'Mí-amh! Mí-amh! Mí-amh! Mí-amh!'

'Is leor é sin a chailíní! Is LEOR sin!' arsa Iníon Nic Lochlainn.

Bhí Cormac agus Rós le chéile sa Halla Tionóil an mhaidin dar gcionn agus bhí an áit ina rírá timpeall orthu. Bhí Marcus Carcus tar éis filleadh ar an scoil agus ní mó ná sásta a bhí sé go raibh daoine ag fiafraí de cén chaoi a raibh sé agus an raibh sé chun an dlí a chur ar na Gardaí. Bhí strois mhór ar bhéal Larky toisc gur thug Dick druga dó le caitheamh. Chonaic Larky Dwain ag teacht agus thug sé cic maith sa rúitín dó. Chuir Dwain a mhallacht air agus rith sé ina dhiaidh le díoltas a imirt air. Theith Larky. Lean Dick an bheirt acu. Bhí sé beagnach tagtha suas leo nuair a chuir Marcus Carcus cor coise ann agus chuaigh Dick i ndiaidh a chinn isteach sa mballa.

Chuir Dick a mhallacht air agus d'éirigh sé den talamh. 'Cén fáth sa foc a ndearna tú é sin?'

'Ní mian liom cacanna beaga dara bliana a bheith ag rith tharam mar sin.'

Gheall Dick faoina fhiacla dó go mbainfeadh sé sásamh as, agus d'fhreagair Marcus go bhféadfadh sé triail a bhaint as uair ar bith.

Bhí am sosa ann. Bhí an Hipí sa seomra foirne ag cur síos ar dhrochiompar na ndaltaí céad bhliana.

'Mill an óige,' arsa múinteoir Gaeilge, 'agus tiocfaidh sí.'

Tháinig an Dr Spellman isteach agus é ag gáire. 'Tá mé cinnte go bhfuil Larky tar éis drugaí a chaitheamh. Tá féachaint aisteach ina shúile. Nóiméad amháin bíonn sé ag éisteacht agus nóiméad eile bíonn meangadh gáire ar a bhéal amhail agus dá mbeadh radharc aige ar aoibhneas na bhflaitheas.'

'Cad a rinne tú faoi?'

'Smaoinigh mé a rá leis a phócaí a fholmhú nó féachaint an raibh aon rud ina mhála.'

'Tá súil agam nach ndearna,' arsa Bean Uí Ghallchóir, 'nó d'fhéadfaí an dlí a chur ort.'

'Tá a fhios sin agam. Sheol mé suas chuig Mr Putts é. Tá seisean imithe ag sochraid. Thosaigh Miss Codd ag béicíl agus ag fiafraí an raibh druga caite aige. Ní fhéadfaí freagra ceart a fháil ó Larky fiú nuair a bheadh sé ina lánchiall agus d'fhreagair sé: "Tá, a Mháistreás. Níl." Chuaigh sise le báiní ar fad. Rug sí air agus í ag béicíl in ard a gutha. "An bhfuil druga caite agat nó nach bhfuil?" agus dúirt seisean "Sea". "Admhaíonn tú mar sin gur chaith tú druga!" ar sise. "Sea, dúirt mé leat nár chaith."'

Phléasc na múinteoirí amach ag gáire agus dúirt Bean Uí Ghallchóir gur mhór an t-ionadh nár tharla eachtra mar sin i bhfad roimhe sin, agus rud eile, má bhí druga caite aige gurbh é Dick nó Dwain a thug dó é. 'Creid uaimse é. Is scéal é seo a rachaidh chun donais. Níl anseo ach an tús.'

'Táim ag dul ag glaoch ar an dochtúir,' arsa Miss Codd agus í ag dul le báiní ar fad. 'Inis dom cad atá tógtha agat?'

'Sea' ar seisean.

'Cad a thóg tú?'

'Thóg mé mo mhála agus mo chuid leabhar go léir.'

Phléasc na múinteoirí amach ag gáire.

'Chuir sí glaoch ar a thuismitheoirí ach níor fhéad sí teacht orthu,' arsa an Dr Spellman. 'Bhí imní uirthi é a thabhairt chuig an dochtúir ar eagla go mbeadh pointe dlí i gceist. Chuir sí glaoch ar Mr Putts ach bhí seisean ag an Aifreann agus bhí a theileafón múchta. Tá Larky fós san oifig, ise ag béicíl in ard a gutha, eisean mar a bheadh balbhán agus gan oiread agus gíog as, ach meangadh an aoibhnis ar a éadan.'

'Bhuel, sin freagra agat ar do chuid paidreacha go léir,' arsa an Dr Woods leis an Hipí. D'fhéach na múinteoirí air agus ionadh orthu.

'Faigh amach cad a chaith sé agus tabhair do lucht na chéad bliana é.'

'Ach cad a thugann ar Larky a bheith mar atá?' arsa an Hipí ach bhí brón air a luaithe is a bhí an cheist curtha aige mar thosaigh an Dr Spellman ar aitheasc: 'Measaim go bhfuil coimpléacs Éideapúis ag gabháil dó....'

'Cén cruthúnas atá agat faoi sin?' arsa an Hipí ag briseadh isteach air.

'Chuala mé é ag insint do Root gur bhreá leis a athair a chur go cillín gáis.'

Thosaigh an Hipí ag gáire agus dúirt gur coimpléacs Hitler a bhí ar Larky óir ba bhreá leis na múinteoirí go léir agus formhór na scoile a chur go cillín gáis.

'Fan ansin agus ná bog oiread agus orlach ón áit sin!' arsa Miss Codd le Larky nuair a chuala sí go raibh raic ar siúl ar chúl an ghiomnáisiam. D'iarr sí ar an rúnaí súil a choinneáil air. Ní túisce imithe í ná thosaigh teileafón an rúnaí ag bualadh agus shleamhnaigh Larky leis amach as an oifig. Ba ghearr gur bhuail sé lena chairde.

'A Íosa Críost! Níl a fhios agam cén sórt focin amadán

thú!' arsa Dick. 'Ar chaith tú na piollairí sin go léir?'

'Sea. Níor chaitheas.'

Dúirt Dwain go raibh sé cinnte gur chaith sé an t-iomlán. Bhí imní ar Dick mar b'eisean a dhíol leis iad. Dúirt sé le Larky a rá gur thit sé agus gur bhuail sé a chloigeann ar an gcosán.

'Ach níl cnap mór ar a chloigeann,' arsa Dwain.

Rug Dick ar Larky agus rop sé a cheann in aghaidh an bhalla. Lig Larky béic as.

'Tá cnap mór ar a chloigeann anois,' arsa Dick.

Rinne Miss Codd iarracht teacht ar Larky tar éis an tsosa ach ní raibh sé le fáil. Chuir Mr Putts glaoch ar a theach ach ní raibh éinne sa bhaile. Bhí Miss Codd ag fanacht leis nuair a tháinig sé isteach an mhaidin dar gcionn.

'Cá ndeachaigh tú inné? Dúirt mé leat fanacht anseo. Cá ndeachaigh tú?' ar sise leis agus í ag béicíl in ard a gutha.

'Ghortaigh mé mo cheann agus ní dheachaigh mé ar ais go dtí an rang.'

'Cár ghortaigh tú do cheann?' ar sise ag iarraidh a fháil amach cá ndeachaigh sé.

'Ghortaigh mé ansin é,' ar seisean ag leagadh méire ar an gcnap ar thaobh a chinn.

'Is éard atá i gceist agam ná cén áit ar tharla an eachtra?'

'Ansin,' ar seisean is é ag leagadh méire arís ar a cheann.

'Dá bhfanfá anseo ní ghortófá do cheann,' ar sise ag scrúdú a chinn. 'Cá ndeachaigh tú?'

'Chuaigh mé suas go cúl an ghiomnáisiam.'

'Féadfaidh tú labhairt le Mr Potts. Ní féidir le duine ar bith aon cheart a bhaint díot.'

Labhair Mr Putts leis agus scrúdaigh sé é. Níor chosúil go

raibh comhtholgadh déanta dó. Shéan Larky go raibh aon druga caite aige agus dúirt go raibh sé ag gáire faoi rud greannmhar a tharla i rang an Dr Spellman.

'Cén rud greannmhar?'

'Inis dúinn faoi,' arsa Miss Codd go teasaí.

'Ní cuimhin liom anois é.'

'Is leor é sin,' arsa Mr Potts agus deireadh tagtha lena chuid foighne. D'ardaigh sé an teileafón le glaoch ar a thuismitheoirí. Ní raibh éinne sa bhaile.

'Cad iad na huimhreacha teileafón póca atá acu?'

'Níl a fhios agam. Tá na huimhreacha ar mo theileafón póca agus tá sé sin sa bhaile.'

'Táim ag scríobh chuig do thuismitheoirí ag iarraidh orthu teacht isteach chun go bhféadfaimid d'iompar sa scoil seo a phlé le chéile agus féachaint cad atá i ndán duit.'

'Focin amadáin!' arsa Larky faoina fhiacla nuair a d'fhág sé an oifig.

Scríobh Mr Putts litir ag insint cad a bhí ar siúl ag Larky agus ag iarraidh ar a thuismitheoirí é a thabhairt chuig dochtúir le féachaint an raibh comhtholgadh tarlaithe dó nó an raibh iarsmaí drugaí ann. Seoladh chun bealaigh í ach fuair Larky í an tráthnóna dar gcionn sular tháinig a thuismitheoirí isteach.

Bhí formhór na múinteoirí ar aon intinn gurb iad lucht na chéad bliana an dream ba mheasa a tháinig isteach sa scoil riamh. Rinne an Hipí a dhícheall smacht a choinneáil orthu ach theip glan air. Labhair sé leo ina nduine agus ina nduine ach ní raibh aon mhaith ann. Faoi dheireadh sheol sé Graham O'Mahoney agus ceathrar eile acu suas chuig Mr Putts. Thug seisean íde béil dóibh agus thug leabhair nótaí dóibh ina bhféadfadh na múinteoirí tuairisc a scríobh fúthu ag deireadh gach ranga. Tháinig feabhas ar cheathrar acu ach ní dhearna an socrú sin puinn difríochta do Ghraham. Bhíodh seisean saor ó locht i gcónaí dar leis féin agus in ainneoin gur thug an Hipí é chun cainte é le Mr Putts arís ní raibh sé puinn níos fearr. Dhiúltaigh sé glan teacht isteach ag meán lae agus nuair a tháinig sé isteach sa chéad rang eile d'oscail sé mála mór criospaí. Chroch sé os a chionn é agus lig dos na criospaí titim isteach ina bhéal anuas ar a ghuaillí agus síos ar an talamh. Bhí dúshlán Hipí tugtha aige.

'Tar aníos anseo, a Ghraham!' arsa an Hipí.

'Cad chuige? Ní dhearna mé aon rud mícheart!' ar seisean amhail agus dá mbeadh an Hipí ar an duine ba mhíréasúnta ar domhan.

Sheol an Hipí suas chun na hoifige é áit ar bhuail sé le Miss Codd. D'inis sé di cad a bhí ar siúl aige.

'Ach bíonn seisean ag béicíl liom agus ag tabhairt leathanaigh phionóis dom gan fáth ar bith, agus ag rá liom teacht isteach gan fáth ar bith,' arsa Graham.

Labhair Miss Codd ach lean Graham ar aghaidh ag gearán faoi iompar Hipí agus an tromaíocht a bhí á dhéanamh aige air.

'Agus cad faoi bheith ag ithe criospaí sa rang?'

'Ba é sin mo bhricfeasta! Nach bhfuil sé de cheart agam mo bhricfeasta a ithe?'

'Níl cead agat bricfeasta a ithe sa rang.'

Labhair an Hipí ach lean Graham ar aghaidh ag argóint. Bhí sé de cheart ag buachaill a bhricfeasta a ithe.

'Is leor é sin!' arsa Miss Codd agus d'fhógair go raibh sé le cur ar fionraí ar feadh trí lá.

'Cad chuige?' arsa Graham agus é ag lasadh le teann feirge.

'Déileáilfidh mo mháthair leis an mbeirt agaibhse nuair a inseoidh mé di fúibh!'

'Rud níos fearr fós,' arsa Miss Codd, 'cuirfidh mé glaoch uirthi mé féin.'

5

Tréadchúram an chéad rang eile a bhí ag Iníon de Paor ach in ainneoin go raibh sé ullmhaithe go maith aici bhí drogall uirthi dul chuige. Bhí sí tar éis a iarraidh ar Bhean Uí Ghallchóir labhairt leis an rang. Thug sise léasadh teangan dóibh. Tháinig feabhas beag ar Dick agus ar na bligeaird eile, ach bhí éifeacht na cainte sin ag trá go tapaidh. Bhí siad ag cothú trioblóide di an tseachtain roimhe sin agus b'éigean di línte pionóis a thabhairt dóibh. Bhí barúil aici go mbeadh fonn díoltais orthu.

Múinteoir óg páirtaimsire a bhí inti, agus mheas sí go mbeadh sí níos fearr as ag obair ag carnadh cannaí ar na seilfeanna in ollmhargadh. Murach go raibh sí ag tabhairt ranganna matamaitice sa tráthnóna do dhaltaí laga ní bheadh sí in ann carr a choinneáil ar an mbóthar ná íoc as a hárasán. Bhí sí ag súil go mbeadh an t-ádh léi post lánaimsire, nó fiú post buan a fháil ag deireadh na bliana. Bheannaigh sí dos na daltaí go cúirtéiseach nuair a chuaigh siad isteach agus dúirt gur mhian léi cás na ndaoine a raibh míchumas orthu a phlé leo.

'Conas is ceart caitheamh le daoine den sórt sin?' ar sise agus é ar intinn aici an cheist a chíoradh go maith agus ansin d'fhéadfaidís plé a dhéanamh ar na deacrachtaí pearsanta a bhí acu féin.

142

'Tá Dwain ina stumpa spasmach amadáin!' arsa Larky agus d'éirigh leis an rang a chur ag gáire.

D'ordaigh sí dó éirí as agus thosaigh sí ag léamh cuntais faoi dhuine a raibh spina bifida air. Nuair a d'fhéach sí síos chonaic sí Dick ag iompú ar leataobh a thóna agus ag scaoileadh a leithéid de bhroim as gur chuala gach éinne sa seomra é. Tharraing Larky, Dwain, agus na daltaí a bhí thart timpeall air a ngeansaithe suas thar a srón agus iad ag casacht agus ag fógairt go raibh siad á bplúchadh ag an mbréantas.

D'ordaigh sí do Dick seasamh amach agus dúirt sí leo na fuinneoga a oscailt.

'Ní raibh leigheas agam air. Cén fáth a gcaithfidh mé seasamh amach? Ní raibh leigheas agam air!'

'Tá míchumas broimeadóireachta air, a Mhúinteoir,' arsa Dwain.

Phléasc an rang amach ag gáire.

Faoi dheireadh d'éirigh léi an rang a chiúnú agus lean sí ar aghaidh ag léamh an chuntais. Rinne Dick cúpla iarracht í a chur dá cois ach ní go ró-mhaith a d'éirigh leis.

D'fhiafraigh sí de Larky cad a d'fhéadfaí a dhéanamh le cabhrú leo siúd a raibh spina bifida orthu.

'Iad go léir a ghásáil!' ar seisean. Mhothaigh sí a cuid fola ag crith ach choinnigh sí guaim uirthi féin. Dúirt sí go mbeadh air dul chun cainte le Bean Uí Ghallchóir arís mura n-athródh sé a phort.

'Ba cheart ise a ghásáil freisin,' arsa Larky faoina fhiacla agus thosaigh na buachaillí timpeall air ag gáire ach ó ba rud é nár chuala sí go róshoiléir é bheartaigh sí gan aon rud a rá leis.

Rinne sí ceithre ghrúpa den rang agus d'iarr sí orthu a smaointe faoin scéal a chur i dtoll a chéile. Scar sí Dwain,

Larky, Dick agus Katty óna chéile agus chuir sí duine acu i ngach grúpa.

I gceann tamaillín chuaigh sí timpeall ag féachaint cén chaoi a raibh ag éirí leo. Ní raibh tada scríofa ag Katty agus ba léir óna héadan nach raibh sé ar intinn aici aon rud a scríobh.

'Bhuel, a Khatty, cad a mheasann tú gur chóir dúinn a dhéanamh le cabhrú le daoine atá bodhar?' ar sise.

'Cén chaoi a mbeadh a fhios agamsa?' arsa Katty go hionsaitheach. 'A bheith ag béicíl leo is dócha.'

Bhí formhór na ndaltaí ag plé na ceiste. D'airigh sí Dick ag séideadh smaoise isteach ina láimh ach lig sí uirthi nach bhfaca sí aon rud. Rinne sé arís é agus d'ordaigh sí dó éirí as.

'Níl leigheas agam air!' ar seisean. 'Tá tú ag tromaíocht orm arís.'

I gceann tamaillín thóg sé buidéal coke amach as a mhála agus d'ól sé slog as. D'ordaigh sí dó éirí as.

Chuir sé an buidéal ar ais ina mhála, ach má chuir, thóg sé amach arís é agus d'ól sé slog eile as. Bhí a fhios aici go raibh sé ag tabhairt a dúshláin. Síos léi chuige agus d'ordaigh sí dó an buidéal a thabhairt dí.

'Ní liomsa é!' ar seisean agus chuir sé an buidéal laistiar dá dhroim.

Chrith a cuid fola le racht feirge. Rug sí greim ar an mbuidéal agus strac sí uaidh é. Bhí an buidéal fliuch smeartha le smaois. Chuir sé samhnas uirthi.

'Sin mo chuid síl,' ar seisean.

'A Thiarna! Níl ionat ach naicéirín beag bréan!' ar sise agus sheol sí go dtí an oifig é.

'Cén fáth a bhfuil tú do mo thabhairt chun na hoifige? Níl tada déanta agam!'

D'inis sí an scéal go léir don phríomhoide. Shéan Dick an

t-iomlán. Ní dúirt sé ach 'Sin mo chuid stíle,' agus dúirt gurb é an stíl faiseanta a bhí i gceist aige.

B'in ceist ab fhurasta a réiteach. D'fhill siad ar an seomra ranga agus d'iarr Mr Putts ar na daltaí a bhí sa ghrúpa le Dick teacht leis go dtí an oifig. Thóg sé isteach ina sheomra iad ina nduine agus ina nduine agus d'fhiafraigh sé díobh cad a dúradh. Dúirt Cormac, Rós agus ceathrar eile gur chuala siad é ag rá an fhocail síol.

'Ní dúirt mé é sin,' arsa Dick, 'Agus thug sí naicéirín beag orm! Níl aon cheart aici é sin a thabhairt orm.'

Dúirt Mr Putts le Dick go raibh sé á chur ar fionraí ar feadh seachtaine.

'Ach thug sí naicéirín beag bréan orm!' arsa Dick agus d'fhógair go mbeadh sé ag dul chun cainte lena dhlíodóir.

'Ar aghaidh leat,' arsa Mr Putts.

Dúirt Mr Putts le hIníon de Paor gur bhreá leis bata agus bóthar a thabhairt dó ach go mba bhotún mór é naicéir a thabhairt air. D'fhéadfadh a thuismitheoirí dul chuig dlíodóir agus sásamh a lorg. Thit an lug ar an lag uirthi. Chuir sí a dá láimh thar a héadan agus ba mhian léi go slogfadh an talamh í. Rinne Mr Putts meangadh gáire agus dúirt sé léi gan imní a bheith uirthi mar go réiteodh sé féin an scéal.

'Bulaíocht agus ciapadh gnéasach ab ea é sin. Cuirfidh mé an bundún beag ag scríobh cuntais iomláin faoin eachtra. Coinneoidh sé sin gnóthach é ar feadh an chéad chúpla rang eile.'

'Socróidh mise an bheirt agaibhse,' arsa Dick le Cormac agus Rós ag am lóin agus gheall sé go maródh sé an bheirt acu.

'B'fhéidir go ndéanfá iarracht,' arsa Cormac.

Ghearr Dick lorg a chorrmhéire thar a mhuineál. 'Tá an bheirt agaibh focin marbh!'

Rinne Rós machnamh ar an scéal agus chuaigh sí chun na hoifige áit ar inis sí do Mr Putts faoin mbagairt a bhí déanta ag Dick orthu.

'Téigh le Cormac go seomra Bhean Uí Ghallchóir agus abair léi go ndúirt mé libh foirmeacha bulaíochta a líonadh amach.'

Rinne siad é sin agus d'fhill siad go sásta ar an seomra ranga.

Bhí ordú ag Dick óna dheartháir Jason glaoch ar stáisiún na nGardaí an tráthnóna céanna go bhfeicfeadh sé cathain a gheobhadh sé a raidhfil ar ais.

'Ní bheidh sé á fháil ar ais,' arsa an Garda á fhreagairt go borb.

'Cad atá i gceist agat?'

'Ní bhfaighidh sé ar ais é, agus sin sin.'

'Níl sé sin ceart. Gadaíocht is ea é sin!'

Mhínigh an garda go raibh an ceadúnas imithe in éag agus nach ndéanfaí é a athnuachan. 'Botún a bhí ann an ceadúnas a thabhairt dó ar an gcéad dul síos — cibé amadán a bhí freagrach as.'

D'fhógair Dick go mbeidís ag dul chun cainte lena ndlíodóir.

'Ar aghaidh libh! Ba chóir go mbeadh sibh buíoch nach bhfuil iarracht dúnmharaithe curtha in bhur leith.'

Ghlaoigh Dick ar Jason chun an scéal a insint dó agus d'fhógair sé go raibh sé in am acu ceacht a mhúineadh d'Iníon de Paor, do Mharcus Carcas agus don phiteog homaighnéasach Cormac. Níor aontaigh Jason leis.

'Féadfaimid sásamh a bhaint as Marcus uair ar bith ach ní

mian linn aird na nGardaí a tharraingt orainn leis an mbeirt eile. Beidh orainn fanacht tamall.'

Cúis díomá do Dick an freagra sin.

'Bí cinnte go mbainfimid sásamh ceart astu,' arsa Jason. 'Ní ghoideann éinne raidhfil uaim agus ní thugann éinne naicéirí orainne gan íoc as!'

Shásaigh sé sin Dick ach tharla sé gur éirigh leis díoltas a imirt ar Iníon de Paor an oíche sin. D'iarr duine de na tuismitheoirí sa sráidbhaile uirthi ranganna breise matamaitice a thabhairt dá mac. Thiomáin sí go dtí an sráidbhaile agus pháirceáil sí a carr. Níor thug sí faoi ndeara go raibh an solas sráide ba ghiorra don áit sin briste. Chuir bean an tí fáilte roimpi agus sheol sí isteach sa seomra suite í le bualadh lena mac.

Bhí Dick ag siúl le Larky agus le Dwain nuair a chonaic siad an carr.

'Seo tairne cruach duit más mian leat roinnt línte a scríobh d'Iníon de Paor,' ar seisean le Larky. 'Scríobh ar an doras clé iad áit nach bhfeicfeadh sí iad.'

Thóg Larky an tairne agus scríobh sé *Is striapach í Innín de Paor agus tá sí sásta craiceann a bhualadh ar €5*. Rinne sé gáire nuair a bhí sé sin scríofa aige agus lean sé air ag scríobh na bhfocal ba ghraosta a d'fhéadfadh sé cuimhneamh orthu. D'fhan an bheirt eile ag faire fad a bhí sé gnóthach.

'An mian leat d'ainm a chur leis?' arsa Dwain nuair a chríochnaigh sé.

'Níl aon spás fágtha,' arsa Larky.

'Cad faoin doras cúil?' arsa Dick.

'Bhí sé ina amadán i gcónaí,' arsa Dwain.

'Maith go leor!' arsa Larky agus bhreac sé ainm Dwain air.

'Chríost! Níl ionat ach focin amadán!' arsa Dwain agus

b'éigean dó an oiread scrioblála a dhéanamh ar an doras chun nach bhféadfadh éinne a ainm a léamh.

Chuaigh Rós go teach Chormaic agus nuair a tháinig Carmel isteach sa seomra d'inis Rós di cad a bhí ar siúl ag Dick sa rang agus an fiosrú a rinne Mr Putts.

'Sin é an rud is samhnasaí a chuala mé riamh!' ar sise. 'Cén sloinne atá air?'

'Ó Murchú.'

Ní dúirt sí tada ach bhí Bean Uí Mhurchú ar an bhfón chuici an tráthnóna sin ag iarraidh coinne a dhéanamh le Mr Greenbaum. Nuair a d'imigh Cormac amach ar lorg leabhair bhain Rós gealladh aisti an scéal a choinneáil ina rún, agus ansin d'inis di faoin mbagairt a rinne Dick orthu agus faoi na foirmeacha bulaíochta a bhí líonta amach acu.

'Cac beag salach is ea Dick — ach tá gealladh tugtha agat é sin a choinneáil ina rún,' arsa Rós.

Gheall Carmel go mbeadh sé ina rún.

Go tobann chuimhnigh Rós ar chlár teilifíse ina raibh olc ar bhean nuair a d'úsáid duine focal mar sin ina teach. B'olc an mhaise di dá mbeadh Carmel i bhfeirg léi agus bhí sí díreach ar tí a pardún a iarraidh nuair a d'fhill Cormac agus bhí deireadh leis an gcomhrá. Bhí Rós cinnte nach mbeadh meas madra ag Carmel uirthi agus nach fada go ndéarfadh sí léi fanacht glan amach ó Chormac.

Bhí cúpla cluiche púl críochnaithe ag an triúr gaiscíoch sa teach tábhairne nuair a d'fhiafraigh Dick de Larky cad a bhí scríofa aige.

Chuaigh siad sna trithí gáire nuair a d'inis sé dóibh é.

Thosaigh siad ar chluiche eile agus bhí sé beagnach thart

nuair a chuir Dick ceist air faoin mbealach ar litrigh sé na focail.

'A Íosa nach tusa an t-amadán!' ar seisean nuair a chuala sé é. 'Rachaidh sí díreach chuig Putts agus déarfaidh seisean "Chríost! Thabharfainn an leabhar gur scríobh amadán neamhliteartha mar Larky Larkin é sin."'

D'fhill siad ar an charr chun an litriú a cheartú nó a cheilt le tuilleadh scrioblála. Tháinig máthair Ghraham O'Mahoney anuas an tsráid ina dtreo agus í ag máirseáil léi le teann feirge. Sheas an triúr mar a raibh siad, ag tarraingt ar a dtoitíní amhail is nach raibh rud ar bith ar siúl acu. D'imigh sí tharstu. Osclaíodh doras tí trasna na sráide uathu agus sheas Iníon de Paor agus bean an tí ag an doras. Anonn le máthair Ghraham chucu. D'fhan na buachaillí tamall ón gcarr agus iad ag faire na faille.

'An bhfuil cónaí ar an gComhairleoir Contae Ó Conaill anseo?' arsa máthair Ghraham go lasánta agus ba léir don bheirt go raibh an braon istigh inti.

'Tá cónaí air sa teach béal dorais,' arsa bean an tí agus d'inis di go raibh sé imithe thar lear le staidéar a dhéanamh ar phleanáil baile nó rud éigin mar sin.

'Ní bhíonn siad focin anseo nuair a bhíonn siad ag focin teastáil,' ar sise agus dúirt go raibh sí tagtha le hinsint dó nach raibh maith dá laghad sa phobalscoil. 'Níl sna múinteoirí ach cac! Focin cac! Ba chóir an áit a dhúnadh!'

D'fhiafraigh Iníon de Paor di an raibh páiste aici sa scoil.

'Tá. Graham O'Mahoney agus níl éinne ag múineadh tada dó.

Dúirt Iníon de Paor nach bhfaca sí i láthair í nuair a bhí deis ag na tuismitheoirí bualadh leis na múinteoirí. Bhí brón uirthi go ndúirt sí tada mar d'iompaigh an bhean fraoch na feirge uirthi agus ní raibh focal salach ná maslach aici nár thug sí uirthi.

'Is geall le moladh dom masla ó dhuine de do leithéid,' arsa Iníon de Paor. Chuaigh sí go dtí a carr agus d'imigh sí léi.

'Táimid sa gcac anois!' arsa Dwain mar bhí a fhios aige go n-iarrfaí ar Larky na focail a litriú.

'Tá sé in am agat an litriú ceart a fhoghlaim,' arsa Dick.

'D'fhéadfá a bheith á mhúineadh ar feadh bliana agus fós ní bheadh a fhios aige,' arsa Dwain, agus cé go ndearna Dick a dhícheall an litriú a mhúineadh dó fuair sé amach go raibh an ceart ag Dwain.

Nuair a tháinig Gearóid abhaile rinne Carmel comhartha leis í a leanúint amach as an seomra. Suas leo go dtí an seomra codlata áit ar bhain sí gealladh as an scéal a choinneáil ina rún agus d'inis sí dó faoi Dick.

'Maróidh mé é má dhéanann sé dochar do Chormac! Maróidh mé é!' ar seisean agus é le ceangal.

D'fhreagair sí go dtabharfaí os comhair cúirte é dá leagfadh sé oiread agus méar air. Bhí siad i sáinn. Chuaigh siad síos ag féachaint ar an teilifís ach chuaigh sé deacair orthu a n-aire a dhíriú air.

Níor chodail Carmel néal an oíche sin ach an cás ag dul trína hintinn agus í ag guí Dé óna croí. D'éirigh sí go luath. Thiomáin Gearóid isteach sa mbaile mór í agus bheartaigh sí dul ar Aifreann. Chuir sí an scéal go léir i lámha Dé agus d'iarr a chabhair.

Bhí corda beag glasuaine ag Larky curtha trí na fáinní a bhí ina mhalaí.

'An maith leat mo ribín glas?' ar seisean nuair a shiúil sé isteach sa rang staire.

'I-R-Á! Plimp! Plimp! Hurá!' arsa Dwain

'Brat glas na hÉireann, is dócha,' arsa an Hipí á fhreagairt agus dúirt go mb'fhéidir go gcabhródh sé leis staidéar a dhéanamh ar ghluaiseacht na poblachta ag tús an chéid.

'Cad é?' arsa Dwain.

'Gluaiseacht na láimhe láidre a bhí ag an IRB,' arsa an Hippy.

'IRA an focal,' arsa Larky. 'Is múinteoir tusa agus ba chóir duit é a rá i gceart.'

Dúirt an Hipí go raibh sé i gceart aige agus nach raibh cabhair ná cúnamh ag teastáil uaidh óna leithéid.

'Ó, níl cabhair ná cúnamh ag teastáil ó do leithéid,' arsa Larky ag déanamh scigaithrise air.'

D'ordaigh an Hipí dó seasamh amach ag an líne.

'Cad chuige?'

'De bharr a bheith ag déanamh scigaithrise orm.'

D'fhógair Larky nach bhfaca sé líne ar bith. Dúirt an Hipí leis seasamh amach taobh leis an mballa agus rinne Larky a bhealach amach ag cur isteach ar an oiread daltaí agus a d'fhéadfadh sé.

Bhí an Hipí ar tí foláireamh a thabhairt dó ach ar an bpointe sin osclaíodh an dóras agus tháinig máthair Ghraham O'Mahoney isteach ag fiafraí: 'An tusa an Súilleabhánach?' Bhí braon maith istigh aici agus nuair a dúirt sé gurbh é thosaigh sí ag béicíl: 'D'éirigh leat mo mhacsa a chur ar fionraí, a bhastaird! Níl aon mhaith ionat mar focin múinteoir! Ba chóir thú a ruaigeadh amach as an focin scoil seo. Ní maith do thada thú seachas a bheith ag tabhairt cártaí dearga do dhaltaí le trioblóid a chothú dóibh! Má theipeann ar mo mhacsa sa Teastas Sóisearach cuirfidh mé an dlí ortsa agus ar an focin scoil seo, a focin bhastaird!'

Ní mó ná sásta a bhí Rós ná Cormac ná cuid eile de na daltaí. Múinteoir den scoth ab ea an Hipí dar leo.

'Buail é! Buail é!' arsa Larky agus scabhaitéirí an ranga agus thosaigh siad ag gríosú na mná agus ag béicíl le cur leis an raic. Ní raibh spórt acu riamh mar é.

Ghoill na maslaí go mór ar an Hipí. Dúirt sé léi dul leis go hoifig an phríomhoide. Shiúil sé amach an doras agus lean sí é ag scréachaíl agus ag spalpadh maslaí agus droch-chainte ina dhiaidh. Chuala Mr Putts í sula bhfaca sé í. Níor ghá don Hipí aon rud a rá. Sheol Mr Putts an bheirt acu isteach ina oifig agus dúirt leis an Hipí comhad Graham a fháil.

'Suigh síos,' ar seisean léi.

Thosaigh sí ar a aitheasc arís ach chuir sé stop léi.

'Measaim gur féidir linn teacht ar chomhaontú faoi rud amháin — go bhfuil fadhb le réiteach againn,' ar seisean. 'Níl Graham ag déanamh puinn oibre agus tá sé ag cothú trioblóide do gach múinteoir dá bhfuil aige. D'fhill an Hipí lena chomhad. Chaoch Mr Putts súil air.

'Féadfaidh tú filleadh ar do rang anois a Mhic Uí Shúilleabháin. Abair leis an rúnaí a rá le ceannaire lucht na chéad bliana, Miss Golden, teacht chugam. Beidh mé ag labhairt leat ar ball.'

Chuaigh Mr Putts go seomra an Hipí i gceann fiche nóiméad agus labhair i gcogar leis lasmuigh den doras. Bhí bata agus bóthar tugtha aige do mháthair Ghraham agus foláireamh tugtha di go mbeadh a mac á chur os comhair an bhoird bhainistíochta mura gcuirfeadh sé feabhas ar a iompar.

Dúirt an Hipí gur 'Bhris sí isteach sa rang ag béicíl mar a dhéanfadh gealt,' arsa an Hipí. 'D'fhéadfainn cás clúmhillte a thionscnamh ina haghaidh.'

Chuaigh gáire thar bhéal Mr Putts.

'Máthair shingil dífhostaithe is ea í agus í ag cur fúithi i dteach Comhairle Contae. Ní dhearna sí lá oibre lena saol. Is iad na damáistí a gheofá ná bosca mór de bhuidéil fholmha vodca, bruscar an tí agus cúpla seanbhrístín.'

Chuir sé sin fiuchadh na feirge ar an Hipí.

'Níl de phort acu siúd ach 'Mise! Mise! Mise!' Tá a gcearta agus a dteidlíochtaí go léir uathu ach níl aon dualgas le comhlíonadh acu, agus muidne ag íoc astu,' arsa an Hipí agus chuir sé tús le haitheasc lasánta.

'Tá a fhios agam. Tá a fhios agam,' arsa Mr Putts ag iarraidh stop a chur leis, ach lean an Hipí ar aghaidh. 'Tá a gcearta ag gach dream sa tír ach níl ceart ar bith ag na múinteoirí. Caithfimid ár ndualgas a chomhlíonadh ach níl cearta ar bith againn, agus éilítear caighdeáin uainn nach n-éilítear ar aon dream eile sa tír.'

'Gan trácht ar chúrsaí pá,' arsa Mr Putts. Bhí brón air láithreach go ndúirt sé é mar chuir sé straidhn feirge ar fad ar an Hipí.

'Ba é sin an rud ba mheasa a dúirt mé riamh,' ar seisean le Miss Codd nuair a shroich sé an oifig. Ní raibh trua ar bith aici don Hipí. 'Bheadh port eile aige dá mbeadh air dul ag múin-eadh i ngairmscoil i mbaile mór nó i scoil lár cathrach,' ar sise.

Chuaigh Mr Putts isteach ina oifig. Shuigh sé síos laistiar dá bhord agus d'fhéach sé ar mhonatóir ar an mballa ar a raibh an Halla Tionóil agus pasáistí na scoile le feiceáil air. Chonaic sé Iníon de Paor ag siúl go feargach i dtreo na hoifige agus Caroline O'Grady á seoladh aici roimpi. Dalta ceathrú bliana ab ea Caroline agus í ag tabhairt dúshlán na múinteoirí ó tháinig sí chun na scoile.

Bhí a lán lán oibre le déanamh aige agus bhí an lá ag imeacht. D'ardaigh sé a theileafón agus ghlaoigh ar an rúnaí.

'An bhféadfá cupán caife a fháil dom,' ar seisean, 'Sílim go mbeidh sé ag teastáil uaim!'

Ba ghearr go raibh an bheirt acu os a chomhair agus an múinteoir ag cur síos go lasánta ar a raibh ar siúl ag Caroline. Ní raibh aon obair bhaile déanta aici agus ní stopfadh sí a bheith ag caint. Ansin thosaigh sí ag feadaíl agus nuair a dúirt sí léi seasamh amach dúirt sí '*Gabh suas ort féin!*' léi.

Shéan Caroline é sin go lasánta. Bhí an duine taobh léi tar éis garsún a thabhairt uirthi agus séard a dúirt sí ná: '*Garsún thú féin!*'

Níor chreid Mr Putts focal de.

Dúirt an múinteoir gur inis sí di go raibh sí ag tabhairt cárta dearg di agus gur fhógair sí: "Cárta eile? Ó, is breá liom cártaí. Cad atá air? Ó, cárta dearg — chaithfeadh sé go bhfuil rósanna air. An bhfuil aon teachtaireacht mhealltach ghnéasach istigh ann? Is breá liom teachtaireachtaí mar sin." Chuir sí an rang go léir ag gáire agus ní raibh mé in ann aon obair a dhéanamh.'

'Ní gá duit cur suas leis an iompar seo, a Iníon de Paor,' arsa Mr Putts. Dúirt sé go raibh sé tar éis labhairt le Caroline go minic agus nach raibh fonn ar bith uirthi éirí as a cuid drochiompair.

'Ní ormsa atá an locht má thosaíonn an rang ag gáire nuair a bhíonn Iníon de Paor ag tromaíocht orm.'

'Agus an ceart agat go hiomlán, dar ndóigh,' ar seisean le teann íoróine. 'Táim chun thú a chur ar fionraí,' ar seisean. 'Féadfaidh tú fanacht lasmuigh den oifig go deireadh an ranga.'

Ghabh Iníon de Paor buíochas leis agus d'fhill sí go gruama ar a sheomra ranga.

Tháinig an rúnaí isteach agus cupán caife aici do Mr Putts. Shuigh sé síos á ól. Ba léir dó go raibh saol an mhúinteora ag éirí níos deacra in aghaidh na bliana agus níor thaitin sé leis go mbeadh éinne dá fhoireann teagaisc míshona. Bhíodh sé ag bualadh le príomhoidí eile agus bhí sé sásta go raibh scoil mhaith aige. Ar a laghad bhí sí níos fearr ná a lán de na scoileanna eile. Cén sórt saoil a bhí ag na múinteoirí a bhí ag iarraidh múineadh iontu? Chaithfeadh sé go raibh an croí scólta iontu agus mar bharr ar an donas bhí lucht na meán agus polaiteoirí ag bualadh coise orthu. B'amaideach an mhaise dóibh é. B'in bealach cinnte le dea-mhéin agus idéalachas na múinteoirí a mharú. Bhí córas maith oideachais fós in Éirinn ach cén fhaid eile a mhairfeadh sé?

D'inis duine de na daltaí d'Iníon de Paor go raibh damáiste déanta dá carr. Thit an lug ar an lag ar fad uirthi nuair a chonaic sí an bhail a bhí air. Bhí roinnt nathanna den chineál céanna scríofa ar fud na scoile fúithi. Chuaigh sí caol díreach go dtí an oifig. Bhí trua ag Mr Putts di.

'A Íosa! Níl an t-ádh i do chaipín inniu. Fág an scéal agam go bhfiosróidh mé é,' ar seisean.

'An bhfuil ár n-aistí ceartaithe agat, a Mhúinteoir?' arsa Cormac lena mhúinteoir Béarla. Bhí siad ceartaithe ach bhí dearmad déanta aici iad a bhreith léi. Bhí siad ar an mbord i seomra na múinteoirí. Dúirt sí leis iad a fháil. Bhuail sé cnag ar an doras ach ní bhfuair sé freagra ar bith. Bhuail sé cnag eile agus fiú an tríú cnag sular shiúil sé isteach. Bhí Iníon de Paor roimhe agus a ceann ar a lámha aici.

'Tá brón orm, a Mhúinteoir. Shíl mé nach raibh éinne anseo,' agus mhínigh sé go raibh beart cóipleabhar uaidh. Chonaic sé go raibh sí ag gol agus ní raibh a fhios aige cad ba chóir dó a dhéanamh.

'An bhfuil tú ceart go leor, a Mhúinteoir?' ar seisean agus thuig sé láithreach a sheafóidí agus a bhí sé. 'An féidir liom aon rud a dhéanamh?' ar seisean agus thuig sé go raibh sé sin níos amaidí fós.

'Is fuath liom an focin scoil seo!' ar sise.

Thóg sé na cóipleabhair leis agus d'éalaigh sé leis gan focal a rá.

Bhí Larky agus ceathrar eile sa rang tacaíochta foghlama nuair a tháinig Mr Putts isteach. Labhair sé i gcogar leis an Dr Spellman ar feadh tamaill agus thug leathanach páipéir dó. Nuair a d'imigh sé d'fhógair an Dochtúir go mbeadh scrúdú beag acu.

'Cén sórt scrúdaithe?' arsa duine de na daltaí.

'Seiceáil faoin dul chun cinn atá déanta agaibh.'

Léigh sé amach cúpla abairt ón leathanach agus d'iarr orthu iad a scríobh. Ba é *Bhí mac agus iníon aige* an dara habairt. D'aithin Larky an focal *iníon* láithreach. Bhí a fhios aige cad a bhí ar siúl agus chuir sé *y* i lár an fhocail sin faoi mar a mhol Dick dó a dhéanamh. D'imir sé cleasa den sórt céanna leis na focail eile.

Chonaic Larky na múinteoirí ag féachaint ar charr Iníon de Paor ag am sosa agus d'fhógair sé go gcaithfeadh sé go ndearna duine de lucht na chéad bliana é. 'Is mór an scannal é iompar lucht na chéad bliana. Ba chóir iad go léir a dhíbirt ón scoil.'

Nuair a tháinig Mr Greenbaum isteach ina oifig d'ullmhaigh Carmel a chupán caife dó agus d'inis sí dó faoin sceideal oibre a bhí aige. Shuigh sé siar ar a chathaoir. Bhí breis agus an trí scór slán aige. Bhí a chuid gruaige, agus a mhalaí chomh bán le sneachta. Bhí spéaclaí le frámaí órga á gcaitheamh aige, agus má thaitin a chuid bia go mór leis, ní raibh sé ramhar. Bhí sé de nós aige labhairt go cruinn agus go húdarásach agus bhí sé an-éifeachtach i dteach na cúirte.

'Tá cruinniú agat leis an Uasal Ó Murchú agus lena bhean agus lena mhac ag a ceathrú tar éis a dó dhéag,' arsa Carmel, agus mhínigh sí dó go raibh eolas faighte faoi rún aici faoin scéal agus go raibh mar a bheadh *coinbhleacht leasa* aici. Ba leor nod don eolach. Shuigh sé siar ina chathaoir mhór, chuir a dhá láimh thar a bholg agus d'fhógair go sollúna go raibh gach rud a déarfaí le dlíodóir faoi rún. Bheadh sé faoi mar a bheadh sé slogtha de dhroim an tsaoil. Bheadh sé ceilte go Lá an Lúbáin, bheadh sé mar a bheadh sé faoi shéala na faoistine agus d'fhéadfadh duine an leabhar a thabhairt nach ndúradh é ar chor ar bith.

Rinne sí meangadh beag gáire agus d'inis sí an scéal dó faoi Dick agus Iníon de Paor agus an bhagairt a bhí déanta aige ar Chormac.

'A Dhia, nach é an bastard beag é!' ar seisean, agus mhínigh sé go mbeadh air gníomhú ar a shon. 'Mura ndéanfaidh mé é sin gheobhaidh siad dlíodóir éigin eile agus cá bhfios cén trioblóid agus clampar a thógfaí. Míneoidh mé a gcearta dóibh agus scríobhfaidh mé litir ach ní ligfidh mo choinsias dom faic eile a dhéanamh ar a son.'

Tháinig an triúr acu tamall gearr i ndiaidh a haon déag agus bhí áthas ar Charmel a insint dóibh go raibh Mr Greenbaum gnóthach ag plé le cás práinneach eile agus go labhródh sé leo a luaithe agus a bheadh sé ullamh. Sheol sí isteach sa seomra feithimh iad, áit a raibh orthu fanacht ar feadh breis agus uair an chloig. Ní mó ná sásta a bhí siad nuair a chuaigh siad isteach chuige ag deireadh thiar. Chaith siad tamall fada ag cíoradh na ceiste, agus gheall sé dóibh go scríobhfadh sé litir láithreach chun na scoile ag ordú don mhúinteoir pardún a mic a iarraidh nó go dtógfaidís an cás os comhair na cúirte. Chroith sé lámh leo ansin agus d'imigh siad leo.

'A Íosa! Faigh muga maith caife dom agus cuir steall maith Jameson isteach ann,' ar seisean le Carmel. Nuair a d'fhill sí leis mhínigh sé di go ndúirt sé le Dick nárbh é a leas é aon bhagairt a dhéanamh ar na mic léinn a thacaigh leis an múinteoir. 'Níorbh é bhur leas é bagairtí mar sin a bheith déanta agaibh dá mba rud é go rachfaí níos faide leis an scéal seo,' arsa mise leo agus b'éigean dom é a mhíniú dóibh ar eagla nár thuig siad i gceart mé.

'Is faoiseamh éigin é sin.'

'Ní féidir liom aon chur síos níos fearr a dhéanamh ar an gcoileán ná an ceann a bhí ag cailín do mhic nuair a thug sí 'cac beag salach' air agus rud níos measa fós. Tá sé de dhualgas orm cabhrú leis múinteoir ionraic a náiriú agus an bastard a ullmhú chun a shaol a chaitheamh mar bhulaí agus mar shúmaire.'

Shuigh sé síos ar a chathaoir mhór agus d'fhéach suas ar ghrianghraf a sheanathar a bhí ar crochadh ar an mballa. Chaith sé siar bolgam dá chaife. 'Tháinig mo sheanathair ón Ostair agus bhíodh sé ag obair ar son daoine uaisle, agus daoine macánta, agus ag iarraidh labhairt ar son an chorrdhuine a bhí imithe ar strae. Seo anois mé ag obair ar mhaithe le cladhairí, bithiúnaigh agus dríodar na sráide. Ach sin é an saol atá againn inniu, faraor, agus beidh ortsa an litir sin a chlóscríobh, *is cuma cé chomh míthaitneamhach is atá sé.*'

'Is mairg nach bhfuil ina dhubhthuata,' arsa Gearóid nuair a chuir sí glaoch air ag insint an scéil dó.

Nuair a tháinig am lóin chuala Cormac faoin damáiste a rinneadh don charr. Bhí a lán de na daltaí ag pléascadh gáire faoin scéal. D'inis sé do Rós faoina thuras go seomra na múinteoirí. Bheartaigh siad gan an scéal a insint d'éinne.

Nuair a tháinig oíche Aoine bhí Marcus Carcas ag ól i dteach tábhairne. Bhí na soilse íseal agus bhí ceol ag baint creathaidh as an tsíleáil agus as na ballaí. Tháinig beirt ógánach isteach agus bhog siad anonn chuige. Thug duine acu dorn sa bholg dó agus nuair a lúb sé le teann péine thug sé glún sna magairlí dó. Thit Marcus go talamh. Leagadh bord. Briseadh gloiní. Thosaigh an bheirt ag spalpadh na mallacht agus ag imirt na mbróg air. Thosaigh cailíní ag scréachaíl. Tháinig na fir slándála ag rith isteach ach bhí an bheirt imithe. Cuireadh fios ar otharcharr agus tógadh Marcus go dtí an t-ospidéal. Ba bheag dochar a bhí déanta dó.

'Foc!' arsa Jason nuair a d'inis Dick an scéal dó. 'Beidh orthu é a dhéanamh i gceart an chéad uair eile.'

6

Bhí Mary agus Joe le dul ar an mbus le Michael a thabhairt abhaile ar an Satharn. Bheartaigh siad dul go dtí an teach tábhairne ar dtús le cur lena misneach. Chuir Rós slacht éigin ar an teach agus chuaigh sí go teach Chormaic. Lá breá a bhí ann gan mórán gaoithe agus bhí Carmel agus Gearóid roimpi ag iarraidh caoi a chur ar an ngairdín. Bhí seisean ag cur leacht ar an tarmac chun an caonach a mharú agus bhí sise gnóthach ag bailiú na nduilleog feoite. Bhí Cormac, in ainm is a bheith, ag stoitheadh na bhfiailí as bláthcheapach ach ní raibh a chroí san obair.

'Bhí ó mhaidin aige leis an obair a chríochnú ach bhí sé ag súil go scaoilfimis saor é nuair a thiocfá féin,' arsa Gearóid agus d'fhógair sé go mbeadh cead a chinn aige imeacht a luaithe agus a bheadh an *corvée* críochnaithe aige.

'Cad é an *corvée*?'

'Á, an *corvée* millteach! — b'in obair gan phá a bhíodh le déanamh ag cosmhuintir na Fraince ar mhaithe leis na tiarnaí talún agus na huaisle.'

Má bhí olc ar Chormac roimhe sin ba mheasa fós an fhearg a bhí air nuair a thug Gearóid an míniú sin di, agus de réir mar a mhéadaigh ar a chantal ba mhó a bhain Gearóid taitneamh as mar scéal.

'Ní haon ionadh go raibh réabhlóid acu sa bhFrainc,' arsa Cormac le Rós faoina fhiacla, 'agus gur bhain siad na cloigne de na boic mhóra.'

'Cabhróidh mise leat,' arsa Rós. Chuir sí chuige ach bhí Cormac ag cnáimhseáil faoina raibh le déanamh aige.

'Ó, stop!' ar sise i gcogar leis.

D'athraigh sé port. 'Ba chóir an crann mór seiceamair sin ar chúl an tí a ghearradh anuas óir tá sé ag milleadh an ghairdín lena shíolta. Tá na plandaí beaga seiceamair ag fás aníos gach áit.'

'Tugann an crann foscadh dúinn sa Gheimhreadh,' arsa Carmel. 'Bíonn na héin ag cantain ann sa Samhradh, agus lena chois sin cabhraíonn sé cuid dhílis den tírdhreach a dhéanamh den teach.'

Thosaigh Gearóid ag rá véarsa dá dhéantús féin:

Mo ghrá thú a chrainn seiceamóra
Níl ní sa saol níos deise,
Ach nuair a scaipeann tú do shíolta
Feicim míle crann beag breise.

D'fhiafraigh Rós de ar chum sé féin é ar an bpointe boise, agus d'admhaigh sé gur chum.

Chonaic sí go raibh Carmel míshásta faoi rud éigin agus bhí barúil aici gurb í féin ba chúis leis. Mheas sí nach raibh sí sásta go raibh sí ag dul amach le Cormac agus nach fada go ndéarfadh sí leis gan bualadh léi a thuilleadh.

Dúirt Rós go raibh an véarsa ana-chliste. Rinne Gearóid gáire ach chuir sé sin le cantal Chormaic — 'Measann sé gurb é féin an té is greannmhaire ar domhan!' ar seisean go searbhasach i gcogar léi.

'Ach conas ar éirigh leis é a cheapadh?'

'Bíonn sé i gcónaí ag cumadh raiméise mar sin.'

Faoi dheireadh bhí na bláthcheapacha glanta.

'Nach breá slachtmhar an dealramh atá ar an ngairdín anois?' arsa Gearóid le Carmel nuair a fuair Cormac a rothar. 'Cuireann sé gliondar ar mo chroí, ach cogar, a Chormaic, an bhfuil do sheomra glanta agat?'

'Tá.'

'Agus an bhfuil an miasniteoir folmhaithe?'

'Tá.'

'Ar athraigh tú an t-uisce sa *quarium*?'

'Tá sé sin go léir déanta. An féidir liom imeacht anois?'

'Sílim go ndearna tú dearmad ar rud éigin.'

'Cad é sin?' arsa Cormac le teann mífhoighne.

'Níor thug tú na héisc órga amach ag siúl.'

Ba bheag nár thacht Cormac é féin le neart feirge agus phléasc Gearóid amach ag gáire. Léim Cormac in airde ar a rothar agus as go brách leis féin agus le Rós.

'Bhain tú taitneamh as an obair sin,' arsa Carmel. 'Rinne tú do mhíle dícheall olc a chur air.'

'Caithfidh mé taitneamh éigin a bhaint as an saol.'

'Go mór mór agus Rós ag gáire faoi gach siolla a tháinig as do bhéal.'

'An raibh?'

'Tá a fhios agat go dianmhaith go raibh. Ní raibh tú chomh deisbhéalach le fada an lá.'

'Cailín éirimiúil ise. Aithníonn ciaróg éirimiúil ciaróg éirimiúil eile.'

'Seachain, a bhuachaill. Seachain do mhillte.'

'Cé a mhillfeas mé?'

'Mise.'

'Tusa?'

Bhí sí ag gáire agus bhí a fhios aige go raibh idir mhagadh agus dháiríre sa ghreann. Bhí foláireamh tugtha aici dó.

D'imigh Cormac agus Rós ag rothaíocht leo agus an ghaoth ag feadaíl ina gcluasa, agus de réir mar a chuir sé na mílte slí idir é féin agus an teach d'imigh an cantal de. Thuirling siad nuair a tháinig siad go coill. Chuir siad na rothair i bhfolach. Chuaigh siad ag siúl lámh ar láimh isteach sa choill. Bhí ceannbhrat na gcrann giúise go hard idir iad agus an spéir agus bhain an bheirt acu siosarnach as an raithneach feoite agus as an spíonlach lena mbróga. Thairis sin ní raibh aon rud le cloisteáil acu. Theann sé chuige féin í agus phóg sé go ceanúil í. Shiúil siad ar aghaidh go dtí gur tháinig siad go himeall na coille agus tháinig siad amach ar bhóithrín beag a raibh an féar ag fás ina líne síos a lár agus na sceacha agus na fiailí ag brú isteach air óna dhá thaobh. Shiúil siad ceathrú míle slí go dtí gur tháinig siad go seanteach a raibh cuid de na sclátaí imithe den díon bíodh is go raibh iarann rocach meirgeach fós ar na scioból.

'Seo linn,' arsa Cormac. Ghíosc an geata nuair a bhrúigh sé roimhe é. Shiúil siad trasna an chlóis bhig a bhí lán d'fhiailí agus isteach sa teach. Bhí cuma ghruama dhearóil ar an teach. Chuaigh siad ó sheomra go seomra. Bhí slinnte agus moirtéal ar na hurláir agus bhí rian salach báistí ar na ballaí. Bhí formhór na bpánaí sna fuinneoga briste ach bhí cuirtíní lása stróicthe ar crochadh fós laistigh díobh agus cuirtíní troma a raibh iarsmaí bláthanna orthu lena dtaobhanna. Bhí fráma iarainn leapa i seomra amháin ach bhí sceach tar éis fás isteach trí fhuinneog bhriste agus bhí sé ag síneadh trasna an urláir chuici. Rinne Rós iontas den luachair a bhí ar crochadh os cionn an dorais.

'Crosa Bríde,' arsa Cormac agus theann sé chuige í agus thosaigh á pógadh.

'A Dhia, tá tú an-álainn go deo,' ar seisean agus leis an mboige a bhí ina ghlór chuir sé gliondar uirthi. Theann sí chuici féin é agus phóg siad arís ar feadh tamaill ach bhí Rós ag smaoineamh nach fada eile go gcuirfeadh Carmel a ladar sa scéal is go gcuirfeadh sí deireadh leis an gcumann eatarthu.

Mhothaigh sí a mhéara ag iarraidh cnaipí a blúis a oscailt. Níor chuir sí ina aghaidh. Mhothaigh sí sceitimíní áthais inti nuair a chuir sé a mhéara thar a cíochbheart agus fós níor chuir sí stop leis.

'Tá tú go hálainn,' ar seisean i gcogar nuair a bhí sí lom go coim aige. 'An-álainn go deo,' agus leag sé lámh ar a cíoch chlé. Rinne sé iontas dá boige agus dá teocht.

D'fhan siad tamall mar sin ag pógadh a chéile go dtí gur shéid an ghaoth isteach an fhuinneog agus gur chrith Rós leis an bhfuacht.

'Meas tú cén sórt saoil a bhí ag na daoine a bhíodh ina gcónaí sa teach?' ar sise nuair a chuaigh siad amach ar an mbóthar arís.

'Níl a fhios agam ach déarfainn go raibh saol crua ag na gasúir agus iad ag siúl ceithre mhíle gach lá le dul ar scoil — an máistir rompu lena bhata dá mbeadh siad déanach nó dá ndéanfadh siad botún dá laghad. Deir mo dheaid go mbíodh na seanscoileanna chomh fuar sin go dtugadh na múinteoirí léasadh maith do na daltaí chun iad féin a théamh.'

'Mharófaí Larky agus Dwain,' ar sise agus í sna trithí gáire.

'Agus Root,' arsa Cormac.

Lean siad den siúl go dtí gur tháinig siad go fothrach caisleáin. Ní raibh mórán fágtha den bhábhún ach bhí seanbhallaí aolchloiche an túir ina seasamh go daingean. D'inis sé di faoin stair a bhain leis. Bhí ionadh uirthi go raibh an oiread sin eolais aige.

'Tá leabhair staire ag m'athair faoin áit. Bíonn sé ag léamh i gcónaí — nuair nach mbíonn sé ag scríobh.'

Bhí geata iarainn agus glas air ag cosc an bhealaigh orthu isteach sa túr. Bhí seanaithne ag Cormac ar an áit, áfach. D'éirigh leo dreapadh in airde agus dul isteach trí bhearna sa bhalla. Suas an staighre leo agus ba ghearr gur tháinig siad amach ar an mullach. Bhí portaigh, talamh mín, agus coillte beaga le feiceáil amach uathu go bun na spéire, solas na gréine ag scalladh ar an iomlán agus an abhainn mhór le feiceáil anseo is ansiúd agus í ag gluaiseacht go maorga léi i dtreo na farraige. Chuir sé a lámh timpeall a coime. Bhí imní uirthi nuair a d'fhéach sí síos uaithi ar an talamh.

'Ná bíodh imní ort,' ar seisean agus phóg sé ar a leiceann í. Chas sí timpeall agus phóg sé a béal. D'fhan siad tamall fada thuas ag pógadh agus ag déanamh iontais d'áilleacht na tíre. Nuair a tháinig siad anuas chonaic siad éan marbh. Ba ghránna an radharc é.

'Cúis iontais dom na héanacha,' ar seisean. 'Níl rud sa saol chomh gránna le gearrcach agus níl rud in Éirinn chomh grástúil le héan agus é ag eitilt — ach gan tusa a chur san áireamh.'

Gháir sí agus d'admhaigh sí go raibh an ceart aige go hiomlán faoi na héin.

'Paradacsa is ea é,' ar seisean agus chuaigh sé deacair air an téarma a mhíniú di.

Nuair a d'fhill siad ar an gcoill bhí an ghrian ag ísliú léi san iarthar agus ag teilgean lasracha le néalta na spéire. Chuir sé a lámh timpeall a coime arís agus d'fhéach siad suas ar an áilleacht. Bhí aoibhneas ar a gcroí. Lean siad ar aghaidh ag caint agus ag comhrá agus ag suirí go dtí gur imigh an ghrian faoi. D'airigh siad éanacha ag teacht ar lorg fhoscadh na hoíche ar imeall na coille. Thosaigh an ghaoth ag osnaíl sna géaga.

Bhí sé in am acu na rothair a fháil agus bóthar a bhualadh. D'fhill siad abhaile agus gliondar orthu.

'Tráthnóna thar tráthnónta a bhí agam,' ar seisean agus é ag fágáil sláin aici ag a teach.

'Tráthnóna thar tráthnónta,' ar sise ag croitheadh a cinn go háthasach agus ag cur na súile tríd.

'I ndáiríre?'

'I ndáiríre píre.'

Theann sé í ina lámha agus phóg sé arís agus arís í.

Bhí Michael roimpi nuair a chuaigh sí isteach. Bhí sé ina sheasamh sa seomra bia ag féachaint ar an teilifís amhail is nár fhág sé an teach riamh. Bhí Patrick ina shuí ar chathaoir chistine, cúl na cathaoireach claonta siar, na cosa tosaigh san aer agus a dhá bhróg in airde ar bhord na cistine.

'Tóg anuas do spága móra damanta,' ar sise go lasánta.

'Cén fáth?'

'Toisc gur ghlan mé an bord inniu agus nach áit do do spága móra salacha é an bord ag a mbeimid ag ithe.'

'Ní féidir leat iallach a chur orm!' ar seisean.

'Ceart go leor,' ar sise agus bhrú sí siar cúl na cathaoireach agus thit sé siar ar chúl a chinn.

'Tá sé go deas a bheith sa bhaile arís,' arsa Michael agus miongháire beag ar a mbéal.

Bhí a fhios ag Rós go raibh biseach air.

Ní raibh aon deifir ar Mr Greenbaum ag dréachtú na litreach agus níor seoladh chun bealaigh í an tseachtain sin. Nuair a shroich sí an scoil chuir Mr Putts fios ar Iníon de Paor agus mhínigh sé an scéal di. Mhol sé di labhairt lena ceardchumann. Bheadh comhairle dlíodóra acu di.

'Cibé rud a dhéanann tú, ná bíodh imní ort faoi. Seasfaidh mé leat.'

'Tá aiféala an domhain orm faoin scéal go léir.'

'Ara, ná bíodh ach dá seolfá an coileán caol díreach suas chugam gan aon rud eile a rá, d'fhéadfainn é a chur ar fionraí agus é a thabhairt os comhair an bhoird bhainistíochta.'

Ghlaoigh sí ar a ceardchumann agus rinne sí socrú bualadh lena ndlíodóir ar an Aoine.

Bhí an-imní uirthi agus í ag dul go Baile Átha Cliath. Nuair a chuaigh sí isteach in áras an cheardchumainn tháinig oifigeach chuici agus chroith sé lámh léi. Mhínigh sé go raibh sé ag déileáil lena cás agus sheol sé isteach ina oifig í. Tugadh caife chucu agus thug sí cuntas iomlán dó ar an eachtra. Bhreac sé síos nótaí. Nuair a bhí sé sásta dúirt sé gur buaileadh breoite an dlíodóir ar ghnáth leo comhairle a fháil uaidh agus go raibh coinne déanta aige le dlíodóir eile.

'Dála an scéil,' ar seisean agus iad ag siúl go hoifig an dlíodóra, 'Cén dearcadh atá ag an bpríomhoide ar an scéal?'

Dúirt sí go raibh sé ag tacú léi.

'Is mór an chabhair í sin — an bhféadfá an scéal a shamhlú dá mbeadh sé i d'aghaidh?'

D'fhiafraigh sé di an raibh sí in ann codladh na hoíche a fháil.

'Bhí go dtí gur tharla an eachtra seo.'

'Caithfidh tú breathnú i ndiaidh do shláinte. Tá a fhios ag an saol go mbíonn cúrsaí go dona acu siúd atá dífhostaithe ar feadh i bhfad — tá a fhios agat an scéal — bíonn gach rud ó dúlagar go mífheidhmiú gnéasach ag cur as dóibh. Rud nach dtuigtear go minic is ea an chaoi go bhfuil múinteoirí na tíre níos measa fós ná iad.'

Chuaigh sé deacair uirthi é a chreidiúint ach gheall sé di gurbh fhíor é. 'Má tá fiche duine ag múineadh i scoil tá gach seans ann go bhfuil beirt nó triúr acu buailte ag rudaí mar sin.'

Seoladh isteach i seomra mór iad agus bhí an dlíodóir féin ag feitheamh leo. Fear mór meánaosta a bhí ann a raibh culaith an-chostasach air. Chroith sé lámh léi agus chuir sé fáilte rompu. D'iarr sé orthu suí agus mhínigh sí an scéal dó.

'Ní cás neamhchoitianta é,' ar seisean agus dúirt sé gurbh é a mheas go mbeadh uirthi pardún an dailtín a iarraidh.

Bhuail splanc feirge í.

'A Íosa, ní féidir liom a chreidiúint gurb í sin do chomhairle dom. Bastard beag gan bhéasa gan mhúineadh is ea Dick. Ba chóir eisean a thabhairt os comhair na cúirte de bharr ciapadh gnéasach a dhéanamh ormsa. Ní iarrfaidh mé a phardún go deo. B'fhearr liom dul os comhair na cúirte agus a thaispeáint don saol nach bhfuil ann ach spreasán agus gur fhulaing mé ciapadh gnéasach agus saighdeadh dofhulaingthe uaidh.'

'Is aisteach na rudaí iad na cúirteanna. D'fhéadfadh siad glacadh leis nár cheart go gcuirfeadh saighdeadh isteach ar mhúinteoir,' ar seisean, 'agus rud eile, bheadh spórt an domhain ag na nuachtáin faoin scéal. D'fhéadfainn eagarfhocal bréagchráifeach a shamhlú san Irish Times: *Tugann an dea-mhúinteoir inspioráid, ugach, agus eolas dá chuid daltaí. Níl áit sa seomra ranga don mhúinteoir nach bhfuil ar a chumas* … nó ceannlíne an Independent: COSNAÍONN MÚINTEOIR MASLA CINÍOCH. Agus lena chois sin bheadh an lucht siúil ag gearán gur mhaslaigh tú iad. Cá bhfios nach mbeadh Teachtaí Dála ag cur ceisteanna sa Dáil faoin scéal. Ní chloisfí a dheireadh go deo.'

Chíor siad triúr an scéal. Chuaigh gáire beag thar bhéal an dlíodóra agus shuigh sé siar ina chathaoir. Bhí a fhios aige nach raibh sé ceart ná cóir ach bhí an t-ádh léi nach raibh an bastard beag, mar a thug sí air, ag éileamh na mílte euro uaithi de bharr clúmhillte.

Gheall sé go scríobhfadh sé litir di agus go gcuirfeadh sé a leithéid de chuntas ar iompar an bhastaird bhig inti nach mbeadh fonn air í a thaispeáint d'éinne beo. Ní mó ná sásta a bhí sí leis an scéal ach faoi dheireadh shocraigh siad go scríobhfadh sé chuig Mr Greenbaum ag rá go raibh sí sásta litir a shíniú ag iarraidh a phardúin. Nuair a bhí siad ag imeacht dúirt sé gur mhaith leis cúpla focal a bheith aige léi go príobháideach agus d'fhág oifigeach an cheardchumainn an seomra.

D'athraigh an dlíodóir a ghothaí nuair a bhí an bheirt acu le chéile. Bhí sé i bhfad níos cairdiúla.

'Bíodh sé seo ina rún idir mise agus tusa,' ar seisean, agus d'fhiafraigh sé di ar thaitin an mhúinteoireacht léi.

D'admhaigh sí nach raibh saol an mhúinteora mar a shíl sí go mbeadh sé. Duine eolach a bhí ann agus ba leor an nod. D'fhiafraigh sé di an duine teasaí a bhí inti — an mbíodh sí ag achrann agus ag imirt a doirne ar a deartháireacha agus í ag fás aníos?

Gháir sí agus d'admhaigh sí gurb iomaí clampar a bhí eatarthu.

'Inis dom é seo,' ar seisean agus é ag cromadh ina treo agus ag féachaint díreach sna súile uirthi, 'Cén gealladh ar féidir leat a thabhairt nach dtarlóidh rud mar seo arís, nó nach gclisfidh ar d'fhoighne agus go dtabharfaidh tú laingín do bhastard beag eile?'

'Sin gealladh nach bhféadfainn a thabhairt.'

Chroith sé a cheann go smaointeach agus shuigh sé siar ina chathaoir.

'Nuair a bhí mé féin ag fás aníos bhí meas ag daoine ar

mhúinteoirí. Níl meas madra ag éinne orthu anois. Ní dóigh liom go n-éireoidh saol an mhúinteora níos fusa. Conas a bheadh an scéal agat dá dtarlódh go gclisfeadh ar d'fhoighne i gceann 10 nó 15 mbliana is dá dtabharfá buille sa chluas do dhailtín éigin — agus b'fhéidir beirt nó triúr leanaí agat faoin am sin agus morgáiste mór?'

Ní raibh freagra ar bith aici dó.

'Bhuel, maidir le smacht, faoi mar a deir na Meiriceánaigh, *Níl tada feicthe fós agat!*'

Tháinig Jason abhaile an oíche sin agus d'fhiafraigh Dick de an raibh sé in am acu sásamh a bhaint as Cormac.

'Tamall beag eile agus beidh cead ár gcinn againn.'

'Cad atá ar intinn agat a dhéanamh? — piléar sna glúine?

'Is cosúil go bhfuil mearbhall air faoina chlaonadh gnéasach — b'fhéidir gur chóir dúinn cabhrú leis trína neodrú beagán.'

Ba bheag nár thacht Dick é féin le neart gáire.

Rinne an dlíodóir mar a gheall sé agus i gceann cúpla lá tháinig oifigeach an cheardchumainn go dtí an scoil. Thaispeáin sé an litir d'Iníon de Paor agus phléigh siad an scéal. Ansin chuaigh siad chun cainte le Mr Putts. Chíor siad an scéal go mionn agus faoi dheireadh chuir sí a hainm leis an litir. Ghlac an t-oifigeach an litir uaithi agus d'imigh leis go hoifig Mr Greenbaum.

'Filleann an feall ar an bhfeallaire agus bainfidh mé allas as an Dick sin,' arsa Mr Putts. Chuaigh miongháire thar a bhéal agus d'fhógair sé go mbeadh lá eile ag an bPaorach. 'Idir an dá linn coinneoimid an scéal ina rún agus aistreoidh mé an bastard beag ó do rangsa go rang eile.'

Bhí Cormac agus a mhuintir ina gcodladh go sámh nuair a

rinneadh smidiríní de ghloine an dorais tosaigh. Léim siad as a leapacha agus rith siad amach sa halla go bhfeicidís cad a bhí ann. Bhí bríce dearg ar an urlár agus leathanach ceangailte de. Bhí ainm Chormaic air agus teachtaireacht déanta d'fhocail agus de litreacha a bhí gearrtha amach as nuachtán: FOCAL AMHÁIN EILE LEIS NA GARDAÍ AGUS BEIDH TÚ FOCIN MARBH. Bhí dhá cheannteideal ó nuachtáin greamaithe ar chúl an leathanaigh, *Teach loiscthe go talamh in ionsaí mailíseach* agus *Ionsaí fíochmhar ar bhuachaill aerach.*

Ghlaoigh Gearóid ar na Gardaí agus chuir siad carr patróil chucu. Scrúdaigh siad an fógra. D'fhógair Gearóid agus Carmel go rabhthas ag imirt díoltais ar Chormac toisc gur inis sé dos na gardaí faoin eachtra sa mhainistir. D'aontaigh an sáirsint leo. Scrúdaigh siad an leathanach agus gheall siad go dtabharfaidís cuairt ar fhear an raidhfil.

'Ach féadfaidh mé a rá leat go mbeidh ailibí den scoth acu. Faigheann na daoine seo duine éigin eile chun a gcuid drochoibre a dhéanamh dóibh.'

Bhí an ceart aige. Bhí Jason i mBaile Átha Cliath agus bhí Dick te teolaí ina leaba nuair a shroich na Gardaí an teach chun an scéal a fhiosrú.

'Níl aon focin ceart agaibh teacht ag briseadh isteach anseo!' arsa a athair de bhéic. 'An bhfuil barántas agaibh?'

'An mbeadh aoibh níos fearr ort dá bhfaighinn barántas chun an teach a chuardach?' arsa an sáirsint, agus dúirt nach raibh siad ag briseadh isteach aon áit.

'Féadfaidh sibh focáil libh as an áit seo,' arsa a athair ach chuir caint an bharántais imní air. Bhí roinnt earraí goidte i bhfolach i seid ar chúl an tí.

Ní raibh a fhios ag éinne cá raibh Jason. D'iarr na Gardaí ar Dick suí isteach sa charr patróil.

'Níl tada déanta aige agus níl sé ag dul aon focin áit!' arsa a athair go bagrach. 'Níl tada ar eolas againn faoi rud ar bith. Tá Jason tar éis aistriú go hárasán eile i mBaile Átha Cliath agus níl tuairim dá laghad againn cá bhfuil sé ina chonaí. Níor leag éinne súil air ón lá sin ar ghoid na focin Gardaí a raidhfil uaidh. Chaith Richard an tráthnóna go léir anseo ag féachaint ar fhístéipeanna. Maidir le Jason níl barúil aige, focin barúil dá laghad aige, cá bhfuil an focin Cormac sin ina chónaí.'

'Is mór an t-ionadh é sin,' arsa an sáirsint.

'Sin mar atá sé agus tá sé in am agaibh focáil libh ón teach sula mbeidh mé ar lorg cúitimh de bharr bagartha agus ciaptha.'

'Tá sibh ag féachaint ar an iomarca cláracha faoi bhleacht-airí,' arsa an sáirsint ach bhí a fhios aige nach n-éireodh leis puinn eolais a fháil uathu.

'Má dhéantar aon damáiste don teach sin nó má dhéantar dochar ar bith d'éinne ann beidh muid anuas sa mhullach oraibh mar a bheadh tona brící,' arsa an sáirsint agus é ag imeacht. Thacaigh an garda eile leis.

Mar a bheadh tona caca,' arsa Dick agus dhún sé an doras de phlab ina ndiaidh.'

Chuala na gardaí go maith é.

Fuair Gearóid clár mór sraithadhmaid agus ghreamaigh den doras é le tairní. Nuair a bhí sé sásta lena chuid oibre d'fhill siad ar na leapacha. D'fhág sé casúr le hais na leapa ar eagla na heagla, agus gheall sé do Charmel go raibh sé ar intinn aige gránghunna a cheannach. Mhol sí dó gan oiread agus focal a rá faoin ionsaí nuair a bheadh sé ag iarraidh ceadúnais nó nach bhfaigheadh sé go deo é. Níor chodail éinne acu néal an oíche sin.

D'inis Cormac an scéal i gcogar do Rós nuair a shuigh sé taobh léi ar an mbus. Bhí sí cinnte go mba rabhadh di féin a bhí ann freisin. Bheartaigh siad gan a thaispeáint do Dick ná d'aon duine eile go raibh scanradh an domhain orthu. Chuaigh siad chun cainte leis an Athair Plankton.

'Cad ba chóir dúinn a dhéanamh?'

'Má ghéilleann daoine don imeaglú beidh an lá ag na bithiúnaigh agus deireadh le gach éinne. Mhol sé dóibh paidir a rá faoin scéal agus gan imní a bheith orthu.

'Is minic a réitíonn rudaí mar seo iad féin, ach is é bun agus barr an scéil ná go gcaithfimid gan dearmad a dhéanamh choíche go bhfuil ár nAthair ar neamh ag tabhairt aire dúinn agus gur fiú go mór muid ina shúile sin ná a lán lán gealbhán. Labhraímis leis ar feadh nóiméid.'

Thosaigh sé ag guí ansin agus chuireadar triúr a gcroí san urnaí.

Níorbh iad sin an t-aon dream a bhí ag guí. Chuaigh Carmel ar Aifreann ar maidin.

Nuair a shroich Mr Greenbaum an oifig, d'inis sí an scéal dó.

'Muuuum!' ar seisean. 'Imeaglú finné é sin cinnte. Coir thromchúiseach — dá bhféadfaí é a chruthú. Is beag ar féidir leis na Gardaí a dhéanamh faoi ach oiread. An bhfuil soilse slándála agaibh?'

'Níl.'

'B'fhiú iad a fháil. An bhfuil córas slándála agaibh?'

'Tá.'

'An córas nua é?'

'Measartha nua.'

'B'fhéidir gurbh fhiú daoibh ceann níos nuaí a cheannach. Níor chóir daoibh dul thar fóir le costas ach d'fhéadfadh sibh córas faire fístéipe a cheannach freisin. Ba mhaith an rud é madra mór a fháil — nó b'fhéidir dhá mhadra ar eagla go dtabharfaí nimh do cheann amháin acu. Sin mar atá an saol na laethanta seo, tá faitíos orm.'

'Rachadh Gearóid glan as a chiall dá ndéanfaí dochar ar bith do Chormac agus ní bheadh sé freagrach as a dhéanfadh sé.'

'Ó, ní mholfainn é sin ar chor ar bith,' arsa an tUasal Greenbaum. 'Níl na Gardaí in ann saoránaigh na tíre a chosaint ach níl cead ag na saoránaigh an dlí a thógáil ina lámha féin. Ní luíonn sé sin le réasún, ach sin mar atá an dlí.'

Bhí fonn murdair ar Ghearóid agus é ag dul ar scoil agus le himeacht an lae mhothaigh sé codladh na hoíche uaidh. D'ól sé cúpla cupán caife ach níor chuir siad fonn níos fearr air. Mheas sé go raibh searbhas ar a chuid cainte sa rang agus nuair a chonaic na daltaí go raibh cantal air rinne cuid acu a ndícheall cur leis. Murar leor é sin, nuair a d'oscail sé a nuachtán ag am lóin chonaic sé litir a scríobhadh chuig an eagarthóir ag gearán faoin saol bog agus na laethanta fada saoire a bhí ag múinteoirí.

Labhair sé le comhghleacaí leis faoi cheadúnas gránghunna a fháil ó na Gardaí.

'Beidh gach eolas agus fios fátha uathu agus beidh ort cead a fháil ó fheirmeoirí le dul ag lámhach ar a gcuid talún agus míle rud eile. Mholfainn duit dearmad a dhéanamh air.'

Bhí rang lag céad bhliana aige san iarnóin ar dheacair iad a mhúineadh uair ar bith. Ba bheag nach ndeachaigh siad ó smacht ar fad air. Thosaigh sé ag béicíl in ard a ghutha agus dúirt sé rudaí leo a raibh aiféala air mar gheall orthu ar ball.

Nuair a bhí an scoil thart thiomáin sé go go dtí an póna áit a bhfuair sé an dá mhadra ba mhó dá raibh san áit.

Thug Cormac a theileafón póca do Rós an tráthnóna sin. Dá dtarlódh aon rud d'fhéadfadh sí glaoch ar chabhair agus, dar ndóigh, glaoch air féin.

Gháir sí agus phóg sí é.

Nuair a d'fhill sí abhaile d'inis sí dá tuismitheoirí faoin chaoi ar ionsaíodh a theach agus dúirt go mbeadh uirthi gléasanna braite deataigh a cheannach.

'Cad sa foc chuige?' arsa Joe.

'Ar eagla go loiscfí an teach.'

'Bhuel, nílimse ag focin íoc astu.'

'Ar mhaith leat go mbeadh dóiteán eile againn?'

Cheannaigh sí gléasanna san ollmhargadh agus chabhraigh Cormac léi iad a fheistiú. Thástáil siad iad le déanamh cinnte go raibh siad ag obair. Bhí sé go mórálach as a chuid oibre.

Nuair a chuaigh sé abhaile dúirt Gearóid leis bataire a theileafóin phóca a choinneáil luchtaithe i gcónaí agus deimhin a dhéanamh de go mbeadh fuílleach creidmheasa aige.

'Luchtaigh anois é ó tá muid ag caint air,' ar seisean ach dúirt Cormac go raibh teileafón an tí acu.

'Cad a dhéanfá dá ngearrfaí na sreanga? Luchtaigh anois é.'

B'éigean do Chormac a admháil gur thug sé do Rós é.

'An glan as do mheabhair atá tú?'

Mhínigh Cormac dó go raibh imní air fúithi agus gur thug sé ar iasacht di é.

'A leithéid d'amadán!' arsa Gearóid le Carmel nuair a d'inis sé an scéal di.

'An raibh tú riamh i ngrá tú féin?' a sise agus thug sí a teileafón póca féin dó.

Thiomáin Gearóid go Baile Átha Cliath ar an Satharn áit ar cheannaigh sé múchtóirí dóiteáin agus fearas slándála. Bhí leabhar léite aige ar an ábhar agus bhí a fhios aige cad a bhí uaidh. Chuaigh sé ag cuartú i siopa seandachtaí agus mangarae ag súil le claíomh a cheannach. Ní raibh aon cheann acu ach bhí crosbhogha agus saigheada ar díol ann.

'Níl ann ach maisiúchán don bhalla,' arsa an fear leis. 'Ní bheadh cead againn ceann ceart a dhíol.' Bhí an truicear millte ach bhí a fhios ag Gearóid go bhféadfadh cara leis ceann nua a dhéanamh dó. Cheannaigh sé é. Thiomáin sé abhaile go sásta. Stop sé sa bhaile mór agus chuaigh isteach i siopa crua-earraí áit ar cheannaigh sé dhá thor-chorrán. B'olc an mhaise d'éinne a rachadh i ngleic le fear a mbeadh a leithéid aige.

'Nár lige Dia!' arsa Carmel nuair a chonaic sí cad a bhí ceannaithe aige. Chuaigh sé go dtí an garáiste áit ar chuir sé faobhar ar na tor-chorráin. Chuir Cormac spéis an domhain iontu. Thóg sé ceann acu amach sa ghairdín áit a ndeachaigh sé ag ionsaí an chrainn sheiceamair agus ag imirt a fhaobhair ar na tomanna sa dorchadas.

Chuir Gearóid targaid in airde sa ghairdín nuair a deisíodh an crosbhogha agus chuaigh siad amach ag scaoileadh saighead leis. Tháinig Rós agus rinne sí cleachtadh freisin.

Nuair a bhí siad ag filleadh ar an teach dúirt Gearóid leo an scéal a scaipeadh ar scoil go raibh siad ag scaoileadh urchar ó ghránghunnaí uathoibríocha.

'Abair leo go bhfuil tú beagnach bodhar i ndiaidh na bplimpeanna go léir. Cibé duine a bhí freagrach as an mbríce a chur tríd an doras, ba chóir go gcloisfeadh sé an scéal gan mhoill.'

Bhí plean níos fearr ag Cormac. 'Scríobh nóta dom ag rá nach raibh mé in ann mo chuid obair bhaile a dhéanamh de bharr cic sa ghualainn a fuair mé is mé ag cleachtadh le gránghunna.'

'Tuilleadh foc ag an mbalacs!' arsa Jason nuair a chuala sé an scéal agus d'fhiafraigh sé de Dick cathain ab fhearr tabhairt faoi Chormac. Rinne seisean machnamh.

'Ar a deich i ndiaidh a hocht nuair a bhíonn sé ag fanacht leis an mbus scoile lasmuigh dá theach.'

Bhí an tAthair Plankton ag caint le Michael agus ní bhfuair sé tada uaidh ach 'tá' agus 'níl' agus é ag féachaint síos ar a bhróga. Chuir sé ceist ar Rós faoi.

'Sin é an chaoi a mbíonn sé i gcónaí.'

Mheas an sagart nár mhaith leis é a fheiceáil dá mbeadh an galar dubhach air. 'Cén chaoi a bhfuil tú féin?' ar seisean léi.

D'inis sí dó go raibh sé deacair uirthi post a fháil i bhfeighil ar leanaí.

Ní raibh a fhios aige go mbíodh sí i mbun na hoibre sin ach bhí aithne aige ar dhaoine a mbíodh cailín maith mar í ag teastáil uathu. 'Inseoidh mé dóibh fút. Is dócha go bhféadfá roinnt airgid phóca a úsáid ó tá an Nollaig ag teannadh linn.'

'D'fhéadfainn cinnte.'

'An raibh aon rud eile ag déanamh buartha duit?'

'An bhfuil aon rud ar eolas agat faoi choistí cróinéara? An mbeidh orm fianaise a thabhairt faoi mhóid?'

'Ní raibh mé i láthair ag coiste den sórt sin riamh. An mbeadh fadhb agat maidir le móid a thabhairt?'

'Ní bheadh.'

Bhí a fhios ag an sagart nach raibh sí ag insint iomlán na fírinne.

D'imigh sí léi agus gliondar uirthi faoin seans obair a fháil agus imní agus uamhan uirthi faoin gcoiste cróinéara. Ba mhó fós an sceon a bheadh uirthi dá mbeadh a fhios aici faoina raibh ar intinn ag Jason ach bhí seisean róghnóthach ag eagrú cúrsaí drugaí i mBaile Átha Cliath ag an am chun aon rud a shocrú cois Sionainne. Idir an dá linn d'éirigh léi roinnt mhaith airgid a thuilleamh i bhfeighil leanaí.

Bhí Dick, Dwain agus Larky ag scríobh rudaí faoin Hipí agus faoi Katty agus faoi Iníon de Paor anseo agus ansiúd ar fud na scoile. Bhí an Hipí ina sheomra agus é ullamh don rang nuair a thug sé faoi ndeara go raibh lipéad ar an mballa ag bun an ranga agus rud éigin scríofa air. Chuaigh sé á fhiosrú. Fógra beag a bhí ann ag rá gur péidifileach é an Hipí, go mbíodh glacaireacht ar siúl aige agus gur chóir a insint do na Gardaí faoi. Chuaigh sé caol díreach go dtí an oifig. Dúirt an rúnaí go raibh glaoch gutháin á dhéanamh ag Mr Putts agus go mbeadh air fanacht nóiméad. D'fhan sé ansin ar fiuchadh le teann feirge go dtí go raibh Mr Putts críochnaithe. Thuig seisean go raibh an Hipí corraithe a luaithe agus a chonaic sé é.

'Ionsaí é seo ar mo charachtar. Clúmhilleadh is ea é. D'fhéadfaí an dlí a chur ar an té a scríobh é,'

Labhair Mr Putts leis ag iarraidh a chur ina luí air go mba leanbh i súile an dlí cibé duine a scríobh é agus ag míniú nach bhféadfaí dlí daoine fásta a chur i bhfeidhm ar dhaoine óga, 'bíodh is go dtuigim go dianmhaith gur beag an sólás duitse é sin. Cathain ar greamaíodh ar an mballa é?'

Ní raibh a fhios sin ag an Hipí ach bhí sé cinnte gurb iad lucht na dara bliana a rinne é.

'Bíonn ranganna éagsúla ag teacht chugat i ndiaidh a chéile agus mar sin bheadh sé deacair an scéal a iniúchadh. B'fhéidir go gcabhróidh an pheannaireacht linn an bastard beag a aimsiú.'

Ba í Katty an chéad dalta a chuaigh isteach i seomra ranga an Hipí. D'fhág sí a cuid leabhar ar an deasc agus chuaigh amach go dtí an leithreas. Nuair a d'fhill sí bhí fógra ar an gclár dubh go raibh Katty ina '*strípach*' agus go raibh sí ag iompar.

Bhí cuid de na daltaí tagtha agus bhí Larky ina shuí ar chúl an ranga agus straois mhór ar a bhéal.

Síos léi chuige. Rug greim ar a ghlib agus bhuail a chloigeann de chnag anuas ar an mbord.

'Cén fáth a ndearna tú é sin?' ar seisean agus é ag léim in airde.

'Tusa a scríobh é sin fúmsa.'

'Ní mise! Bhí sé ann nuair a tháinig mé isteach!'

'Litrigh striapach ar sise. 'Scríobh amach é!'

Dhiúltaigh sé aon rud a scríobh ach rug sí ar a ghlib. Rop peann ina láimh agus d'ordaigh dó é a scríobh sula stracfadh sí an cloigeann de.

Scríobh sé *s-t-r* agus é ag súil go dtiocfadh Dick agus Dwain i gcabhair air ach ba iad sin an bheirt dheireanach a thiocfadh isteach sa rang. Bhailigh na daltaí timpeall orthu go bhfeicfidís an spórt.

'Críochnaigh é!' ar sise agus í ina seasamh idir é agus an clár dubh chun nach bhféadfadh sé an bunleagan a fheiceáil agus cibé earráidí a bhí ann a sheachaint. Strac sí a chuid gruaige agus thosaigh á ghreadadh.

Faoi dheireadh scríobh sé an focal iomlán chomh maith is a bhí sé in ann.

Thug sí léasadh a bheatha dó agus tharraing suas chun an chláir dhuibh é áit ar ordaigh sí dó é a ghlanadh lena theanga. Ní dhearna sé aon rud. Rop sí a éadan in aghaidh an chláir dhuibh agus ghlan sí an scríbhinn lena chloigeann agus smaois agus seilí agus deora mar ábhar glantacháin aici.

Ní raibh spórt mar é ag na daltaí le fada go dtí gur tháinig Dick agus Dwain leis an scéal go raibh an Hipí agus Mr Putts ag teacht. Shleamhnaigh Larky leis síos go dtí a bhord ar bhun an ranga agus rinne iarracht é féin a cheilt laistiar de bheart leabhar.

Tháinig na daoine fásta agus d'iarr an príomhoide ar an Hipí an scríbhinn maslach clúmhillte a thaispeáint dó. Thug an Hipí síos an seomra é lena fheiceáil. Bhí sé scríofa i mbloclitreacha sa chaoi nach bhféadfaí a rá cé a bhí freagrach as é a scríobh.

Chas Mr Putts siar i dtreo na ndaltaí agus d'fhógair go mba mhasla do mhúinteoir é sin nach bhféadfadh aon scoil cur suas leis. D'iarr sé ar an té a scríobh é seasamh suas agus é a admháil sula rachadh an scéal chun donais ar fad. Níor sheas aon duine.

Chonaic sé Larky ag smúsaíl laistiar dá leabhair agus d'fhiafraigh de cad a tharla.

Thuig Larky dá ndéarfadh sé aon rud go gcuirfeadh Katty ina leith gurb eisean a bhí ag dul timpeall ag scríobh fógraí.

'Thit mé agus mé ag teacht ón rang eile.'

Níor chreid Mr Putts focal de agus d'iarr sé arís ar an té a bhí ciontach as an fógra a scríobh a choir a admháil.

Níor labhair aon duine.

Chuaigh sé bog agus crua orthu ach ní bhfuair sé aon fhreagra.

'Creidigí uaimse é go dtagann rudaí mar sin chun solais i gcónaí agus b'fhearr go mór don té a scríobh é go dtiocfadh sé chun solais anois nuair a bheidh seans éigin aige nó aici.'

'Bí cinnte go mbeidh mé ag fiosrú an scéil, a Mhic Uí Shúilleabháin,' ar seisean leis an Hipí, 'Tagann na rudaí mar sin chun solais luath nó mall,' agus d'imigh sé.

Bhuail sé le Katty ag am lóin agus d'iarr uirthi teacht leis go dtí a oifig.

180

'Cad a bhí ar siúl ag Larky?' ar seisean ag iarraidh breith uirthi.

Bhí sí róghlic dó agus níor admháil sí gur ionsaigh sí é.

D'fhiafraigh sé di ansin an raibh barúil ar bith aici cén buachaill a ghreamaigh an fógra den bhalla.

Dúirt sí nach raibh. Lean sé air á ceistiú ach gan aon rud a chur ina leith. D'fhill sé ar chás Larky ansin.

'Maróidh mé an bastard beag má scríobhann sé aon rud eile fúm,' ar sise.

Ghlaoigh sé ar Larky ansin agus thosaigh á chroscheistiú ach theip air aon eolas a fháil uaidh. Bhí Dick, Dwain agus é féin tar éis teacht le chéile agus beartú gan aon rud a admháil mar dá mbéarfaí ar dhuine amháin acu go mbéarfaí orthu go léir. Lean Larky ar aghaidh lena scéal gur thit sé agus é ag teacht chun an ranga. Bhí a fhios ag Mr Putts nach raibh ansin ach bréag. Labhair sé le duine eile ón rang agus fuair sé amach gur thug Katty léasadh dó. Chuaigh sé chun cainte leis an Hipí agus gheall dó go raibh an scéal ag éirí níos soiléire agus go dtiocfadh gach rud chun solais sa deireadh thiar.

Ní raibh an Hipí sásta ná leathshásta. 'Bhí mise i dtrioblóid toisc gur thug mé gob sa chac ar dheirfiúr mhallaithe Dick ach féadfaidh siadsan rudaí clúmhillteacha a scríobh fúmsa ó mhaidin go hoíche agus mé a thiomáint go teach na ngealt lena n-iompar, agus boinn mo chairr a scrios agus ní féidir aon cheo a dhéanamh faoi. Labhair Mr Putts leis á mholadh mar mhúinteoir agus ag iarraidh é a chur ar a shuaimhneas ach theip glan air.

'Feicimse rudaí maslacha scríofa fúmsa go minic,' arsa Mr Putts agus é ag iarradh greann a dhéanamh den scéal, ach chuir sé sin leis an bhfearg a bhí ar an Hipí.

'Is iad na polaiteoirí atá freagrach as scoileanna na tíre a mhilleadh,' ar seisean. 'Níl ionainn anois ach feighlithe leanaí is gan cead againn tada a rá leo. Is iad na daltaí atá i gceannas agus tá na múinteoirí mar sclábhaithe acu.'

Ba dhuine é Mr Putts a dhéanadh a dhícheall le cinntiú go mbeadh na múinteoirí sona ach thuig sé nach bhféadfadh sé aon rud a dhéanamh faoin Hipí. D'fhill an Hipí ar sheomra na múinteoirí agus rún daingean aige a thráchtas a chríochnú, a chéim mháistreachta a bhaint amach agus éirí as an múinteoireacht ar fad.

Tháinig fuarú ar fhearg an Hipí de réir a chéile cé gur chothaigh Larky, Dick agus Dwain tuilleadh trioblóide dó i rith na seachtaine. Bhí na daltaí ag bailiú don rang staire an tseachtain dar gcionn agus bhí aoibh ar bhéal an Hipí.

'Inis dom,' arsa Rós leis, 'An gá do dhuine a bheith an-éirimiúil le bheith ina mhúinteoir?'

Díreach ar an bpointe sin rith Dwain isteach an doras agus Larky laistiar di. D'eirigh le Larky cor coise a chur ann agus thit sé de phleist ar cheann de na boird.

D'fhéach an Hipí ar Rós agus d'fhreagair, 'Ní gá duit a bheith éirimiúil. Caithfidh tú a bheith i do dheargamadán.'

Bhí leathanach pionóis tugtha aige do Larky de bharr a iompair an tseachtain roimhe sin agus bhí sé ar intinn aige díoltas a bhaint amach.

'Tabhair an bata dó! Déan é a focin chrá!' arsa Dick leis faoina fhiacla.

Nuair a thosaigh an Hipí ag caint faoi Pharnell agus a lucht leanúna d'fhógair Larky 'Ní ceart duit a bheith ag gluaiseacht soir siar ar an gcúrsa mar cuirfidh tú mearbhall ar na daltaí.'

Rinne an Hipí gáire. 'Measaim go bhfuil tusa chomh héirimiúil sin dá gcloisfeá gur chlóigh Caesar na Gaill agus gur maraíodh sa bhFóram é go gcuirfeadh sé sin meascán mearaí ort.'

Gháir an rang agus ba mhó an fonn díoltais a bhí ar Larky ná riamh.

'Tá sé sin *seafóideach*,' arsa Katty ag briseadh isteach air. 'Dúirt tú gur gur chlóigh *sé* na Gaill ach tá a fhios ag an saol go mba bhean í Caesar — Julie S. Caesar. Freagair é sin, más féidir leat!'

Phléasc dalta amach ag gáire agus d'fhógair go raibh an ceart ag Katty.

'Deir m'athair nach bhfuil aon mhaith ionat mar mhúinteoir toisc go mbíonn tú ag aistriú anonn is anall is ar ais arís ar fud an chúrsa,' arsa Larky. Ghoill an masla go mór ar an Hipí. 'Abair le d'athair teacht isteach agus inseoidh mé dó cad a bhíonn ar siúl agat.'

Gheall Larky go ndéanfadh sé é sin. Chaoch sé súil ar Dick agus thosaigh sé ag sciotaíl gáire.

'Cic sa tóin maidin Dé Luain! Tabhair greadadh maith dó!' arsa Dick.

Lean an Hipí ar aghaidh ag caint faoi Pharnell agus a lucht leanúna.

'Má thugtar Par*nell* air ba cheart duit par*nell*-ites a thabhairt orthu agus ní *Par*-nellites,' arsa Larky nár thuig go raibh sé in am aige éirí as.

'Níl comhairle uaim ó dhuine a dtéann sé deacair air a ainm a scríobh,' arsa an Hipí go teasaí agus é ag útamáil leis an shiva a bhí faoina mhuineál, agus gheall sé go mbeadh litir á seoladh abhaile gan mhoill chuig a thuismitheoirí.

'Dorn sna magalraí Dé hAoine,' arsa Dick faoina fhiacla.

'Féadfaidh tú do rogha rud a scríobh,' arsa Larky. 'Beidh mise istigh rompu agus glanfaidh mé mo thóin leis an litir.'

183

Scríobh an Hipí amach cárta dearg dó agus lean sé ar aghaidh leis an rang.

Thosaigh Larky ag sciotaíl agus ag magadh le Dick agus le Dwain. Dúirt an Hipí leis fanacht ciúin ach lean sé ar aghaidh leis.

I gceann tamaillín chuir an Hipí ceist air agus ní raibh an freagra aige.

'Measann tú gur féidir leat mé a cheartú agus gan tada á fhoghlaim agat!' arsa an Hipí go teasaí.

'Is múinteoir tusa. Is é an jab atá agat ná féachaint chuige go bhfuilim ag foghlaim,' arsa Larky chomh sotalach maslach agus a d'fhéad sé é a rá.

'Maith go leor!' arsa an Hipí, agus d'ordaigh sé dó an chaibidil iomlán a scríobh amach agus chuir sé aguisín leis an gcárta dearg a bhí scríofa faoi.

'Ba bheag nár thiomáin mé as a focin ciall é!' arsa Larky go mórtasach nuair a bhí an rang thart agus iad go léir ag dul go dtí an Halla Tionóil.

'Sin é an t-aon rud a bhfuil tú in ann a dhéanamh,' arsa Rós.

'Níl ionat ach focin lútálaí. Slúúúúúp! Slúúúúúp! Slúúúúúp!' arsa Larky.

D'fhógair Cormac nach raibh ann ach *retard* gan éirim.

'Cormac an phiteog! Cormac an gléas!' ar seisean.

'Níl ionat ach pleota agus stumpa amadáin,' arsa Rós.

'Focin lútálaithe. Slúúúúúp! Slúúúúúp! Slúúúúúp!' arsa Larky agus ansin chuimhnigh sé ar rud eile. 'Bhí mo chol ceathrair á rá liom gurbh éigean do focin dheartháir a chur faoi ghlas i dteach na ngealt agus nach féidir leis ach 'há' agus 'hú' a rá. Agus deir sé go dtugann siad Rialtóir Mór na hÉireann ar d'athair toisc go bhfuil sé chomh caol le slis agus go bhfuil cloigeann air atá chomh dúr le focin adhmaid.'

Ghoill sé sin go mór ar Rós.

'Má tá tusa chomh cliste sin cén fáth a mbíonn tú ag dul go dtí an rang feabhais?' ar sise.

'Focin lútálaithe. Slúúúúúp!' arsa Larky, 'agus deir sé go raibh an teach a bhí agaibh chomh salach bréan sin gurbh éigean daoibh é a loisceadh go talamh.'

'Focin ráiméis, arsa Cormac, 'agus bhí tusa ag dul go dtí an rang feabhais le deich mbliana agus is ar éigean atá tú in ann *school* a scríobh.'

'Deich mbliana!' arsa Rós agus ionadh uirthi.

Thosaigh na daltaí eile ag bailiú timpeall orthu chun an raic a chloisteáil.

'Sea, tá an Dochtúir Spellman ag dul glan as a chiall ag iarraidh é a mhúineadh.'

'Focin boidín cam!'

Níor bhac Cormac lena fhreagairt ach d'fhógair go mbeadh Larky ag tógáil cáis in aghaidh na scoile toisc go raibh air a ainm a shíniú le X. Phléasc Larky le teann feirge agus spalp sé gach masla agus focal graosta a bhí aige chuige.

'Beidh beart mór comhad ag an dlíodóir faoi,' arsa Rós, 'agus gan d'ainm orthu ach X. Tabharfar na *X Files* orthu.

'Focin peata!' arsa Larky

'Litrigh striapach,' arsa Cormac leis.

Phléasc a raibh timpeall orthu amach ag gáire. Chuaigh Larky le craobhacha ar fad.

'Níl ionat ach focin gandal! Tá tú chomh focin cam le corrán! Is focin piteog thú!' ar seisean in ard a ghutha.

'Ní hea,' arsa Cormac, 'agus is í seo mo chailínse.'

Thacaigh Rós leis.

D'fhógair Larky go raibh sí ina focin leispiach agus ina gléas piteoige!' 'Chaithfeadh sé gur tusa an t-amadán is dúire sa scoil má tá tú fós sa rang feabhais,' ar sise leis.

Bhuail cuthach feirge é agus spalp sé lán a bhéil de shalachar chuici. Gháir Cormac agus dúirt sé léi gan bacadh lena fhreagairt. Bhí Larky chun é féin a bhá san abhann. Bhí nóta scríofa amach aige cheana féin — thrí bhlab mhóra agus x ina ndiaidh.

Phléasc na daltaí amach ag gáire agus chuaigh Larky le báiní ar fad agus spalp sé mallachtaí agus maslaí orthu go léir.

'Ná bac leis. Níl ann ach stumpa amadáin,' arsa Cormac le Rós ach ghoill maslaí Larky go mór air. Ghoill siad uirthise freisin. D'iarr sé uirthi gan a insint dá thuismitheoirí faoin eachtra.

'Beidh sé ina rún,' ar sise. Bhí an bheirt acu an-chiúin agus iad i mbun staidéir an oíche sin. Ansin thosaigh Cormac ag sclogadh gáire. Fuair sé leathanach páipéir agus cheap sé páipéar scrúdaithe Béarla a bheadh oiriúnach do Larky — pictiúr de chat ina shuí ar shúsa agus ceisteanna thíos faoi. Bhain Rós an-ghreann as nuair a thaispeáin sé di é. Bhí sé ina mhála aige nuair a chuaigh an bheirt acu isteach sa rang Ealaíne an mhaidin dar gcionn. Tháinig Larky suas chucu agus thug sé focin *gandail bhréana* orthu.

'Seo páipéar scrúdaithe duit,' arsa Cormac agus thóg sé amach as a mhála é. Ní raibh an múinteoir ag féachaint agus bhailigh Chloe agus roinnt daltaí timpeall lena léamh.

Ceist 1 Litrigh CAT (caillfear marcanna má úsaidtear níos mó ná 12 litir) 40 marc
Ceist 2 Litrigh MATA (ná húsaid níos mó ná 8 litir le do thoil) 40 marc
Ceist 3 Scríobh (nó cum) líne amháin filíochta faoi chat ina shuí ar mhata. 120 marc

Ba bheag nár thacht siad iad féin le neart gáire agus chuaigh Larky le craobhacha arís agus thosaigh ag spalpadh na mallacht orthu go léir. Tháinig an múinteoir ag fiosrú cad a bhí ar siúl.

'Scrúdú Béarla é do Larky,' arsa Cormac. Léigh seisean é, dúirt sé leo luí isteach ar a gcuid oibre agus d'imigh sé leis ag sclogadh gáire.

Lean Larky air ag maslú na beirte agus thug siad le fios dó gur phleota amach agus amach é agus gur chóir dó gach rang a chaitheamh sa rang feabhais.

Nuair a tháinig an rang Gaeilge bhí sé in am ag Larky dul go dtí an rang tacaíochta foghlama nó an rang feabhais mar a thugaidís air. Ní dheachaigh sé ann.

Chuir an Dr Spellman, ceist ar Root cá raibh sé agus dúirt sise nach mbeadh sé ag teacht a thuilleadh. Chuaigh an Dr Spellman go dtí an rang Gaeilge á lorg. Chuir sé focal i gcluais an mhúinteora Ghaeilge agus dúirt sise le Larky an seomra a fhágáil.

Amach le Larky. D'fhógair sé nach rachadh sé go dtí an rang tacaíochta foghlama arís go deo. Mhínigh an Dr Spellman dó go mbeadh air filleadh dá mba mhian leis aon dul chun cinn a dhéanamh ach bhí Larky ar stailc.

Mhínigh an múinteoir dó go raibh rogha aige — dul chun an rang feabhais nó dul chun na hoifige agus labhairt leis an bpríomhoide. Ghabh mire meanma, cuthach feirge agus confadh catha Larky. Las solas buile ina shúile agus d'athraigh a ghnúis. 'Focáil leat! Féadfaidh tú focáil leat!' ar seisean de bhéic agus é beagnach ag léim den talamh le teann feirge. 'Nílimse ag dul ann!'

Rinne an Dr Spellman iarracht a chuir ina luí air gurbh é a leas dul ann ach chuaigh Larky le craobhacha ar fad agus thosaigh sé ag spalpadh na mallacht air in ard a ghutha.

Chuala an múinteoir Gaeilge an raic agus chuir sí a cheann amach an doras. D'iarr sí air dul go dtí an rang feabhais.

'Foc thusa freisin!' arsa Larky agus spalp sé lán a bhéil de mhallachtaí ar an mbeirt acu. Chuir an múinteoir Gaeilge buachaill go dtí an oifig ag iarraidh ar an bPríomhoide teacht chucu. Bhí Mr Potts gnóthach agus tháinig Miss Codd ag fiosrú an scéil. Dúirt sí go mbeadh ar Larky dul go dtí an rang tacaíochta foghlama, agus chuir sé sin fiuchadh na feirge ar fad air. Bhí sé ina chaor bhuile.

'Foc thusa a bhitse!' ar seisean agus spalp sé gach focal salach a bhí aige ar bhean chuici.

Thug sí chun a hoifige é áit ar ghlaoigh sí ar a thuismitheoirí.

'Ní bheidh do thuismitheoirí sásta nuair a chloisfidh siad faoin gcineál cainte atá ar siúl agat,' arsa a rúnaí a raibh aithne aici orthu.

'Agus foc iadsan freisin a chráin mhór amaideach!' arsa Larky agus spalp sé lán a bhéil de mhaslaí chuici freisin.

Ar ámharaí an tsaoil bhí a athair sa bhaile. D'iarr sí air teacht chun na scoile. Ba ghearr gur tháinig sé agus nuair shroich sé an oifig thug Miss Codd cuntas dó ar a raibh ar siúl ag Larky.

'Is mór an t-ionadh é nár tháinig tú chun na scoile tar éis na litreacha a sheol muid chugaibh,' arsa Mr Potts.

'Ní bhfuaireamar litir ar bith ná oiread agus glaoch teileafóin uaibh.'

'Is aisteach sin mar dhiailigh muid bhur n-uimhreacha minic go leor,' arsa Mr Putts agus rith smaoineamh chuige go tobann. D'iarr sé ar an rúnaí comhad Larky a bhreith isteach chuige. Chuir a athair ceist ar Larky cad a bhí tarlaithe do na litreacha. Shéan seisean gur tharla aon rud dóibh.

Thóg Mr Putts amach litir ón gcomhad a raibh ainm agus seoladh athair Larky air ag rá go raibh uimhreacha nua teileafóin aige féin is ag a bhean.

'Ní mise a scríobh é sin,' arsa a athair agus d'ordaigh sé do Larky an scéal a mhíniú.

'Foc sibh go léir! Ní gá dom fanacht anseo ag éisteacht le triúr focin bastard ag caint fúm! Féadfaidh sibh dul suas oraibh féin!' arsa Larky de bhéic agus ghread sé leis amach as an oifig, síos leis aibhinne na scoile agus amach an bóthar agus é fós ag fógairt orthu in ard a ghutha agus ag spalpadh na mallacht orthu agus ar mhúinteoirí agus ar dhaltaí uile na scoile.

Phléigh Mr Putts agus Miss Codd an scéal le hathair Larky.

'Táim chun é a chur ar fionraí agus táim chun litir oifigiúil a sheoladh abhaile chugat ag iarradh ort é a thabhairt leat go dtí an chéad chruinniú eile den Bhord Bhainistíochta.'

Scaip an scéal ar fud na scoile ag am lóin agus bhí na daltaí go léir cinnte go gcaithfí amach as an scoil é.

D'fhill sé ar an scoil in am chun an bus a fháil ach ní dheachaigh sé abhaile. Bhí imní ar a thuismitheoirí go mb'fhéidir go raibh dochar déanta aige dó féin. Bhí sé ag éirí déanach. Thosaigh siad ag glaoch ar a gcairde ach ní raibh tásc ná tuairisc air. Níor mhian leo glaoch ar na Gardaí ach ghlaoigh siad ar an Athair Plankton. Ní raibh aon scéal aige sin ach mhol sé dóibh cuairt a thabhairt ar theach Dick nó Dwain.

Níorbh iad muintir Larky an t-aon teaghlach a fuair litir faoina mhac. Nuair a d'fhill Rós ar a teach bhí litir ag Mary ón bhunscoil ag iarraidh uirthi agus ar Joe orthu dul chun cainte leo mar gheall ar iompar Phatrick.

'Tá sé seo an-tromchúiseach,' arsa Rós agus dúirt go mbeadh orthu dul.

'Nílimse ag dul chuig aon focin scoil,' arsa Joe. 'Ní raibh mé ag teastáil uathu nuair a bhí mé ar scoil, ach iad dom' chrá.'

Bheadh ar Mhary dul ann.

'Cad a dúirt an múinteoir?' arsa Rós nuair a d'fhill sí sa tráthnóna.

'Bhí mé ag caint lena mhúinteoir agus leis an bpríomhoide freisin.'

'Ach cad a dúirt siad?'

'Deir siad nach bhfuil aon dul chun cinn á dhéanamh aige,' ar sise agus í míshásta go mór leis an scéal. 'Deir siad go bhfuil sé éirimiúil ach nach bhfuil sé ag déanamh puinn oibre, agus go mbíonn sé ag troid agus ag caint sa rang agus ag cur isteach ar na daltaí eile agus nach ndéanann sé aon obair bhaile…'

'Ní haon scéal nua é sin.'

'Agus deir siad go mbíonn sé ag caitheamh toitíní.'

'Ní haon scéal nua é sin ach oiread.'

'Gheall mé dóibh go labhróinn leis agus tá sé sin déanta agam.'

Mheas Rós gur beag an mhaith a dhéanfadh sé sin. Thóg sí Patrick ar leataobh nuair a fuair sí an deis.

'An mian leat fás suas agus gan é a bheith ar do chumas oiread agus lá oibre a dhéanamh?' ar sise. Thosaigh sé ag magadh fúithi.

'Tá na comharthaí sóirt go léir le feiceáil,' ar sise, 'na toitíní, an díomhaointeas, an tseafóid. Beidh tú chomh holc le Dysfunctional Dick agus le Larky ar ball.'

D'fhill sé abhaile an lá dár gcionn agus litir aige ag rá go raibh sé á chur ar fionraí ar feadh seachtaine.

'An bhfuil tú sásta anois?' arsa Rós.

'Tá sé go hiontach! Beidh ortsa dul ar scoil ach tá saoire

seachtaine agamsa,' agus thosaigh sé ag magadh agus ag gáire fúithi.

'Cad in ainm foc a bhí ar siúl agat?' arsa Joe nuair a tháinig sé isteach.

'Bhí mé ag troid sa rang—ach thosaigh an buachaill eile é.'

'Tá súil agam gur chríochnaigh tusa é,' arsa Joe.

Bhí a fhios ag Rós go mbeadh sé fuar aici focal a rá.

Bhí culaith nua ceannaithe ag Bean Uí Ghallchóir agus stíl nua aici ina cuid gruaige.

'Nach tú atá ag breathnú go healaíonta agus go galánta,' arsa an tAthair Plankton nuair a shiúil sí isteach i seomra na múinteoirí.

'Go raibh maith agat, a Athair.'

'Tá crannchur á reáchtáil againn chun duine breoite a chur go Lourdes agus táim ag súil le tráth na gceist boird a eagrú sa scoil. Ar mhaith leat cabhrú liom?'

'Tá brón orm, a Athair, ach ní bheadh maith dá laghad ionam ag déanamh an cineál sin oibre agus caithfidh mé rith anois mar tá míle rud le déanamh agam.' Rug sí ar roinnt leabhar agus d'imigh sí léi.

'Nach aisteach an rud é, a Athair,' arsa an Dr Woods, 'nár luaigh sí nach bhfuil maith dá laghad inti chun aon chineál eile oibre a dhéanamh ach oiread?'

Bhí an sagart bocht ródhiscréideach chun aon rud a rá ach d'iarr sé air cabhrú leis ag eagrú an chrannchuir.

'Cinnte. Cinnte.'

Nuair a tháinig am sosa bhí cupán tae ina láimh dheis ag Bean Uí Ghallchóir, aoibh mhór ar a béal agus í ag útamáil lena slabhraí óir lena láimh chlé. D'fhógair sí go raibh leabhar iontach á léamh aici. 'Caithfimid fáiltiú roimh gach nóiméad,' ar sise go sollúnta. 'Nuair a bheidh an nóiméad thart beidh sé imithe go deo. Caithfimid taitneamh iomlán a bhaint as fad atá sé againn.'

'Féach air seo,' arsa an Dr Woods leis an Hipí agus bhuail suas chuici. Chuir sé aghaidh staidéarach air féin agus labhair sé léi. 'Is iontach an dearcadh sin atá agat ach ar chuala tú go bhfuil crannchur le cur ar siúl?'

'Chuala.'

'Bhuel, d'iarr an tAthair Plankton orm a fhiafraí díot ar mhaith leat ceann de na seanslabhraí sin a bhíonn agat timpeall do mhuinéil a thabhairt i gcomhair an chrannchuir.'

'Cad a d'iarr sé?' ar sise agus an fhearg ag éirí inti.

'Sea. Níl ann ach moladh a rinne duine éigin agus d'iarr sé orm é a lua leat,' ar seisean agus an chuma staidéarach fós ar a aghaidh.

'Bhuel! A leithéid de shotal damanta! Bíodh a fhios agat go bhfuil siad déanta de dheargór! Tá siad thar a bheith luachmhar agus lena chois sin is bronntanais phearsanta iad a bhfuil luach ollmhór maoithneach ag baint leo! Ollmhór!' ar sise go lasánta.

'Tá brón orm cur as duit ach shíl sé go bhféadfadh sé cúpla euro a fháil orthu.'

'Masla millteach é sin!' ar sise de bhéic, 'Inseoidh mé dó an meas atá agam air!' agus réab sí léi amach as an seomra le cuthach buile. D'fhéach na múinteoirí go léir ina diaidh.

'Cad atá uirthi?'

'Tá ag teip uirthi taitneamh a bhaint as an nóiméad,' arsa an Hipí.

Ní raibh an sagart sa seomra ach bhuail Bean Uí Ghallchóir le Mr Putts sa Halla Tionóil.

'Masla amach agus amach é seo!' ar sise de bhéic. D'fhéach na daltaí timpeall uirthi.

'Cad atá ort? Cad atá cearr?' ar seisean agus d'iarr uirthi bogadh ar leataobh.

Phléasc sé amach ag gáire nuair a chuala sé an scéal. Ba chóir go mbeadh níos mó céile aici ná a bheith ag éisteacht le focal amháin ó áilteoir mar an Dr Woods.

Dúirt Cormac go ndíolfadh sé cúpla leabhar ticéad don chrannchur.

'Ceannaigh ticéad, a Athair. Tá duaiseanna iontacha le buachan,' ar seisean leis an Athair Plankton agus meangadh mór ar a bhéal.

'Cén chaoi a bhféadfainn aoibh mhór gháire mar sin a dhiúltú?' arsa an sagart agus cheannaigh sé leabhar. Bheadh na sluaite sa tóir air ag iarraidh iad a cheannach agus b'fhearr dó iad a cheannach luath ná iad a cheannach mall.

'An inseoidh tú dom nuair a bheas an duais buaite agam?'

'Glaofaidh mé ort a luaithe agus a bheidh scéal agam. Cén duais atá uait?'

Gháir an sagart.

'Déanfaidh duais ar bith an gnó.'

Nuair a d'fhill Rós abhaile an tráthnóna sin d'inis Mary di gur tháinig scéal chucu go raibh cruinniú an choiste chróinéara curtha ar athló ar chúis éigin.

Ní raibh a fhios ag Rós fiú go raibh dáta socraithe.

'Fuaireamar litir tamall ó shin.'

'Go raibh míle focin maith agat!' ar sise go teasaí. 'Cathain a bheidh sé ar siúl?'

'Ó, tá an litir ag do dheaid. I mí Eanáir nó Feabhra, is dóigh liom!'

'Go raibh míle focin maith agat!' ar sise agus ghread sí léi suas go dtí a seomra.

Bhí meascán mearaí ar Mhary agus praiseach déanta aici den scéal. Ba é a bhí ráite sa litir ná gur dona leo an tubaist a tharla agus go suífeadh an coiste a luaithe agus ab fhéidir chun go bhféadfaidís clabhsúr a chur ar an scéal tragóideach.

Bhí múinteoir óg, Miss Golden, agus baill uile an bhoird bhainistíochta i láthair nuair a sheol Mr Putts Larky agus a thuismitheoirí isteach chucu. D'iarr Mr Putts ar an triúr acu suí síos agus chuir sé in aithne iad do lucht an bhoird. D'iarr sé ar Larky ansin cuntas a thabhairt faoinar tharla nuair a dúradh leis dul go dtí an rang tacaíochta foghlama.

'D'éirigh mé feargach — bhí mé ar buile ar fad,' arsa Larky agus a cheann faoi.

'Agus cén sórt cainte a bhí in úsáid agat?'

'Bhí mé ag eascainí,' arsa Larky.

'D'fhéadfá é sin a rá,' arsa Mr Putts agus léigh sé amach na cuntais a scríobh na múinteoirí agus Miss Codd faoin eachtra. Bhí alltacht ar bhaill an bhoird ach amháin ar ionadaithe na múinteoirí a raibh an scéal cloiste acu. Thóg Mr Putts amach beart mór cártaí dearga a bhí faighte ag Larky ó tháinig sé chun na scoile agus thosaigh á léamh. Fianaise a dhamnaithe a bhí iontu.

Chuir lucht an bhoird ceisteanna air faoina iompar i gcoitinne agus faoin eachtra.

'Cad é do mheas féin faoi?'

Ba bheag a d'fhéadfadh Larky a rá ach go ndeachaigh sé le craobhacha ar fad. Níor fhéad sé aon mhíniú a thabhairt ar na cártaí dearga a bhí scríofa faoi, áfach.

Dúirt a athair go raibh sé deacair air rudaí a fhoghlaim

agus go mbíodh frustrachas air dá bharr, agus dúirt a mháthair go dtéadh sé le cuthach feirge ó am go chéile agus nach bhféadfadh éinne ceart ná cóir a bhaint de.

Bhí seanfheirmeoir ina bhall den bhord, é chomh maol le liathróid phúil, tiús iontach ina mhalaí bána agus guairí bána ag fás amach as a chluasa dearga. Ionadaí an Choiste Ghairmoideachais ab ea é agus labhair sé amach go díreach.

'Nuair a bhí mise ar scoil — agus ní inniu ná inné é sin — ní bhíodh gíog ná míog as na daltaí mar bhíodh bata ag an múinteoir agus d'fheannfadh sé an craiceann díobh dá ndéarfadh siad tada as bealach. Níl sa bhuachaill seo ach coileán agus é ag tabhairt dúshlán na múinteoirí.'

Sheas sé suas agus shín sé méar i dtreo Larky. 'Is cosúil go gcreideann an maistín seo go bhfuil cead a chinn aige a rogha rud a dhéanamh sa scoil agus a bheith ag déanamh tagairtí gáirsiúla agus ag iarraidh olc a chur ar mhúinteoirí agus ag troid leo, agus gan cead ag na múinteoirí oiread agus méar a leagadh air. Ba chóir bata agus bóthar a thabhairt dó an chéad lá riamh ar scríobhadh cárta dearg faoi.'

Thit an lug ar an lag ar Larky. D'iarr a athair pardún an bhoird agus na múinteoirí agus gheall sé go bhféachfadh sé chuige go n-iarrfadh a mhac pardún na múinteoirí go léir a scríobh amach na cártaí faoi. Dúirt a mháthair go raibh sé ar intinn aici an jab a bhí aici a roinnt le duine eile chun go mbeadh níos mó ama aici sa bhaile. D'fhéachfadh sí chuige go ndéanfadh Larky a mhíle dícheall feasta.

Nuair a cuireadh ceist ar Larky dúirt sé go raibh brón an domhain air, agus nach mbeadh oiread agus gíog as dá ligfí ar ais ar scoil é, ach é ag obair go dícheallach.

Nuair a bhí deireadh ráite dúirt Mr Putts go ndéanfadh an bord machnamh ar an scéal agus go gcloisfeadh siad uathu gan mhoill. D'fhág an triúr acu an seomra.

'A Íosa! Níor chuala mé a leithéid riamh!' arsa an sean-fheirmeoir. 'Beidh deireadh leis an scoil mura dtugann sibh bata agus bóthar dó.'

Dúirt duine eile go raibh a thuismitheoirí sásta gach tacaíocht a thabhairt don scoil. Ba léir di go raibh aiféala orthu agus ar Larky féin. D'aontaigh daoine eile leo.

Labhair Miss Golden amach go tréan. 'Tá cúrsaí oideachais ag dul chun donais in aghaidh an lae in Éirinn. Ba é sin an eachtra ba mheasa a tharla riamh sa scoil. Má cheadaítear dó filleadh beidh a fhios ag na daltaí go léir go bhféadfaidh siad a rogha rud a dhéanamh.'

Thacaigh an múinteoir ealaíne léi.

'Ach fós ní féidir a shéanadh go raibh aiféala ar an mbuach-aill agus ar a thuismitheoirí,' arsa ionadaí na dtuismitheoirí.

Labhair Miss Golden arís. 'Tá sé tar éis gach masla agus focal salach atá aige a spalpadh le beirt mhúinteoirí, leis an bpríomhoide, leis an rúnaí agus leis an leas-phríomhoide. Tá na cúirteanna sásta na Gardaí a chosaint. Ba chóir go mbeadh an Bord seo sásta na múinteoirí a chosaint.'

Thacaigh an seanfheirmeoir léi. Ní fhéadfaí smacht a chur ar éinne dá ligfí ar ais é.

Chíor siad an scéal agus faoi dheireadh bheartaigh siad ligean do Larky filleadh ar choinníoll go n-iarrfadh sé pardún na múinteoirí a mhaslaigh sé, agus ar an dtuiscint go ruaigfí as an áit é dá bhfaigheadh sé oiread agus cárta dearg amháin eile. Níor aontaigh na múinteoirí ná an seanfheirmeoir leo ar chor ar bith.

Nuair a bhí an fhoireann bailithe chun cupán tae a fháil an mhaidin dar gcionn thug Miss Golden cuntas dóibh faoinar tharla ag cruinniú an Bhoird.

Labhair Bean Uí Ghallchóir amach go tréan. 'Má ghlactar ar ais é beidh deireadh leis an scoil. Beidh cead a chinn ag gach dailtín agus mionchoirpeach a rogha rud a dhéanamh agus a rogha mhaslaí a spalpadh chugainn.'

Thacaigh an Hipí léi. Labhair Miss Golden.

'Vótáil an bheirt againn in aghaidh an chinnidh ach buadh orainn. Ní mór cuimhneamh, áfach, dá ruaigfí Larky amach as an scoil, agus dá dtógfadh a mhuintir cás in aghaidh na scoile d'fhéadfadh abhcóide argóint a dhéanamh go raibh aois éirime faoi bhun an mheáin ag a chliant, agus go raibh sé oibrithe de thoradh maslaí daltaí eile agus d'fhéadfadh sé cás maith a chruthú nach mbeadh sé cóir é a dhíbirt as an scoil.'

'Ócar buí,' arsa an múinteoir ealaíne.

'Cad atá i gceist agat le hócar buí?' arsa Bean Uí Ghallchóir.

Rinne an múinteoir ealaíne gáire beag agus dúirt gurb é sin an dath a bhíonn ar bhuinneach nó sciodar agus go raibh sé i bhfad níos béasaí *ócar buí* a rá ná *cac*.

Gháir na múinteoirí.

'Go raibh maith agat,' arsa Bean Uí Ghallchóir. 'Féadfaimid a rá go bhfuil an scoil á bá san ócar buí.'

'An bhfuil cearta ar bith againn mar mhúinteoirí?' arsa an Hipí.

'Níl. Táimid go léir tumtha go smig san ócar buí,' arsa an Dr Woods. Gháir na múinteoirí agus mheas Bean Uí Ghallchóir go mba sheafóideach an mhaise é do mhúinteoirí greann a dhéanamh de scéal chomh tromchúiseach.

'Feicfimid conas a thaitneoidh sé libh nuair a thosaíonn Larky ag spalpadh na mallacht agus ócair bhuí oraibh féin,' ar sise.

Bhí dul amú uirthi. D'fhill Larky go maolchluasach ar an scoil nuair a bhí a théarma fionraíochta curtha isteach aige.

Bhí na seachtainí ag imeacht go tapaidh. Bhí córas maith slándála faighte ag Gearóid don teach. Ní raibh aon ionsaí déanta ar Chormac fós agus bhí a thuismitheoirí ag guí go raibh an donas thart. Bhí slua mór i láthair i halla an pharóiste don chrannchur. Cuireadh na ticéid i mbosca mór agus casadh timpeall go maith iad. Gearóid a bhí ina fhear an tí agus d'iarr sé ar an Athair Plankton teacht aníos agus na ticéid a tharraingt. Suas ar an stáitse leis. Thosaigh siad leis an duais ba lú — dhá bhuidéal fíona. Tugadh bualadh bos mór nuair a ghlaoigh sé amach ainm an bhuaiteora. Buidéal uisce beatha an chéad duais eile. Bhí béiceacha fiáine ón slua nuair a tharraing an sagart ainm Mr Potts as an mbosca.

Thosaigh daoine ag béicíl go raibh sé 'socraithe' roimh ré, ach ní raibh siad ach ag magadh.

Tharraing an tAthair Plankton cúig ainm eile agus bronnadh na duaiseanna orthu.

'Anois an duais dheireanach — deireadh seachtaine do bheirt san Imperial Hotel i gCorcaigh,' arsa Gearóid.

Thug an sagart croitheadh maith don bhosca, chuir a lámh isteach arís agus tháinig ciúnas ar a raibh i láthair. Tharraing sé amach an ticéad agus thug do Ghearóid é. Thosaigh seisean ag gáire. Bhí an sagart tar éis a thicéad féin a tharraingt.

Thosaigh na daoine ag béicígh go raibh sé socraithe roimh ré arís, ach ba leis an sagart an duais.

'An bhfuil seans ar bith ann go bhféadfainn an t-airgead a fháil ina áit?' ar seisean le Gearóid nuair a bhí gach rud thart, agus mhínigh sé dó go raibh na blianta fada caite aige i gCorcaigh agus go rachadh sé glan as a stuaim dá mbeadh air dul ann arís. Ní raibh a fhios ag Gearóid. Chuir sé glaoch ar na daoine a bhronn an duais ach dúirt siadsan nach bhféadfaí aon rud a dhéanamh faoin scéal, mura ndíolfadh sé an duais le duine éigin.

'Tuigim. Go raibh maith agat,' arsa an sagart.

Chuaigh sé go teach Rós agus bhuail sé cnag ar an doras. D'fhreagair Mary é. Labhair sí leis ag an doras.

'An bhféadfainn teacht isteach?' ar seisean.

'Cinnte, a Athair.'

Nuair a chuaigh sé isteach d'inis sé di faoin duais agus thug sé di é. Bhí ríméad uirthi.

Buachaill nua sa scoil ab ea Aaron Kent. Bhuail sé le Dick sa leithreas le linn sosa.

'An bhfuil aon drugaí agat?'

'Níl inniu.'

Bhí Aaron sa dara bliain ach ní raibh sé sa ghrúpa céanna le Dick. Bheartaigh sé suí isteach in éineacht leis nuair a bheadh rang aige le Bean Uí Ghallchóir go bhfeicfeadh sé cad a déarfadh sí.

'Téigh go dtí do rang ceart, a Aaron,' ar sise a luaithe is a chuaigh sí isteach sa seomra.

'Foghraigh m'ainmse i gceart,' ar seisean. '*Arran* an chaoi lena rá agus ní *Éireann*'.

D'airigh sí an fhuil ag éirí inti. Bhí sé ag tabhairt a dúshlán.

'Cibé ainm atá ort. Níl tusa sa ghrúpa seo. Gluais leat láithreach go dtí do rang ceart.'

'B'fhearr liom a bheith sa rang seo.'

'Téigh ar ais go dtí an rang inar cuireadh thú.'

Níor bhac Aaron léi ach chas sé i dtreo Dick.

'An mbíonn sí chomh cantalach seo i gcónaí?' ar seisean.

'Níos measa,' arsa Dick.

'Téigh go dtí do rang ceart láithreach, a Aaron,' ar sise go teasaí.

'Tabhair m'ainm ceart orm ar dtús!'

Bhí Dick agus a chairde sna trithí gáire. D'fhan Aaron mar a bhí sé.

'Táim chun leathanach pionóis a thabhairt duit.'

'Níl aon rud déanta as bealach agam,' ar seisean agus gáire mór ar a bhéal. 'Nílim chun é a dhéanamh agus sin sin.'

'Tar liom go dtí an príomhoide,' ar sise. Chas sé timpeall sular fhág sé an seomra, strainc mhór ar a bhéal agus chroith sé lámh leis na daltaí. 'Slán agaibh go léir!'

Bhí Miss Codd ag teacht anuas an dorchla. Mhínigh Bean Uí Ghallchóir an scéal di.

'Scríobh litir abhaile faoina iompar agus iarr ar an rúnaí cóip di a chur ina chomhad,' ar sise agus thug sí Aaron léi go dtí a rang ceart.

D'fhill Bean Uí Ghallchóir ar an seomra. Rang Oideachas Saoránach, Sóisialta agus Polaitiúil a bhí ann agus ba í an obair bhaile a bhí tugtha aici dóibh ná féachaint sna páipéir nuachta agus ailt faoi chúrsaí reatha nó faoin bpolaitíocht a ghearradh amach. Chuaigh sí timpeall ag féachaint ar na rudaí a bhí acu. D'airigh sí sciotaíl ó chúl an ranga. Bhí Dick ag taispeáint rud éigin do na buachaillí taobh leis. Chuaigh sí ag fiosrú an scéil. Bhí pictiúr de chailín leathnocht aige.

'D'iarr mé ort alt faoin bpolaitíocht a ghearradh amach!' ar sise go teasaí.

'Ach tá alt faoi stailc anseo,' ar seisean agus gáire mór ar a bhéal. D'ardaigh sé an leathanach chun go bhfeicfeadh na daltaí eile an cailín.

'Preit!' ar sise agus chuaigh sí ag féachaint ar a raibh ag na daltaí eile.

'Tá tú le ceangal toisc go bhfuil sí dathúil mealltach is go bhfuil cíocha níos deise aici ná na tornapaí móra sin atá agat féin,' ar seisean faoina fhiacla. Ar ámharaí an tsaoil bhí cluasa géara ag Bean Uí Ghallchóir agus chuala sí go maith é. Rug sí greim ar chúl a gheansaí agus thiomáin sí roimpi amach an doras é.

'Níl cead agat méar a leagadh ar dhalta,' ar seisean. 'Cuirfidh m'athair fios ar ár ndlíodóir!'

'Ócar buí!' ar sise agus thiomáin sí roimpi go hoifig Mr Putts é áit ar mhaígh sí go raibh ciapadh gnéasach ar siúl aige.

Dhiúltaigh sé glan é. Bhí scéal cumtha aige.'Bhí mé ag caint faoi na stailceoirí. Is é an rud a dúirt mé ná: 'Tá siad le ceangal mar go bhfuil saol breá mealltach ag múinteoirí agus potaí móra airgid acu mar atá agat féin,' ar seisean. 'Agus tá sise tar éis ionsaí a dhéanamh orm. Rug sí greim ar mo gheansaí. Níl cead ar bith aici é sin a dhéanamh agus inseoidh mé dár ndlíodóir faoi.'

B'fhurasta a fháil amach cad a bhí ráite aige. D'fhill an triúr acu ar an seomra agus d'iarr Mr Putts ar na daltaí an rud a dúirt Dick a scríobh amach. Níor scríobh éinne acu faoi photaí móra airgid.

Thóg sé Dick leis ar ais go dtí an oifig. 'Caithfidh tú an chuid eile den lá lasmuigh dem oifigse ag scríobh amach leathanaigh phíonóis go dtí go dtitfidh do lámha díot.'

'Rinne sí ionsaí orm. Rug sí ar mo gheansaí. Dóbair gur thacht sí mé. Cloisfidh sibh ónár ndlíodóir!'

'Go maith! agus a luaithe is a chloisimid uaidh is amhlaidh is fearr é,' arsa Mr Putts.

Ní mó ná sásta a bhí Bean Uí Ghallchóir.

'Ciapadh gnéasach a bhí ann!' ar sise le Mr Putts i ndiaidh an ranga. 'Ba cheart an focar beag a ruaigeadh amach as an scoil. Ní ceart go leagfadh sé oiread agus cois ar an talamh!'

Mhol sé di cárta a scríobh amach agus go ngníomhódh sé ag an am caoi.

'Ciapadh gnéasach gan náire a bhí ann agus anois an

t-am lena ruaigeadh!' ar sise go lasánta.

'Dream dainséarach iad a mhuintir,' arsa Mr Putts. 'Bhí mé ag caint le príomhoide na scoile ina raibh a dheartháir. Tá siad an-dainséarach go deo! Dá gcuirfinn an ruaig ar an ndailtín bheadh litir againn le casadh an phoist óna ndlíodóir.'

'Déanfaidís iarracht an dlí a chur orainn!' ar sise.

'Sheasfainnse go hiomlán leat ach ní mór cuimhneamh go mbeadh an scéal sna nuachtáin go léir.'

'Bíodh sé iontu!' ar sise go teasaí. 'Is cuma liomsa faoi! Seasfaidh mé le mo chearta!'

'Tá a fhios agat an chaoi a bhfuil na nuachtáin — gach aon seans go mbeadh siad ag tabhairt 'Cás na dTornapaí Móra' air mar scéal.'

D'airigh sí an fhearg ag éirí inti ach thuig sí go raibh an ceart aige.

'Ná habair siolla faoin méid seo,' ar seisean, 'ach bhí a athair ullamh le cás a thabhairt in aghaidh múinteora eile. Tá an scéal sin faoi rún agus ní féidir liom labhairt faoi, ach sin an sórt daoine atá iontu. Agus rud eile — bhí mé ag imirt gailf le duine de na Gardaí le linn an deireadh seachtaine, agus d'inis sé dom gur mheas siad gurb é deartháir Dick a rinne bagairt ar dhuine de dhaltaí na scoile.

'Cad a bhagair siad air?'

'Tá sé seo faoi rún agus ná luaigh siolla faoi le duine ar bith. Bhagair siad go loiscfeadh siad an teach agus go maródh siad é, agus ní dóigh liom go bhfuil deireadh cloiste againn faoin scéal sin. Táimse á rá leat gur drochdhream iad. Drochdhream amach agus amach.'

'Cén fáth ar ligeadh an bastard isteach sa scoil an chéad lá riamh?'

'Pobalscoil í seo. Ní féidir dalta a choinneáil amach toisc

go bhfuil a dheartháir ina choileán. Dá n-ordóinn dó dul os comhair an bhoird bhainistíochta bheadh orm cuireadh a thabhairt dó a dhlíodóir a bhreith leis. Sin é an dlí.'

'A Íosa! Tá na ciaróga dubha i gceannas na cistine!' ar sise agus í le ceangal. 'Tá an córas oideachais millte!'

'Tabhair seans dó agus crochfaidh sé é féin,' ar seisean agus mhol sé í as a dúthracht agus a feabhas mar mhúinteoir. D'fhill sí ar a rang chomh míshásta le seanliopard baineann a raibh an chreach a bhí gafa aici sciobtha uaithi ag scata babún.

'Tá an scoil seo bréan,' ar sise nuair a bhuail sí leis an Hipí i seomra na múinteoirí agus d'inis sí dó faoina raibh ar siúl ag Dick. Chonaic siad Miss Codd ag crochadh leathanaigh ar chlár na bhfógraí.

'Féadfaidh sibh moltaí a scríobh air i gcomhair chlár an chéad chruinnithe eile foirne,' ar sise.

'Tá moladh agam,' arsa Bean Uí Ghallchóir, agus scríobh sí an focal SMACHT i litreacha móra dearga ar bharr an liosta.

Bhí sí fós le ceangal nuair a chuaigh sí abhaile agus thug sí lán a bhéil dá fear céile faoin scéal. Bhí lá fada caite aige ag obair agus ba bheag fonn a bhí air éisteacht léi ag bladaireacht faoi chúrsaí scoile. Lena chois sin bhí air dul go cruinniú eile. Mhol sé di deoch a ól agus d'imigh sé leis.

'Go raibh míle maith agat, a bhalacs!' ar sise nuair a dhún sé an doras ina dhiaidh. Chuaigh sí go hóstán agus shuigh sí ar chathaoir bhog uilleach. D'ól sí cúpla deoch ach bhí sí fós le ceangal nuair a chonaic sí Iníon de Paor ag siúl isteach.

'Anall anseo!' ar sise de bhéic. 'Seo. Bíodh deoch agat. Cad a ólfas tú?'

Shuigh an múinteoir óg taobh léi agus ba ghearr go raibh siad ag plé dailtíní na scoile.

'Ó, tabhair Alice orm,' arsa Bean Uí Ghallchóir agus thosaigh sí ag cur síos go fileata orthu. Bhí drochmheas aici ar fhormhór na múinteoirí freisin. 'Fan glan amach uathu go léir,' ar sise, 'agus maidir leis an Dr Woods sin níl an gob sa chac sprionlaitheach, santach nach dtuigfeadh an difríocht idir dán álainn slachtmhar agus an t-árthach faoin leaba!' agus phléasc an bheirt acu amach ag gáire.

Bhí roinnt ólta ag Iníon de Paor sular shroich sí an tábhairne agus bhí an braon ag éirí ina ceann. Chuir sí a comhghleacaí faoi bhrí na mionn agus d'inis sí di faoi Dysfunctional Dick agus a chuid síl agus faoin turas a bhí uirthi tabhairt ar dhlíodóir an cheardchumainn.

'A Íosa! An bhfuil tú ag rá gur éalaigh sé slán ón eachtra?' ar sise.

Mhínigh an múinteoir óg go raibh uirthi a phardún a ghabháil.

'A Íosa! Is é sin an rud is measa riamh!' arsa Bean Uí Ghallchóir agus fiuchadh na feirge uirthi. 'Dá ndéanfadh sé rud mar sin ormsa stracfainn an cloigeann den bhalacs agus ba chuma sa diabhal liom cad a dhéanfadh a thuismitheoirí ná a dhlíodóir damanta.'

'Táim ag smaoineamh ar éirí as an múinteoireacht ar fad. Murach an t-airgead agus an dua go léir a chaitheas chun an tArdteastas san Oideachas a bhaint amach déarfainn le Mr Putts an scoil a shá suas a thóin.'

D'imigh Bean Uí Ghallchóir go dtí an leithreas agus d'fhill sí le deochanna eile. 'Ní ligfinn do choileán ar bith an ruaig a chur orm amach as an scoil,' ar sise agus í á leagadh anuas ar an mbord.

'Mura mbeadh Dick do mo chrá bheadh dailtín eile á dhéanamh.'

'A Íosa, an chaoi a mbíonn orainn muid féin a náiriú ag

déileáil le cacanna beaga!' ar sise agus dúirt go mbeadh scéal an smachta á phlé ag an gcéad chruinniú foirne eile agus go raibh sé ar intinn aici raic an domhain a thógáil faoi.

'Bíonn tagairtí gnéasacha aige gach uair a théim thairis,' arsa Iníon de Paor, 'ach deir sé ar bhealach iad nach bhféadfainn an leabhar a thabhairt gurb eisean atá á rá nó gur ag tagairt domsa atá sé.'

'Mharóinn an bastard! Thiomáinfinn suas go Putt Putt é agus ní fhágfainn an oifig go gcuirfeadh sé an ruaig air.'

'Mar bharr ar an donas milleadh doirse mo chairr le tairne agus bíonn rudaí graosta scríofa fúm ar bhallaí na scoile agus ar chóipleabhair.

'Ar inis tú do Putt Putt faoi?'

'D'inis ach níl sé in ann a dhéanamh amach cé a scríobh iad.'

Bhí sé déanach nuair a shiúil siad amach as an óstán. Ghlaoigh siad ar tacsaí. 'Gabhaim buíochas do Dhia nach bhfuilim ag tosú amach ag múineadh,' arsa Bean Uí Ghallchóir, 'Ní ceart go mbeadh ar mhúinteoir ar bith cur suas leis an gcac a mbíonn orainn cur suas leis! Tá sé in am againn spóirseach mhór thine a lasadh faoi thóin Putt Putt, agus leanúint dá séideadh go gcuirfidh sé béasa ar scabhaitéirí agus ar dhailtíní na scoile nó go gcuirfidh sé an ruaig orthu.'

D'aontaigh a compánach léi ach thuig sí gur bhinn béal ina thost dá mbeadh post buan ag teastáil uaithi ag deireadh na bliana.

Bhí Bean Uí Ghallchóir sa seomra foirne nuair a d'oscail Aaron Kent an doras gan cnagadh agus shiúil sé isteach gan cuireadh.

'Litir agam duit ó m'athair,' ar seisean léi agus strainc mhór gháire ar a bhéal. 'Bíodh lá deas agat,' agus d'imigh sé leis ag rapáil: *'I got a passion in my pants and I ain't afraid to show it. I'm sexy and I know it! I'm sexy and I know it!'*

D'oscail sí an litir agus léigh í:

A Bhean Uí Ghallchóir,
Tá rudaí níos fearr le déanamh agam seachas a bheith ag léamh focin litreacha uaitse faoi Aaron. Ná seol a thuilleadh chugam.
Tom Kent (athair)

Chuaigh sí caol díreach go dtí an oifig.

'Dream an-bhaolach iad a mhuintir,' arsa Mr Putts.

'An bhfuil cead a chinn aige dúshlán gach múinteora sa scoil a thabhairt mar sin?'

'Scríobh amach cárta dearg dó.'

'A Íosa! Cad is fiú cárta dearg! Ní amháin go bhfuil na ciaróga dubha i seilbh na cistine ach tá na francaigh i gceannas na loinge!'

Shearr Mr Putts a ghuaillí.

'Sin mar atá an scéal na laethanta seo. Dá n-iarrfainn ar chigire na Roinne an scéal a fhiosrú tá gach aon seans do ndéarfadh sé gur samplaí iad de dhrochiompar ar mheán-leibhéal nó ar íseal-leibhéal.'

Fuair Mary agus Joe cúpla litir ag gearán nach raibh Patrick ag freastal ar an scoil.

'Tá siad glan as a meabhair!' ar seisean. 'Seachtain amháin deir siad liom gan dul ar scoil agus an chéad seachtain eile deir siad go bhfuil siad chun an t-oifigeach tinrimh a chur i mo dhiaidh toisc nach bhfuilim ar scoil.'

Tháinig an t-oifigeach chun an tí agus labhair sé le Mary.

'Déarfaidh mé le Joe léasadh a bheatha a thabhairt dó nuair

a bhéarfadh sé air,' ar sise ach mhol an fear di gan aon rud mar sin a dhéanamh. Labhair sé léi ar feadh tamaill mhaith.

'Cathain a bheidh Michael ag filleadh ar an scoil?' ar seisean faoi dheireadh.

'Deir an dochtúir go bhféadfaidh sé dul ar scoil san athbhliain.'

D'fhág an t-oifigeach an teach agus barúil aige nach mbeadh sé ar a chumas mórán a dhéanamh faoi Phatrick go dtiocfadh ciall chuige.

7

Bhí gearróga dorcha an gheimhridh tagtha agus an Nollaig ag teannadh leo. Bhí na múinteoirí gnóthach ag ullmhú a gcuid páipéar scrúduithe agus bhí an meaisín fótachóipeála ag obair gan stad. Cuireadh na scrúduithe ar siúl agus bhí daltaí ar a ndícheall ag scríobh. Ba mhian le Cormac agus le Rós marcanna den scoth a fháil i ndiaidh na hoibre a bhí déanta acu i rith an téarma.

Bhí sé ag clagarnach báistí chomh trom sin nuair a bhí Rós ag siúl abhaile ón mbus go raibh na braonacha ag léim aníos ón talamh leis an neart a bhí iontu. Bhí sí fliuch go craiceann nuair a shroich sí a teach. Scrúdaigh sí na héadaí a bhí nite aici i rith an deireadh seachtaine le féachaint an raibh siad tirim fós. Bhí blús, barréadach agus bríste tirim go leor. Fuair sí an bord iarnála agus chuir sí plocóid an iarainn isteach sa soicéad. Léim spréach uaidh agus mhúch an teilifíseán agus na soilse. Tharraing sí an phlocóid amach is chonaic sí uisce ag sileadh uaidh.

'A Íosa Críost!' ar sise de bhéic. 'Tá duine éigin tar éis é a bhá in uisce.'

'Patrick a rinne é,' arsa Michael, a bhí ina sheasamh sa chúinne. Chuaigh Rós le craobhacha ar fad. 'Brisfidh mé a dhroim dó a luaithe is a thagann sé isteach.'

'Ní raibh sé ar intinn aige aon dochar a dhéanamh,' arsa a mháthair. 'Dúirt sé go raibh dealramh báid ar an iarann.'

'Dúirt sé go raibh sé cosúil leis an Titanic agus chuir sé ar snámh sa bhfolcadán é go bhfeicfeadh sé an rachadh sé go tóin poill,' arsa Michael agus an chéad iarracht de gháire ar a bhéal le seachtain. Chuaigh Rós le buile agus le báiní ar fad.

'Maróidh mé é nuair a bhéarfaidh mé greim air. Is é an trua nár mharaigh sé é féin!'

'A Íosa! Nach féidir le fear nóiméad suaimhnis a fháil ina theach féin?' arsa a hathair de bhéic agus é ag teacht anuas an staighre sa dorchadas. Ba ghearr gur chuala sé cad a bhí déanta ag Patrick. Dúirt Rós leis iarann nua a cheannach.

'Níl an t-airgead agam.'

Ba chuimhin léi Lee Anne ag gáire is ag insint do na cailíní sa chlochar go raibh an teach ba bhrocaí sa sráidbhaile acu. D'fhógair Rós go mbeadh fuílleach airgid acu dá n-éireodh sé féin is a máthair as an ól agus as na toitíní bréana a bhí á gcaitheamh acu ó mhaidin go hoíche.

Bhuail cuthach feirge é. 'Is iad sin an t-aon sólás atá agam agus ní inseoidh aon focin bhitseach bheag dom conas mo chuid airgid a chaitheamh. Ba chuimhin le Rós an chaoi a mbíodh Lee Anne ag maíomh faoin airgead go léir a bhíodh á chaitheamh uirthi.

'Dá mbeadh jab ceart agat bheadh cuimse airgid againn, ach tá tú ródhamanta leisciúil!' ar sise. Thug sé a leithéid de leang boise sa leiceann di gur bhuail sé in aghaidh an bhalla í. Rug sé uirthi agus thosaigh á creathadh.

'Focal eile mar sin arís agus brisfidh mé gach focin cnámh i do chorp,' ar seisean de bhéic agus bíodh is go raibh an seomra dubh dorcha d'airigh Rós an rabharta feirge ina ghlór. Bhí scanradh uirthi go dtachtfadh sé í.

'Má tá focin iarann uait féadfaidh tú dul ag tabhairt aire do focin leanaí chun an t-airgead a fháil!' ar seisean de bhéic agus thug sé buille eile di.

Rith Rós suas an staighre, phlab sí doras a seomra codlata ina diaidh agus luigh sí siar ar a leaba áit ar ghoil sí uisce a cinn. 'A Íosa, níl sé ceart ná cóir!' ar sise léi féin arís is arís eile. Bhí a tuismitheoirí ar an mbeirt ba dhúire sa chontae. 'Leath-chloigne agus iad chomh focin aineolach le muca!' ar sise le féin. Chuaigh sí síos an staighre i gceann tamaill chun an béile a ullmhú. Ní raibh sí in ann fiú uisce a bheiriú sa chiteal.

'Tá an leictreachas as,' ar sise lena máthair. Chuir sí Michael go duine de na comharsana a bhí in ann cúrsaí leictreachais a chur ina gceart. D'fhill sé leis an scéal nach raibh sé sa bhaile.

'Caithfidh tú rud éigin a cheannach i siopa sceallóg Uí Fhloinn,' arsa Rós lena máthair, 'nó déanamh gan é.'

Maith, olc nó dona, níor mhian léi fás suas ina slaba gan rath cosúil lena máthair. Bhí mórchuid oibre le déanamh aici i gcomhair scrúdú an lae dar gcionn ach níor las an solas nuair a bhrúigh sí an lasc. Fuair sí tuáille agus thriomaigh sí a cuid gruaige agus chuir sí na héadaí gan iarnáil uirthi. Ba mhian léi dul ag staidéar i dteach Chormaic ach dá bhfeicfeadh a mháthair í agus í gléasta mar iníon bacaigh déarfadh sí le Cormac gan bualadh léi arís go deo.

Bhí an teach fós gan leictreachas ar maidin. D'iarr Rós ar a máthair nóta a scríobh ag rá go raibh a héide scoile fliuch agus go raibh uirthi a gnáthéadaí a chaitheamh. D'fhéach sí uirthi féin sa scáthán agus dóbair di tosú ag gol. Bhí an oiread roc sna héadaí gur chosúil gur chodail sí iontu le seachtain. Ní raibh aon dul as aici ach iad a chaitheamh ar scoil. Chuir sí seaicéad uirthi ach ní túisce a chuaigh sí go dtí an oifig lena nóta ná d'ordaigh Miss Codd di an seaicéad a bhaint di. Rinne sí iarracht an scéal a mhíniú ach ní ghlacfadh Miss Codd le leithscéal ar bith. Chonaic sí cuid de na cailíní eile ag breathnú uirthi agus iad ag gáire. Theith sí léi go dtí an leithreas áit ar fhan sí go dtí go raibh sé in am aici dul go dtí an giomnáisiam i gcomhair na scrúduithe.

'Seo chugainn duine de na naicéirí,' arsa Larky nuair a chonaic sé í. Thosaigh Dwain ag gáire freisin.

Chuimhnigh sí láithreach ar na rudaí a bhíodh á rá ag Lee Anne. Chuir sí a mallacht ar an mbeirt acu agus shuigh sí ina háit scrúdaithe áit ar thosaigh sí ag caoineadh. Tugadh amach na páipéir scrúdaithe. Bhí Bean Uí Ghallchóir agus beirt mhúinteoirí eile ag faire orthu agus in ainneoin go raibh a lámha ar a héadan ag Rós thug Bean Uí Ghallchóir faoi ndeara go raibh sí corraithe faoi rud éigin agus nach raibh sí ag scríobh. Ghlaoigh sí ar leataobh í.

'Níl ann ach naicéir é féin,' ar sise go teasaí nuair a mhínigh Rós an scéal í. 'Triomaigh do shúile, téigh síos go dtí an seomra Eacnamaíocht Bhaile agus abair leis an múinteoir gur chuir mé síos thú chun roinnt iarnála a dhéanamh. Scríobhfaidh mé nóta duit.'

Ghabh Rós míle buíochas léi.

Ba mhíshona an duine é an tAthair Plankton. Níor mhothaigh sé chomh héadóchasach riamh. Bhí méadú thar cuimse tagtha ar an ngruaim sin a mhothaigh sé air níos luaithe sa bhliain. Bhíodh smaointe ag brúchtadh aníos ina aigne faoi na rudaí amaideacha a bhí déanta aige, na drochrudaí a raibh sé ciontach astu agus na dea-rudaí a bhí fágtha gan déanamh aige. Lena chois sin bhí a aigne ina chíor thuathail le cathú agus le haiféala. Ní amháin go raibh go raibh sé á chéasadh ag dúil san ól ach bhí sé ag féachaint ar chláracha teilifíse agus ar phictiúir ón idirlíon a chuir náire air agus is ar éigean a raibh smacht ar bith aige ar an scéal. Chuir sé a chuid éadaigh tuata air agus thiomáin sé tríocha cúig míle go baile nach mbeadh aithne ag daoine air ann. Lig sé rún a chroí leis an sagart sa bhosca faoistine. Labhair an fear go cneasta tuisceanach leis agus chuir sé comhairle a leasa air. 'Ná bíodh lagmhisneach ort,' ar seisean. 'Níl ionainn ach daoine,' agus mhol sé dó a mhuinín a chur go hiomlán i Mac Dé agus ina Mháthair Bheannaithe, 'Faoi mar a deir na sailm: *Caith do chúram ar an Tiarna agus déanfaidh sé taca duit.*'

Ba mhór an faoiseamh dó an absalóid a fuair sé. Bhí a shíocháin déanta aige le Dia agus bhí rún daingean aige fanacht ar bhealach a leasa, ach ba ghearr sa bhaile arís é nuair a thosaigh na smaointe dorcha gruama ag líonadh a aigne agus mar bharr ar an donas bhí sé ag rith leis le tamall go raibh an ceart ag an Hipí agus gur ghearr an manach William Ockham scornach Dé lena rásúr.

D'inis sé do Rós an lá dar gcionn go mbeadh turcaí mór á seoladh chucu i gcomhair na Nollag. Ghabh sí míle buíochas leis agus thug sé clúdach litreach di. Rud éigin ó Chumann Naomh Uinseann de Pól a bhí ann, dar leis, le go bhféadfadh sí bronntanais a cheannach dá tuismitheoirí agus don chlann. 'Agus ná déan dearmad rud éigin a cheannach duit féin freisin, agus dála an scéil, beidh crann Nollag agus roinnt maisiúchán á seoladh chugaibh go luath.'

Ghabh sí míle buíochas leis arís agus d'imigh sí léi go sásta ach nuair a chuimhnigh sí ar an scéal thuig sí nach raibh tuairim aici conas turcaí a ullmhú ná a chócaráil. B'éigean di ceist a chur ar Iníon Mhic Lochlainn.

'An bhfuil panna mór rósta agaibh?'

'Tá.'

212

'Bhuel, tá gach eolas anseo.' Thóg sí leabhar óna cófra agus chuaigh siad beirt go seomra na múinteoirí. Ar ámharaí an tsaoil ní raibh éinne ag fótachóipeáil. Rinne an múinteoir fótachóipeanna de na leathanaigh. Ghabh Rós míle buíochas léi agus ghuigh siad Nollaig shona ar a chéile.

Bhí na scrúdaithe deireanacha le bheith acu an mhaidin dar gcionn agus Aifreann na Nollag sa Halla Tionóil ina dhiaidh. Canadh carúil agus sheinn Cormac a fhliúit á dtionlacan go ceolmhar binn. Bhí bród an domhain ar Rós éisteacht leis ach chuala sí Larky ag rá laistiar di gur ceol do phiteoga a bhí ann.

Bhí na busanna ag feitheamh lasmuigh den scoil i ndiaidh an Aifrinn agus chuaigh na daltaí de ruathar ríméadach amach chucu agus iad ag béicíl ina ard a ngutha. Shuigh Rós agus Cormac le chéile, greim daingean láimhe acu ar a chéile agus iad ag súil go mór leis an tsaoire agus leis an DVD a bheadh le feiceáil acu an oíche sin. Ghuigh na múinteoirí Nollaig Shona ar a chéile agus bhuail siad bóthar nó chuaigh siad go dtí an seomra foirne chun na páipéir scrúduithe a cheartú agus na tuarascálacha a scríobh amach.

Rinne an Hipí roinnt mhaith taighde an oíche sin. Bhí sé scartha óna bhean le blianta agus bhí sé fós ag súil go mbeadh an t-ádh leis bean dhathúil a mhealladh. Chuaigh sé amach ag fiach. Chonaic sé Iníon de Paor ina haonar in óstán. Luasc sé lámh ina treo agus lean sé ar aghaidh níos faide isteach san áit. Ní fhaca sé éinne ansin a mheas sé a d'oirfeadh dó. Cheannaigh sé deoch agus d'fhill sé uirthi. Fiú mura raibh sí dathúil b'fhéidir go mbeadh sí deonach. Thuig sí go maith an chleasaíocht a bhí ar siúl aige.

'A Dhia, is iontach an rud é a bheith críochnaithe leis an scoil,' ar seisean. 'Cad a ólfas tú?'

Ba ghearr go raibh siad araon ag clamhsán faoin scoil agus

ag insint faoi na rudaí a bhí fulaingthe acu. D'inis sí dó faoi Dick agus a bhuidéal, bíodh is nár inis sí dó go raibh uirthi a phardún a iarraidh.

'A Íosa! Is é sin an rud is measa fós,' ar seisean, 'ach bí cinnte go dtarlóidh eachtra níos measa fós i gceann tamaill. Táim ag comhaireamh na laethanta go mbeidh mé in ann éalú ón scoil, ach cogar, meas tú cé hiad comharbaí Naomh Pádraig inniu?'

Ní raibh a fhios aici.

'Is iad na múinteoirí comharbaí Naomh Pádraig toisc gur sclábhaithe muid agus go bhfuilimid ag tabhairt aire do thréada móra aineolacha muc.'

Gháir sí agus chaith sé an chuid eile den oíche ag insint di faoin taighde a bhí ar siúl aige.

'Ar mhaith leat cuireadh chun do thíse a thabhairt dom?' ar seisean agus iad ag fágáil an óstáin. Bhí a fhios aici go maith cad a bhí uaidh agus go mb'fhearr go mór leis cailín níos dathúla ná í.

'Táim róthuirseach agus tá tinneas cinn orm,' ar sise. D'fhill an bheirt acu go míshásta ar a n-árasáin. Luigh seisean isteach ar a chuid taighde ach las sise tine leictreach agus shuigh sí os a comhair. Bhí sí cinnte go raibh mí-ádh uirthi agus go mbeadh sé ag rith léi go deo.

D'fhan an tAthair Plankton ar bhealach a leasa ach ní trá ach tuile a bhí ag teacht ar an gcathú. Bhí a fhios aige go raibh a anam idir dhá cheann na meá. Bhí sé díreach ar tí a ríomhaire a mhúchadh nuair a ghéill sé. Thug sé gráin a chroí do féin nuair a mhúch sé é faoi dheireadh. Mheas sé go raibh sé cosúil leis an bhfear sa soiscéal ar díbríodh spiorad míghlan as, ach gur fhill an spiorad in éineacht le seacht spiorad ba mheasa ná é agus go ndúirt an Tiarna faoi gur mheasa dála an duine sin ar deireadh ná ar dtús. Thuig sé go raibh a shaol ag dul ó smacht ar fad. Bhí sé ag impí chabhair Dé de lá is d'oíche ach ní raibh aon chabhair ag teacht chuige. Má bhí Dia ann ní raibh sé ag déanamh mar a gheall Íosa Críost. Bhí sé beagnach cinnte anois nach raibh aon Dia ann.

Ní raibh barúil ag Rós cad a cheannódh sí do Cormac. Bhí éadaí den scoth aige, agus ní raibh teora leis na leabhair a bhí sa teach. Rinne sí machnamh ar an scéal ach níor tháinig réiteach na faidhbe chuici. Bhí fadhb ag Cormac freisin. Ba bhreá leis éadaí cnis a cheannach di ach ní raibh a fhios aige cén tomhas a bheadh aici. Níor mhian leis ceist a chur uirthi agus ní ligfeadh an náire dó ceist a chur ar a mháthair.

Shocraigh Rós a cuid gruaige go cúramach ar an Satharn agus chuir sí baitín béil uirthi féin. Thóg sí an bus go dtí an baile mór ag súil le hinspioráid a fháil i bhfuinneog siopa éigin. Bhí uirthi rudaí a cheannach dá muintir freisin. B'fhurasta Joe a shásamh. Cannaí beorach a bheadh uaidh sin. Bhí a fhios aici nach ndíolfaí aon deoch mheisciúil léi mar go raibh sí ró-óg. Bheadh ar Mhary iad a cheannach dó. Shiúil sí an tSráid Mhór ó cheann go ceann ag ceannach anseo agus ansiúd go dtí go raibh rudaí aici do gach éinne ach amháin do Chormac. Tháinig sí go siopa éadaí fear. Bhí carbhait dheasa sa bhfuinneog ach bhí siad an-daor. Shiúil sí isteach agus ní túisce istigh í na chonaic sí carbhat gorm a raibh éisc áille ildaite air.

Scrúdaigh sí an t-airgead a bhí fágtha ina sparán. Bhí a dóthain aici lena cheannach. Scrúdaigh sí an carbhat. Ceann síoda ón Iodáil a bhí ann. Cheannaigh sí é.

'An mian leat é fillte i bpáipéar Nollag?' arsa an fear laistiar den chuntar.

'Cinnte! Cinnte!' ar sise go ríméadach.

Bhí Cormac sa bhaile mór i ngan fhios di. Chuaigh sé go siopa gruagaire agus fuair sé stíl nua gruaige — gile agus finne measctha tríd an dath dúchasach agus coirníní gearra ag titim anuas ar a bhaithis. Rinne sé meangadh gáire leis féin sa scáthán nuair a bhí an cailín críochnaithe. Bhí sé sásta go maith lena bhfaca sé agus ba bhuachaill é a raibh sé an-deacair é a shásamh. Chuaigh sé ag siopadóireacht ansin agus cheannaigh sé DVD do Rós. Chuaigh sé go siopa éadaí ban agus d'fhéach sé timpeall. Ní raibh Larky, Dick, Dwain ná éinne ón scoil le feiceáil. Ba mhaith an rud é sin. Ní chloisfeadh sé a dheireadh go deo dá bhfeicfí ann é. Chuaigh sé go rannóg na n-éadaí cnis. Roghnaigh sé cíochbheart agus brístín. Bhí sé cinnte go dtaithneodh siad léi, ach cén tomhas a d'oirfeadh di? D'fhéach sé ar mhainicín. Bhí sé beagnach cinnte go raibh Rós ar aon tomhas léi.

Bhí Rós ag siúl lena beartanna go stad an bhus nuair a chuala sí duine ag glaoch uirthi. D'fhéach sí timpeall. Gheit a croí. Cormac a bhí ann agus é chomh dathúil le dealbh an dia Poiséadón a thaispeáin an múinteoir ealaíne dóibh.

'Tá tú ag breathnú go spéiriúil!' ar sise. 'Go spéiriúil amach agus amach!'

'Agus tusa freisin. Tá tú go gleoite,' agus rug sé barróg uirthi.

'Cad a thug anseo thú?'

'Siopadóireacht.'

'An rud céanna a thug anseo mé. An dtiocfaidh tú liom go proinnteach le cupán caife a ól? Bíonn cappuccino álainn acu ann.'

Bhí sí in áiteanna mar McDonalds agus Burger King roimhe sin ach ní raibh barúil aici cad a chosnódh cappuccino i bproinnteach costasach, agus bhí a cuid pinginí an-ghann.

'Beidh orm an bus a fháil.'

'Ó, chun an diabhail leis an mbus. Féadfaidh tú dul abhaile le mo thuismitheorí. Caithfidh tú cappuccino a ól. Bainfidh tú taitneamh an domhain as.'

Ní ghlacfadh sé le leithscéal uaithi.

Fuair sí boladh an chaife rósta a luaithe agus a shiúil sí isteach an doras. Sheol sé suas an staighre í agus bhí an boladh ag dul i neart le gach coiscéim dar thug sí. Chuaigh siad isteach i seomra mór a bhí plódaithe le daoine agus iad go léir ag caint. Bhí maisiúcháin Nollag ar crochadh ann agus bhí amhráin na Féile á seinm ar an gcóras craolta. Bhí bord amháin ann gan aon chustaiméirí. Chuaigh siad chuige. D'fhág sé a mhálaí léi agus suas leis go dtí an cuntar áit ar cheannaigh sé dhá chupán mhóra cappuccino agus taosráin.

Bhí aoibh mhór gháire air agus é ag filleadh agus shuigh sé síos taobh léi. Dúirt sí go n-íocfadh sí as a cuid féin ar ball ach ní ghlacfadh sé leis an socrú sin ar chor ar bith. Bhlais sí an cappuccino. Thaitin sé thar cionn léi agus bhí an taosrán ar cheann de na rudaí ba dheise ar bhlais sí riamh. Bhí an meangadh mór gáire fós ar bhéal Chormaic.

'Tá súil agam nár fhéach tú isteach i mo chuid málaí,' ar seisean.

Thug sí an leabhar sí nár fhéach.

'Go maith. Droch-chomhartha is ea é nuair a thosaíonn duine ag féachaint ar fho-éadaí cailíní,' ar seisean agus thug sé beart beag i bpáipéar Nollag di. Strac sí an páipéar de agus chonaic sí cíochbheart agus brístín áille agus DVD.

Bhí súil aige gurb é sin an tomhas ceart. D'fhéadfaí iad a athrú mura raibh.

Bhí gach rud i gceart agus bhí siad go gleoite. Chaith sí a lámha timpeall air agus phóg sí é. Chuir sé cogar ina cluas agus dúirt go mbeadh air í a scrúdú ar ball le déanamh cinnte gur oir siad di. Chuaigh sí sna trithí gáire agus dhearg sí. Bhí beart beag eile aige di. Ábhar le cur i bhfolcadán a bhí ann. Phóg sí é agus thug sí an carbhat dó.

Bhí Rós sa bhaile nuair tháinig fear agus an crann Nollag agus bosca maisiúchán aige dóibh. Chuir Rós agus a deartháireacha le chéile agus mhaisigh siad an teach. Bhí ríméad uirthi agus ar Phatrick agus bhí fiú meangadh gáire ar bhéal Mhichael.

Oíche Nollag a bhí ann. Bhí Joe agus Mary sa teach tábhairne. Má cheap an tAthair Plankton go mbeidís ar an gcaolchuid um Nollag bhí dul amú air. Bhí Joe ag obair anseo agus ansiúd ag carnadh airgead na dí. D'fhág Rós a deartháireacha i bhfeighil an tí agus chuaigh sí go teach Chormaic. Bhí a dheartháir agus a chailín tagtha abhaile ó Shasana agus bhí a dheirfiúr agus a fhear céile tagtha abhaile ó Dhún Dealgan. Chuir Cormac Rós in aithne dóibh. Bhí siad go léir ag ullmhú le dul go dtí an séipéal.

Thosaigh Cormac ag gearán go raibh an tAifreann i bhfad ró-luath ag a deich a chlog. Ba chóir dó a bheith á léamh ag meán oíche. Bhí a fhios ag Gearóid nach raibh sé ach ag gearán ar mhaithe le bheith ag gearán agus d'fhógair sé go raibh sé ina mheán oíche i mBeithil cheana féin, agus ar aon nós go millfí an searmanas dá rachadh na meisceoirí isteach sa séipéal ag meán oíche, agus iad ag béicíl, agus ag achrann agus ag titim as a seasamh. Chuimhnigh Rós ar Mhary agus ar Joe agus ba gheall le laingín boise sa leiceann aici é, ach thuig sí go raibh an fhírinne á rá aige agus nach raibh sé ag tagairt dá tuismitheoirí. Thuig sí nach mbeadh meas madra aige orthu dá bhfeicfeadh sé iad ag am dúnta agus dhá thaobh na sráide leo. Shuigh sí isteach sa charr le Cormac agus Carmel.

'Cén t-iontas a mheasann sibh atá ullamh ag an Athair Fiosrach Ó Fiosraigh dúinn ina sheanmóir,' arsa Gearóid agus é ag tiomáint go dtí an séipéal.

Ba bheag a bhí ullamh ag an sagart. Ní raibh sé chomh tuirseach riamh lena shaol, agus bhí sé ag cur na hoibre ar an méar fhada. Shíl sé go mbeadh deis aige rud éigin a ullmhú tar éis faoistiní a éisteacht ach fuair sé glaoch práinne agus b'éigean do imeacht. Bhí buachaill óg ag saothrú a bháis san ospidéal. Carr a leag é agus bhí a thuismitheoirí ag dul as a stuaim.

'A Íosa Dhílis! Cén fáth nár ghlaoigh tú ormsa in áit an bhuachalla sin?' ar seisean agus é ag brostú abhaile chun an tAifreann a léamh. 'B'fhearr go mór eisean a bheith beo agus mise a bheith marbh.' Bhí sé ródhéanach aon seanmóir a ullmhú nuair a shroich sé a theach. Chuaigh sé go fillteán agus thóg sé amach ceann a bhí tugtha aige na blianta roimhe sin.

Bhí daoine ag brostú isteach sa séipéal. Bhí an mainséar ar taispeáint gar don altóir ach ní raibh an naíonán ann fós. Bhí na coinnle ar lasadh agus an cór ag canadh. Buaileadh clog agus tháinig an tAthair Plankton agus slua beag freastalaithe altóra ag siúl aníos an séipéal ag iompar íomhá an Linbh Bheannaithe. Thosaigh an cór ag canadh. Leagadh an dealbh sa mhainséar. Chuimhnigh Carmel ar an oíche a rugadh Cormac san ospidéal. Nach é a bhí fásta suas ina óganach breá, agus in ainneoin na himní a bhíodh uirthi faoi, bhí a chailín féin aige taobh leis agus ba léir di go raibh an bheirt acu go mór i ngrá le chéile. Ghabh sí míle buíochas le Dia agus shil deora áthais óna súile.

Léigh an sagart an soiscéal agus nuair a bhí sé críochnaithe thosaigh sé ar a sheanmóir. Léigh sé go mall é ar eagla go rachadh sé amú. D'inis sé dóibh faoin ngrá ollmhór a bhí ag an

Athair dúinn nuair a sheol sé Íosa chugainn ina leanbh beag neamhurchóideach lenár slánú. 'Bíonn daoine ag fiafraí 'Cad é cuspóir na beatha seo?' 'Cad faoi atá sé?' ach tá dul amú orthu. Bronntanas ón Athair ab ea an Leanbh Íosa. Bronntanas is ea gach leanbh a thagann ar an saol, agus is bronntanas míorúilteach eile gach lá a thugann sé dúinn ar an saol iontach seo. Ba chóir dúinn éirí gach maidin ag canadh: Gloria in excelsis Deo agus míle buíochas a ghabháil leis….'

Dá mhéid a léigh sé ba mhó a tháinig alltacht air. Ba ar éigin ar chreid sé focal dá raibh a rá aige. Ba mhór an faoiseamh dó é nuair a bhí deireadh ráite aige. Thosaigh an cór ag canadh an Credo agus bhí imní air gur thuig na daoine cad a bhí ina chroí agus go raibh siad cinnte go mba fimíneach é.

D'fhág Cormac slán le Rós lasmuigh den séipéal. Ghuigh sé Nollaig shona uirthi agus phóg sé go bog í. Bhí áthas uirthi nuair a d'imigh sé mar bhí glórtha arda le cloisteáil sa tsráid. Níor mhian léi go bhfeicfeadh sé Mary agus Joe ar dearg-mheisce. Chuaigh sí abhaile, d'fhadaigh sí an tine agus ba ghearr gur tháinig siad agus iad ólta go maith. Ní túisce a bhí an doras dúnta ag Joe ná chuaigh sé ar lorg a chuid cannaí beorach faoin gcrann Nollag. Dúirt Rós gur fearr dó iad a fhágáil i gcomhair na maidine ach ní shásódh an saol é ach go dtosódh sé ag diúgadh. D'éirigh leis an crann Nollag a leagadh. Thit barr an chrainn agus cuid de na maisiúcháin isteach sa tine agus marach gur tharraing Rós amach go tapaidh iad bheadh sé ina spóirseach thine ar fud an tseomra. Chuimh-nigh Mary ar an mbeirt a cailleadh sa dóiteán, agus thosaigh sí ag olagón agus ag déanamh bróin agus ag gol in ard a gutha. Thosaigh Joe ag baothchaint agus ag gol, agus ag maíomh go mbeadh gaiscí móra déanta aige an oíche sin murach nach raibh aon dréimire aige. Thosaigh siad go léir ag caoineadh. Rith Rós suas an staighre agus chaith sí í féin anuas ar an leaba. Ní fhéadfadh sí a thuilleadh a fhulaingt.

Bhí cuireadh faighte ag an Athair Plankton óna dhearthráir an Nollaig a chaitheamh leis ach bhí leithscéal tugtha aige dó. Bhí a fhios aige go mbrisfeadh sé a chroí é a fheiceáil ansin go sona suairc in éineacht lena bhean agus lena chlann. Lena chois sin bhí a fhios aige go mbeadh cannaí beorach agus buidéil uisce beatha go flúirseach sa teach acu. Mharódh an cathú é. Thuig sé gur saol folamh gan rath gan éifeacht a bhí á chaitheamh aige. Bhí tráth den oifig le léamh aige fós ach níor oscail sé a phortús. Luigh sé siar ar a leaba ag briseadh a chroí ag gol agus ag cur a chroí amach ag impí ar Dhia teacht i gcabhair air.

Bhí gliondar ar gach éinne i dteach Chormaic.

'Go mbeire muid beo ar an am seo arís,' arsa Gearóid agus é ag gearradh sliseog mór liamháis.

'Is bronntanas iontach eile gach lá a thugann Dia dúinn ar an saol iontach seo,' arsa Carmel. Ba iad sin na focail ba spreagúla ar chuala sí riamh. 'Ba chóir dúinn éirí gach lá ag canadh *Gloria in Excelsis Deo.*'

D'éirigh Rós go luath ar maidin agus chuir sí an turcaí san oigheann. Lean sí na treoracha go léir. D'éirigh an teaghlach ina nduine agus ina nduine agus ba é Michael an duine deireanach a tháinig anuas an staighre. Bhí Rós gnóthach ag ullmhú na nglasraí agus ag róstadh na bhfataí. Nuair a bhí an t-am istigh chuidigh Joe léi an turcaí a thógáil amach as an oigheann. Bhí gliondar uirthi nuair a chonaic sí é. Bhí dath álainn órga air agus líonadh an chistin le boladh álainn an rósta. Rug sé ar scian agus thosaigh sé ag gearradh le fonn.

'Cad é do mheas air?' ar sise leis nuair a bhlais sé ailp de.
'Níl sé go dona ar chor ar bith,' ar seisean.

Ní raibh mórán le déanamh aici Lá Fhéile Stiofáin mar bhí an turcaí fós acu agus bhí na fataí agus na glasraí cócaráilte. Chuaigh sí amach ag siúl le Cormac. Le teacht an tráthnóna chuaigh sé léi i bhfeighil leanaí sa teach mór lasmuigh den bhaile. D'fhan siad ag féachaint ar an teilifís go dtí gur thit a gcodladh ar na leanaí. D'ísligh siad na soilse agus shuigh siad siar ar tholg áit ar chuir sé a bhéal ar a béal. Tharraing sí chuici féin é. Tar éis tamaill mhothaigh sí a méara ag iarradh a barréadach a bhaint di. Bhí áthas air a fheiceáil go raibh sí ag caitheamh an cíochbhirt a cheannaigh sé di. Bhain sé di é. Lean sé ar aghaidh á pógadh agus i gceann tamaill d'iarr sé uirthi ligean dó féachaint an raibh sí ag caitheamh an chuid eile dá féirín Nollag.

'No,' ar sise. Lean sé ar aghaidh á pógadh go bog agus níor stop sí é nuair a thosaigh sé ag oscailt a briste.

'A Dhia! Tá tú an-álainn go deo!' ar seisean agus é ag stánadh uirthi. Chuir sé a bhéal ar a béal arís. Thosaigh sé ag déanamh peataireachta uirthi agus d'inis di gurb ise a stór agus nach raibh uaidh sa saol ach í. Ba ghearr nach raibh uirthi ach a brístín.

'Tá tú gleoite,' ar seisean, 'An-ghleoite go deo,' agus thosaigh sé á pógadh arís.

Bhí an oiread sin aoibhnis agus corraíl croí inti gur mheas sí nach bhféadfadh sí a rá leis stopadh dá mba mhian leis leanúint ar aghaidh. Stop sé, áfach, agus chuidigh sé léi a cuid éadaigh a chur ar ais uirthi arís. Shuigh siad siar ar an tolg i lámha a chéile agus aoibhneas an domhain orthu ach nuair a luigh sí ar a leaba thuig sí go raibh an t-ádh léi gur stop sé. Ní raibh a fhios aici cad a tharlódh dá mba mhian leis leanúint ar aghaidh níos faide. Ba gheal lena croí é ach bhí imní uirthi.

Ní raibh saoire Nollag acu riamh mar an tsaoire Nollag sin. D'imigh na laethanta gearra aoibhne. Bhí sé in am na maisiúcháin a thógáil anuas.

'Go mbeirimid beo ar an am seo arís,' arsa Gearóid.

'Amen,' arsa Carmel.

D'aistrigh Cormac an guí do Rós agus chuir sí leis mar ghuí. Nuair a shamhlaigh sí an athbhliain tháinig uamhan uirthi. An ndéanfadh Jason ionsaí ar Chormac? Ba bheag an muinín a bhí aici as an dá thor-chorrán ná as an gcrosbhogha mar chosaint. Bhí scanradh freisin uirthi freisin go mbeadh uirthi a hathair agus a máthair féin a dhamnú os comhair an choiste chróinéara. Bhí rud eile ina luí mar ualach trom ar a croí agus nár fhéad sí a lua le duine beo. Cad a tharlódh nuair a chuirfeadh Carmel agus Gearóid aithne ar Joe agus ar Mhary? B'in rud a chuir uamhan ar a croí.

Bheartaigh Rós slacht a chur ar an teach. Mhol sí do Joe sábh a fháil agus ábhar tine a dhéanamh den chrann Nollag.

'Déanfaidh foc!' ar seisean. D'fhan sé go raibh sé dorcha. Ansin thóg sé síos an tsráid é agus chaith sé isteach i ngairdín eile é.

A luaithe agus a d'oscail an scoil chuaigh Bean Uí Ghallchóir ó mhúinteoir go múinteoir ar lorg tacaíochta faoi cheist an smachta. Ba ghearr go mbeadh an cruinniú foirne acu. Ba mhian léi scríobh chuig an mbord bainistíochta ag gearán faoin gcinneadh a rinne siad i gcás Larky. Ba mhian léi go gcuirfeadh na múinteoirí go léir a n-ainmneacha leis an litir.

Mura seasfaidís go daingean le chéile bheadh deireadh le smacht sa scoil.

'Tusa Oifigeach Sláinte agus Sábháilteachta na Scoile,' ar sise leis an Hipí, 'Beidh mé ag súil le tacaíocht uait.'

'Seasfaidh mé céad faoin gcéad leat.'

'Tá an oiread sin strus ar mhúinteoirí na scoile seo go n-imíonn na blianta díobh nuair a fhágann siad agus go mbíonn dealramh sé bliana níos óige orthu i gceann cúpla mí,' ar sise.

'Sin é agaibh anois é. *Nuamhaisiú éadain* saor in aisce do gach múinteoir ag dul ar scor,' arsa an Dr Spellman a bhí ag éisteacht.

'Is furasta duitse a bheith ag gáire agus gan ach dornán sa rang feabhais sin agat,' ar sise go nimhneach leis.

Bhí an-amhras uirthi faoin tacaíocht a bheadh aici ó na múinteoirí óga agus ní raibh sa Dr Woods dar léi ach gob sa chac. Ní bhíodh fadhbanna smachta aige ina rang óir ba bhreá leis na buachaillí a bheith ag déanamh adhmadóireachta.

Bhí an-drogall ar an Athair Plankton filleadh ar an scoil. Chuaigh sé deacair air siúl amach go dtí a charr. Ní raibh ag éirí leis codladh na hoíche a fháil agus bhí sé traochta. Mar bharr ar an donas mheas sé nach raibh ag éirí leis dul i gcion ar éinne agus go mb'fhearr dóibh mura mbeadh sé ar scoil ar chor ar bith. Bhí fonn air glaoch ar an scoil agus a rá go raibh sé tinn. Cén mhaith a d'fhéadfadh drochshagart a bhí ag cailleadh a chreidimh a dhéanamh?

Ba é Dick an chéad dalta a chonaic sé. Bhí a chloigeann lomtha aige agus bhí svaistice mhór bearrtha tríd an gcoinleach a bhí fásta aníos. Chuir an radharc fearg air ach bheartaigh sé a dhícheall a dhéanamh a bheith cneasta leis.

'Go han-ealaíonta, a Richard,' ar seisean. 'An raibh a fhios agat go raibh Hitler ina ealaíontóir cumasach?'

'Ní raibh.'

'Nár mhór an t-athrú a bheadh ar an saol inniu dá leanfadh sé den cheird sin?'

B'éigean do Dick aontú leis.

D'imigh an sagart go dtí a oifig. Bhí iarsma na scríbhneoireachta fós ar ghloine an dorais.

'Heidh Katty! Déan meangadh gáire — más féidir leat,' arsa Dick agus ceamara nua digiteach aige a fuair sé i gcomhair na Nollag. Thóg sé an grianghraf agus thaispeáin sé di é ar an scáileán beag.

'Déan meangadh gáire,' ar seisean le Miss Codd a bhí ag siúl tharstu.

'Tá sé in am don rang!' ar sise ach bhí an grianghraf tógtha.

'A Dhia, nach uirthi atá cuma na feirge!' arsa Katty nuair a chonaic sí í ar an scáileán.

'Agus sin é Cormac laistiar di,' arsa Root.

'Seo ceann a fuair mé d'Iníon de Paor,' ar seisean. 'Tá sí cosúil le ciaróg.'

Nuair a d'fhill Dick abhaile bhí a dheartháir Jason roimhe.

'Ar thóg tú na grianghraif?'

'Cinnte thóg!' Chuir siad ríomhaire ag obair agus d'fhéach siad ar na pictiúir.

'Déanfaidh siad cúis,' arsa Jason. 'Déanfaidh an pictiúr den phiteog sin an chúis go breá,' agus chuaigh sé ag cuartú ar an idirlíon. Ba ghearr go bhfuair sé pictiúr de chailín lomnocht. Chuaigh sé i mbun oibre, nasc an dá íomhá le chéile agus ba ghearr go dtabharfadh duine an leabhar gurb í Katty a bhí acu gan oiread agus snáth éadaigh uirthi. Ba bheag nár thit siad as a seasamh le neart gáire. Ba mhó fós a ngreann nuair a rinne sé an cleas céanna le grianghraf Iníon de Paor.

Chuaigh Dick ar lorg pictiúr de sheanbhean seargtha lomnocht le ceangal le pictiúr Miss Codd, ach tháinig Jason ar phictiúr d'abhac lomnocht a raibh cruit ar a droim.

'Quasimodo Codd!' ar seisean nuair a chuir sé éadan an mhúinteora air agus ba bheag nár thit an t-anam astu le neart gáire.

Chuaigh siad amach ag ól agus iad fós ag sclogadh gáire. Thosaigh teileafón póca Jason ag déanamh ceoil agus b'éigean dó dul amach. D'fhill sé agus meangadh gáire ar a bhéal. D'inis sé do Dick go mbeadh beart mór de na *jolly jumpers* agus LSD á seoladh chuige le linn na seachtaine. Gháir Dick. D'ól siad piontaí eile mar cheiliúradh.

'Tá rudaí ag dul i bhfeabhas,' arsa Jason. 'Fan liomsa agus déan mar a deirim agus beidh níos mó airgid agat ná mar atá ag na múinteoirí sin go léir,' agus ba ghránna an focal a thug sé orthu.'

Bhí drochlá ag an Athair Plankton. Bheartaigh sé dul amach ag siúl. B'fhéidir go mbainfeadh siúlóid mhaith fhada an ghruaim de.

Bhí Dick agus Jason fós ag diúgadh sa teach tábhairne. Bhí sé ag éirí déanach.

'Seo linn,' arsa Jason le Dick. Bhí tacsaí lasmuigh den doras lena dtabhairt go dtí an baile mór. Bhí an tAthair Plankton ag spaisteoireacht agus é ag déanamh a smaointe dubhacha nuair a chonaic siad é.

'Abhaile leat, a phéidifiligh ghránna!' arsa Jason in ard a ghutha amach an fhuinneog. Chuala an sagart é, ach sciorr an tacsaí thairis agus ní fhaca sé ach lámh ag tabhairt comhartha *v* dó. Chas sé timpeall agus shiúil sé abhaile. Mhothaigh sé an teach tábhairne á mhealladh chuige amhail is dá mba Ghairdín Pharthais a bhí ann. Rinne sé cloch dá chroí agus d'éirigh leis an teach a bhaint amach gan géilleadh. Luigh sé ar a leaba agus na deora lena leicne.

Gháir Jason nuair a shroich siad an baile mór. 'Mura mbeidh maith dá laghad sa cheol, agus fiú má tá na mná chomh gránna le muca, ar a laghad tá an seans ann go mbeidh clampar ann ar ball.'

Phléasc Dick amach ag gáire.

Bhí fir slándála ar dualgas lasmuigh de dhoras an tí tábhairne. Bhí siad ag siúl isteach nuair a chonaic duine de dhaltaí na Pobalscoile iad. Adam Brady a bhí air agus bhí an braon istigh aige.

'A Íosa! Féach cad atá á ligean isteach acu anois!' ar seisean ag féachaint ar Dick.

'Focáil leat!' arsa Dick á fhreagairt.

'B'fhéidir gur fear mór thú sa scoil ach níl ionat ach cac anseo!' arsa Jason.

'Ó, a dheartháir mór — an fear mór righin!' arsa Adam.

'Feicfidh tú cén sórt duine mé má chaitear amach é — brisfidh mé do focin phus gránna duit mar thús!' arsa Jason. 'Mise a rá leat go mbrisfidh!'

Thaispeáin Dick a phas bréige agus isteach leo.

Bhí spotshoilse ag geiteadh agus bhí ceol ag pléascadh as callairí. Rinne siad a mbealach tríd an leathdhorchadas go dtí an beár agus d'ordaigh Jason dhá phionta Guinness, in ard a ghutha ón bhfreastalaí. Bhí slua daoine ag béicíl a n-orduithe chuige agus le tormán an cheoil agus glórtha na ndaoine níor chuala sé tada. Shín Jason a mhéar i dtreo an dáileora Guinness agus chuir sé dhá mhéar in airde.

'Dhá phionta Guinness?' arsa an freastalaí agus thosaigh sé á líonadh. Thóg Dick agus Jason na piontaí leo go háit a raibh beirt chailíní ina suí le chéile.

'Cad a ólfas sibh?' arsa Jason de bhéic leo.

D'fhreagair na cailíní iad ach níor thug siad leo ach an focal *cunús*. D'fhág siad a mallacht orthu agus chuaigh siad ar lorg beirte eile. Ba chosúil gur thaitin siad níos fearr leis na cailíní sin. Fuair siad deochanna dóibh. Chaith siad siar a bpiontaí agus d'ól siad tuilleadh go dtí go raibh lán a gcraicne acu. Bhí an bheirt chailíní ag gáire agus ag rince leo. Bhí Jason agus Dick cinnte go raibh siad ar mhuin na muice. Bhí sé ag tarraingt ar am dúnta. Bhí cosa Dick ag lúbadh faoi. Chuaigh sé in éineacht le Jason amach go dtí an leithreas. Bhí buachaill rompu ag caitheamh aníos a raibh ina bholg ar an urlár.

'Maith thú! Scaoil amach é!' arsa Jason.

Nuair a bhí a mún déanta acu cheannaigh siad coiscíní. Bhí gliondar ar Dick. Bhí sé ar meisce agus tagtha in aois fir dar leis.

'Bheadh sé chomh maith againn roinnt mhaith coiscíní a fháil,' arsa Jason. 'Má bhíonn bia maith acu b'fhéidir go bhfanfaimid an tseachtain.'

Lig Dick racht mór gáire as. 'Má bhíonn na cailíní ar meisce b'fhéidir nach gá aon choiscín a úsáid.'

'Lean ar aghaidh leis an dea-obair,' arsa Jason le buachaill an aisig. D'fhág siad an leithreas agus iad sna trithí gáire. Ba ghearr a mhair an greann, áfach. Bhí na cailíní imithe.

Ní raibh focal salach ag Dick ná ag Jason nár spalp siad ina ndiaidh. D'ordaigh siad piontaí eile. Thit Dick thar dhuine a bhí ina shuí ar stól agus dhoirt sé an pionta anuas air. Ógánach mór téagartha a bhí ann a raibh tatúnna ar a lámha agus fáinní ina chluasa.

'Foc thú, a chábóg ón bportach!' ar seisean agus thug sé buille sa cheann do Dick. Tháinig daoine eatarthu.

'Béarfaimid ort ar ball,' arsa Jason agus ghearr sé méar thar a scornach.

'Béarfaidh foc!' arsa an fear óg.

Nuair a bhí na piontaí ólta acu chuaigh siad amach go dtí an leithreas. Bhí Marcus Carcas istigh rompu. Dúirt Dick le Jason gurbh eisean an bulaí a bhuail ar scoil é. Chuala Marcus é ach bhí an oiread sin ólta aige nár éist sé leis.

'Tá sé in am an comhar a íoc leis,' arsa Jason i gcogar. 'Beirt ar phraghas duine amháin,' agus chuaigh sé chun cainte le Marcus.

'Tá gob sa chac amuigh ansin ag rá go bhfuil an cac scanraithe aige asat.' Thacaigh Dick leis ach theip air na focail a rá i gceart.

'Deir sé gur theith tú mar choileán scólta uaidh nuair a bhagair sé a dhorn ort,' arsa Jason, 'agus go mbeidh do chorpán bréan ag crochadh ó chrúca feola aige.'

Bhí breis agus deich bpionta ólta ag Marcus gan trácht ar ghloiní vodca agus bhí fonn troda air. Amach leo agus shín Jason méar i dtreo ógánach na dtatúnna. Rug Marcus ar bhuidéal agus rinne sé iarracht smidiríní a dhéanamh de ar chloigeann an ógánaigh agus é ag béicíl: 'Cuir suas do dhoirne a chac mhóir bhréin ón mbaile mór!'

Bhí an iomarca ólta ag Marcus agus d'aimsigh sé a ghualainn. Léim an t-ógánach in airde mar a dhéanfadh tarbh buile agus thosaigh sé ag imirt na doirne ar Mharcus. Thacaigh a chairde leis agus iad ag béicíl go maróidís na cábóga ón bportach. D'ionsaigh Dick agus Jason iad, ag leadradh agus ag bualadh rompu. Leagadh Dick go talamh. Thacaigh Adam Brady agus daoine eile leo. Bhí sé ina chíréib. Leagadh boird, briseadh gloiní agus doirteadh deochanna ar fud an urláir. Chuaigh siad le báiní ar fad — lucht an bhaile mhóir ag iarraidh díoltas a bhaint as na strainséirí.

'Stopaigí! Stopaigí! Éirígí as!' arsa na fir slándála agus thosaigh siad á gcaitheamh amach as an áit.

'Seo linn sa foc amach as an áit seo,' arsa Jason is é ag gáire. D'fhéach siad siar orthu nuair a bhí siad 50 slat ón troid. Bhí slua mór ag baint na gcloigne dá chéile. Bhí Marcus Carcus sínte ar an talamh agus óganach na dtatúanna á ghreadadh.

'Cacanna bréana an bhaile mhóir!' arsa Jason le cur leis an achrann. Cuireadh fios ar na Gardaí ach bhí siad mall ag teacht. Rug scabhaitéir ón mbaile greim fiacla ar chluais Adam Brady agus strac sé dá cheann í.

Bhí Dick fós ag magadh faoi eachtra na cluaise agus iad ag fanacht ag stad an bhus ar an Luain. Mhol sé go gcuirfidís cárta gan ainm chuig Adam san ospidéal — ceann mór le cluas mhór air. Ba bheag nár thit Larky agus Dwain as a seasamh le neart gáire. Ach cad a scríobhfaidís air?

'Cad faoi, "ná bí ag béicíl mar tá tinneas cluaise orm,"' arsa Dwain ach thuig siad go raibh rud beag éigin in easnamh air.

Mhol Larky rud éigin mar 'Tabhair aire! Tabhair aire! Tá na canablaigh ag faire!'

Ní raibh siad sásta leis an leagan sin ach oiread. Phléigh siad an scéal ach theip glan orthu rud greannmhar a cheapadh. Bhí siad fós á phlé nuair a tháinig an bus. Síos leo go dtí a suíochán ar chúl. Nuair a ghluais an bus d'oscail Dick a mhála agus thaispeáin sé grianghrafanna Katty, Iníon de Barra agus Miss Codd dóibh. Ní raibh spórt acu riamh mar an greann a bhain siad astu. Chomhairligh Dick dóibh gan tada a rá go fóill.

Nuair a shroich siad an scoil chonaic siad Marcus Carcas agus b'uafásach an radharc é i ndiaidh na troda. Ba bheag nár phléasc siad amach ag gáire. Dúirt Dick leo fanacht ciúin agus chuaigh sé ag déanamh comhbhróin leis. Dúirt sé gur ghoraille críochnaithe an t-óganach a bhuail é.

'Ní hea!' arsa Marcus agus bhí scéal eile ar fad aige. 'B'iad na Gardaí a rug orm agus thug seisear acu batráil gan trócaire dom sa stáisiún. Táim ag dul chun cainte le haturnae sa tráthnóna. Cuirfidh mé an dlí orthu.'

'Ba chóir go bhfaighfeá na mílte euro mar chúiteamh,' arsa Dick ag iarraidh a gháire a cheilt agus d'imigh sé leis chun an fíorscéal a scaipeadh.

Bhí scéal na círéibe ag na ndaltaí go léir. Bhí cuid acu ag gáire agus uafás ar dhaoine eile.

Ba mhór an chúis díomá don Athair Plankton go raibh daltaí a bhí múinte aige ag troid ar nós scata barbarach. Ba chosúil go raibh dearmad déanta acu ar gach rud a bhí ráite aige. Bhí sé ag siúl trasna an Halla Tionóil nuair a thosaigh na daltaí ag cur ceisteanna air.

'Cad a cheapann tú faoi chanablaigh, a athair?'

'Cad é do mheas ar lucht ite na gcluas, a athair?'

'An bhféadfá spórt fola a thabhairt ar rud mar sin?'

Níor mhothaigh sé chomh traochta riamh lena shaol agus níor fhéad sé freagra a thabhairt orthu ach gur clann Dé muid go léir. Chuaigh sé isteach i seomra na múinteoirí. Bhí an tUasal Putts ann roimhe agus é ag insint dóibh go raibh Adam Brady san ospidéal agus leathchluas stractha de. Bhí seachtar eile ón scoil san ospidéal. Chuir an scéal uafás ar na múinteoirí.

'Bhí sé cosúil leis na círéibeanna a bhí ar siúl nuair a bhí Hitler ag teacht chun cumhachta,' arsa an Hipí.

Fuair Dick leathanach mór A3 sa rang ealaíne. D'fhill sé ina dhá leath é agus d'fhill arís é. Nuair a bhí sé sásta tharraing sé pictiúr de chluas mhillte air agus an fhuil ag silleadh go tiubh uaithi ina sruthanna dearga. Chuir sé i bhfolach ina mhála é go smaoineoidís ar rud éigin greannmhar le scríobh air. Nuair a bhí sos na maidine ann chuaigh sé go dtí an Halla Tionóil áit ar thaispeáin sé do na buachaillí na pictiúirí a bhí déanta ag Jason de Khatty agus den bheirt mhúinteoirí. Bhí siad ag brú thar a chéile ag iarraidh radharc a fháil orthu agus gach sórt liú astu.

'B'iontach an pictiúr a rinne Dick díot agus tú i do chraiceann,' arsa Larky le Katty agus thosaigh sé ar chuntas a thabhairt di ar a raibh le feiceáil aige.

'Focáil leat, a phleota!' ar sise ach chuaigh sí ag fiosrú an scéil. Bhí an grianghraf ag Dick agus é ag baint an oiread sin spóirt as an scéal nár airigh sé ag teacht í. Thug sí dorn sa chloigeann dó. Bhain sí croitheadh as leis an neart a bhí inti. Bhí sé ar tí iarracht a dhéanamh an scéal a mhíniú nuair a thug sí buille cumasach sa bholg dó a bhain an anáil as. Léim sé in airde agus d'éirigh léi glúin sna magairlí a thabhairt dó. Thosaigh sí á leadradh agus ag scríobadh a éadain lena hingne. Chúlaigh sé siar uaithi ach bhí cuthach buile uirthi agus ní fhéadfadh sé stop ná srian a chur léi. Bhailigh na daltaí timpeall á ngríosú. Rith Bean Uí Gallchóir chucu agus sheol sí an bheirt acu go dtí an oifig.

'Beirigí ar bhur málaí,' arsa Mr Putts leo. 'Táim bhur gcur ar fionraí!'

'An bheirt againn?' arsa Katty.

'Tusa go háirithe!' ar seisean.

'A Íosa! Seo é an scéal is measa riamh!' arsa Bean Uí

Ghallchóir nuair a d'fhill sí ar sheomra na múinteoirí. 'Cur amú ama iad a chur ar fionraí. Ba chóir an bheirt acu a theilgean i ndiaidh a gcinn amach an geata agus ordú a thabhairt dóibh gan filleadh go deo!'

Bhí ionadh ar Jason nuair a chonaic sé Dick chuige agus caipín dubh ar a shúil chlé.

'Ar fionraí arís?'

'Sea, de bharr an cac a bhualadh as amadán!'

D'fhéach Jason air agus dúirt sé gur chosúil gur buaileadh an cac as féin.

'Níor buaileadh. Ba bheag nár mharaigh mé an bastard ach tháinig a chairde i gcabhair air. Murach gur tháinig, bheadh sé marbh. Cén fáth an gcuirfí ar fionraí mé murach gur bheag nár mharaigh mé é?'

Bhí amhras ar Jason. D'inis Dick dó faoi chárta na cluaise a bhí déanta aige agus d'fhiafraigh sé de an raibh aon rud feiliúnach aige le scríobh air. Scrúdaigh Jason an cárta agus thosaigh sé ag gáire. Cad faoi: *Sábháileann deontóirí orgán beatha daoine. Deonaigh do leathchluas eile, do mhagairlí agus do chuid orgán go léir anois!*

Ba bheag nár thacht siad iad féin le neart gáire.

Bhreac Dick an teachtaireacht i mbloclitreacha agus bhí sé díreach ar tí clúdach a chur air nuair a rith smaoineamh chuige. Thosaigh sé ag sclogadh gáire agus scríobh sé ainm agus seoladh Dwain air.

Ní raibh Patrick sa bhaile nuair a d'fhill Rós ón scoil an lá arna mhárach. Níorbh aon iontas é sin ach dúirt Mary go bhfuair siad scéal ón scoil nach raibh sé ann.

'Tiocfaidh sé abhaile nuair a bheas ocras air,' arsa Joe. Bhí imní ar Rós. Mheas sí go raibh rud éigin cearr agus de réir mar a shleamhnaigh an t-am thart mhéadaigh an imní a bhí uirthi. Chuir sí glaoch ar Chormac agus chuaigh an bheirt acu ag féachaint an raibh Patrick le duine éigin dá chairde sa sráidbhaile. Bhí sé mór le deartháir Larky. Chuaigh siad ag rothaíocht go dtí an teach. Teach mór a bhí ann.

'D'inis Patrick dom ar maidin go raibh sé chun an lá a chaitheamh ag bádóireacht,' arsa Aaron. 'Tá súil agam go bhfuil sé slán.'

D'fhill siad abhaile. Thosaigh Mary ag scréachaíl agus ag déanamh bróin. 'Bádh é sa tSionainn táim cinnte de — tá brón an domhain orm gur aistrigh mé riamh anseo.'

'Ara, éirigh as in ainm foc!' arsa Joe.

Ghlaoigh Cormac ar na Gardaí. Bhreac Garda síos na sonraí.

'Scaipfimid an scéal i measc na seirbhísí tarrthála agus beidh carr patróil chugaibh laistigh de fiche nóiméad.'

Rinne sé mar a gheall sé. Tháinig Garda agus Bangharda agus bhí gach eolas uathu mar aon le grianghraf Phatrick agus cuntas cruinn ar a raibh á chaitheamh aige. Gheall siad go raibh an scéal curtha chuig an lucht tarrthála agus chuig na Gardaí uile sna stáisiúin ar dhá bhruach na habhann, agus go mbeidís go léir ag faire amach dó, agus go gcuirfidís glaoch chucu a luaithe agus a bheadh aon eolas acu.

'Ná bíodh imní ort. Gach aon seans go bhfuil sé ag baint taitnimh as an saol áit éigin.'

'Táim cinnte go bhfuil sé báite! Tá sé báite sa tSionainn!' arsa Mary is í ag scréachaíl in ard a gutha. 'Tá sé báite sa tSionainn!'

'Ara, éirigh as in ainm foc, a bhean!' arsa Joe.

D'imigh na Gardaí agus d'imigh Joe go dtí an teach tábhairne — 'chun síocháin éigin a fháil ann.'

Chuir Cormac scéal chuig a mháthair ag insint di cad a bhí tarlaithe agus nach bhféadfadh sé filleadh abhaile go ceann tamaill.

'Ó, a Thiarna Dia!' ar sise. D'fhiafraigh sí de cá raibh cónaí orthu, rith sí amach go dtí a carr agus thiomáin sí díreach go dtí an teach.

'Ó, a Íosa!' arsa Rós léi féin nuair a chonaic sí ag teacht isteach an doras í. Bhí sí cinnte go gceapfadh Carmel go raibh siad cosúil le scata tincéirí agus go dtabharfadh sí ordú do Chormac gan baint ar bith a bheith aige léi arís go deo. 'Ó! Tá an créatúr báite! Tá an créatúr focin báite! Tá's agam go bhfuil!' arsa Mary nuair a shiúil Carmel isteach sa seomra. Rug Carmel barróg uirthi agus rinne sí a dícheall í a chiúnú. Dúirt sí go bhféadfadh sé a bheith ina chodladh sa mbád, nó ag campáil nó ar oileán éigin, ach ní shásódh aon rud Mary ach go raibh sé báite sa tSionainn. Bhí náire shaolta ar Rós. D'fhéach sí ar Chormac. Bhí sé ina shuí ar chathaoir. B'álainn an dealramh a bhí air. Bhris sé a croí féachaint air. Bhí sí cinnte a luaithe agus a gheobhadh Carmel ina aonar é go dtabharfadh sí ordú dó fanacht glan amach uaithi.

Bhí an tAthair Plankton ina chodladh nuair a thosaigh a theileafón ag déanamh ceoil. B'fhearr leis an sioc ná éirí, ach ghléas sé é féin agus thiomáin go dtí an teach. Thosaigh Mary ag scréachaíl arís nuair a shiúil sé isteach an doras. Bhí sí cinnte dearfa go raibh Patrick báite agus á scuabadh le sruth fuar na habhann. 'Mo mhallacht ar an lá ar bheartaíomar teacht go dtí an focin áit seo!'

Bhí aigne an tsagairt ina chíor thuathail ar fad. Bhí a fhios aige nár chóir dó aon rud a rá murar chreid sé féin go daingean ann ach bhí an teaghlach trína chéile agus bhí air cabhrú leo. Bheartaigh sé na rudaí céanna a rá a chuidigh le daoine go minic cheana. 'Abraimis paidir bheag,' ar seisean ach lean Mary uirthi ag olagón agus ag déanamh bróin.

'An gcreideann tú go bhfuil Dia ann, a Mhary?' ar seisean ina ghuth domhain sollúnta, agus thosaigh sí ag fiafraí de cén fáth ar sciob Dia a bheirt iníon agus a mac uaithi.

'Tá Dia maith, abraimis paidir bheag,' ar seisean is é ag déanamh a mhíle dícheall gan laige a chreidimh féin a léiriú. Chiúnaigh sí.

'Fágaimid Patrick faoi chúram grámhar Dé agus iarrfaimid air é a sheoladh ar ais chugainn slán sábháilte,' ar seisean agus é cinnte nach raibh fimíneach bréagchráifeach níos mó ná é in Éirinn. Bhí ciúnas sa seomra agus iad go léir ag guí go dtiocfadh Patrick slán agus má ghuigh an sagart leo ghuigh sé arís is arís eile ar Dhia gan an sifín brúite a bhriseadh ná an lasair chreathánach a mhúchadh.

Bhí cuma ghioblach ar Mhary. Bhí Rós cinnte go n-éireodh Carmel nóiméad ar bith agus go n-ordódh sí do Chormac dul abhaile léi. Ghuigh sí ó bhun a croí go dtiocfadh Dia i gcabhair uirthi. Faoi dheireadh d'éirigh an sagart agus dúirt go raibh air imeacht. Ghabh Rós míle buíochas leis. Dúirt Mary go raibh sí faoi chomaoin aige, agus thosaigh sí ag gol agus ag déanamh bróin go hardghlórach.

'Bíodh muinín againn as an Tiarna,' ar seisean. Bhuail sé le Joe ag an doras.

'Má bheireann siad beo air bualfaidh mé an focin cac as,' ar seisean agus lán a chraicinn ólta aige.

'Ná bí crua air,' arsa an sagart agus d'imigh sé leis amach sa dorchadas.

Tháinig Joe isteach sa seomra ag fógairt in ard a ghutha go mbainfeadh sé cac as. Bá bhreá le Rós go n-osclódh an talamh fúithi. B'éigean di é a chur in aithne do Charmel. I gceann tamaill dúirt sise go raibh uirthi imeacht. Bhí am na cinniúna tagtha. Shamhlaigh Rós í ag suí isteach sa charr agus ag fógairt go lasánta do Chormac, 'Táimid náirithe agat! Is geall le clann tincéirí iad.' Bhí sí cinnte go raibh deireadh tagtha.

'Is dócha go bhfuil fonn ort an oíche a chaitheamh anseo,' arsa Carmel le Cormac agus gheall sí go dtabharfadh sí a mhála codlata chuige. Shiúil Rós go dtí an doras léi.

'Tá súil agam le Dia go bhfillfidh do dheartháir abhaile slán sábháilte,' ar sise. Go tobann chas sí agus rug sí barróg ar Rós. 'Is iontach an cailín thú, a Rós,' ar sise, 'agus tá an-áthas orainn go bhfuil tú ag siúl amach le Cormac.'

D'fhill Rós ar an seomra agus áthas uirthi go raibh sí slán go fóill ach thuig sí ina croí nach raibh ann ach ceist ama. Bhí sí ag faire ar Charmel i rith an ama a raibh sí sa teach agus bhí a fhios aici go raibh rún aici comhairle a chur ar Chormac nuair a mheasfadh sí go mbeadh an t-am oiriúnach chuige. Bhí an ceart aici.

Níor chodail éinne sa teach an oíche sin agus ní raibh aon scéal ag na Gardaí ach oiread. Bhreac an lá agus fós ní raibh tuairisc le fáil faoi Phatrick. D'airigh siad héileacaptar ag imeacht os a gcionn agus bhí a fhios acu go raibh siad ag cuardach.

'Nach ndúirt mé libh é? Tá sé báite sa tSionainn!' arsa Mary agus ní fhéadfaí í a shásamh.

Bhí sé i ndiaidh a hocht nuair a tháinig scéal ó phíolóta an héileacaptair go bhfaca sé bád iomartha amuigh ar an abhainn agus buachaill ann. Ba chosúil go raibh ceann de na maidí rámha imithe le sruth. Ba ghearr go bhfuair siad scéal go raibh sé slán sábháilte, ach é préachta leis an bhfuacht agus ocras an domhain air. Bhí Mary as a craiceann le háthas agus dúirt Joe go gcaithfeadh sé dul agus deoch a ól.

Tógadh Patrick go dtí an t-ospidéal lena scrúdú ach ní raibh tada cearr leis. Thiomáin na Gardaí abhaile é.

'Beidh sé ina phleidhce amadáin go lá a bháis!' arsa Rós le Cormac. 'Ní fhoghlaimeoidh sé tada ón eachtra.'

Bheartaigh Dwain agus Dick bualadh le Larky sa sráidbhaile an oíche dar gcionn. Bhí caipín olann Manchester United á chaitheamh ag Dwain agus chuaigh an dearg agus buí a bhí air go breá le goiríní a éadain. Ní raibh tada le déanamh ag an triúr. Chuir siad cipín lasta i gcanna bruscair. D'imigh siad leo gan aon rud a rá agus nuair a d'fhéach siad siar i gceann cúpla nóiméad bhí na lasracha geala ag léim in airde uaidh.

'Scannalach!' arsa Larky. Shiúil siad ar aghaidh tamall agus chonaic siad Katty ag dul go dtí an t-ollmhargadh. D'fhiafraigh siad de bhéic di an raibh fear uaithi le craiceann a bhualadh.

'Dá mbeadh ní bheadh bhur leithéid de chunúis chaca uaim!'

'Dá mbeadh ní bheadh bhur leithéid de chunúis chaca uaim!!!' arsa an triúr acu ag déanamh scigaithrise uirthi. Thug sí a bhfreagra orthu agus thosaigh siadsan ag glaoch: 'Mí-amh! Mí-amh! Mí-amh! Mí-amh!'

D'fhan Larky go raibh sí tamall maith uaidh sular thosaigh sé ag fógairt go graosta ina diaidh.

'Tar anseo agus abair é sin, a chac bhig!' ar sise agus gheall sí go mbainfeadh sí an cloigeann de arís.

Thosaigh Dick agus Dwain ag béicíl: 'Mí-amh! Mí-amh! Mí-amh! Mí-amh!' agus spalp Larky a chuid salachair chuici arís. Gheall sí go maródh sí é ar scoil.

'Féadfaidh tú focáil leat!' arsa Larky léi agus sheas sé ansin, strainc áiféiseach ar a bhéal agus é ag béicil: 'Mí-amh! Mí-amh! Mí-amh! Mí-amh!'

Tháinig Dwain ar channa stáin, agus thosaigh sé á chiceáil mar a dhéanfadh peileadóir sacair. Rinne Dick iarracht é a bhaint de ach chuaigh Dwain amach thairis agus d'imigh sé de ruathar síos an tsráid i dtreo Larky.

'Heidh! An tusa Dwain Donnelly?' arsa fear óg le Dwain. Bhí sé breis agus sé troithe ar airde agus é go teann téagartha. Bhí fear óg eile in éineacht leis agus cuma scafánta air freisin. Bhí oiread sin de chiall ceannaithe agus de ghliceas na cathrach ag Dwain gur thuig sé láithreach nár tháinig siad le hinsint dó gur bhuaigh sé turcaí i gcrannchur an pharóiste.

'Ní mé! Sin é é thall ansin — mo dhuine a bhfuil an cloigeann bearrtha aige agus an glib amaideach anuas ar chlár a éadain.'

Anonn leo chuig Larky. Rug duine acu ar a ghlib agus d'imir an duine eile na bróga sa tóin air.

'Cad sa foc?' arsa Larky ach chuir dorn sa smig ag eitilt siar an cosán é. Thit sé de phleist ar an talamh agus d'imir siad na bróga arís air.

'Heidh! Éirigí as! Éirigí as!' arsa Dick de bhéic bhagrach ach rinne sé deimhin de gur fhan sé sách fada amach uathu.

'Focáil leat!' ar siad agus lean siad orthu ag imirt díoltais ar Larky, á tharraingt aníos lena ghlib agus á chéasadh lena mbróga agus lena ndoirne.

Lig Dwain cúpla béic gan éifeacht leo ach ní dhearna sé tada ach oiread.

'Inseoidh m-m-m'athair do na G-G-Gardaí fúibh!' arsa Larky agus é ag pusaíl ghoil nuair bhí siad críochnaithe. D'ardaigh duine acu glan den talamh é.

'Seol cárta eile mar sin d'Adam Brady, agus bronnfaimid do chluasa, do mhagairlí, agus gach ball beatha ar an zú!' ar seisean leis agus thug an fear eile cic mhillteach scoir sa tóin dó.

'Cad sa foc a bhí ar siúl acu?' arsa Dwain agus é ag iarraidh a gháire a cheilt.

'Chaithfeadh sé go bhfaca siad cárta na cluaise,' arsa Dick, agus phléasc sé féin agus Dwain amach ag gáire.

'C-c-c-cén fáth an gc-gc-gc-gceapann siad gur mise a sh-sh-sh-sheol chuige é?' arsa Larky a bhí fós ag smúsaíl ghoil agus é ag cuimilt a thóna. Ní dúirt ceachtar den bheirt aon rud ach iad ag sclogadh gáire.

'C-c-c-cad sa f-f-f-foc atá chomh g-g-g-greannmhar sin?' arsa Larky agus thosaigh sé ag cuimilt a chinn le lámh amháin agus a thóna lena láimh eile, agus é ag iarraidh a chosa agus a chluasa a chuimilt freisin. Gheall siad dó go mbainfidís díoltas amach. Bhainfidís cinnte. Mharóidís na bastaird.

'Fanfaimid go mbeidh siad ar meisce agus brisfimid a gcosa le blocanna coincréite. Brisfidh cinnte.'

B'fhusa díoltas a fhógairt ná é a bhaint amach, áfach, agus nuair a d'imigh Larky leis abhaile ba bheag nár thacht an bheirt eile iad féin le neart gáire.

'Ach cén fáth ar cheap siad gurb é Larky a sheol an cárta?' arsa Dwain. Níor inis sé do Dick cad a dúirt sé féin leis na hógánaigh agus, dar ndóigh, ní raibh fonn ar bith ar Dick a insint dó go raibh ainm agus seoladh Dwain breactha aige ar an gcárta.

Bhí athair Larky le ceangal nuair a chuala sé faoin ionsaí a rinneadh air. Thug sé caol díreach go dochtúir é. Scrúdaigh seisean é ach ní raibh aon chnámh briste nó mórghortú déanta. Mhol sé dó paracetamol a thógáil.

'Suigh isteach sa charr. Rachaimid go dtí na Gardaí,' arsa a athair nuair a bhí an dochtúir íoctha aige.

Bhailigh sé Dick agus Dwain ar an mbealach.

'Ná habair focal faoin gcárta,' arsa Dick i gcogar leis an mbeirt eile agus iad ag siúl isteach sa stáisiún. Gháir an Garda a bhí ar dualgas nuair a chonaic sé an triúr. 'An bhfuil scéal eile agaibh faoi lomnochtán fireannach ag déanamh a mhúin san ollmhargadh?' ar seisean.

'Rinne beirt fhear ionsaí gan fáth ar bith ar mo mhacsa,' arsa athair Larky. Bhreac an Garda síos na sonraí ach ó ba rud é nár luaigh siad Adam Brady ná an cárta ba bheag a d'fhéadfaí a dhéanamh faoi.

'Dála an scéil, cad a rinne do chairde le cabhrú leat agus an léasadh á thabhairt duit?' arsa a athair le Larky nuair a shroich siad an teach.

'Bhí siad ag fógairt ar an mbeirt is ag rá leo éirí as.'

'Cairde den scoth atá agat.'

Chuimhnigh Larky ar an mbeirt acu ag briseadh a gcroí ag gáire. Bheartaigh sé fanacht amach uathu ach nuair a shuigh sé síos sa bhus an mhaidin dar gcionn thosaigh Dwain ag cantaireacht:

'Cic sa tóin maidin Dé Luain agus dorn sna magarlaí Dé hAoine!'

Níor fhéad Larky gan an freagra a thabhairt: 'Múinteoirí le céasadh ag diabhail gan bhéasa, agus muidne an dream lena dhéanamh!' Bhí siad ina ndlúthchairde arís.

Tháinig Cormac ar alt sa nuachtán áitiúil faoi choiste crónaera. Bhí fear óg tar éis lámh a chur ina bhás féin. Thaispeáin sé do Rós é. Léigh siad an scéal arís is arís ó thus go deireadh ach ní raibh tagairt ar bith ann do dhaoine a bheith á gcur faoi mhionn ná á gcroscheistiú agus ní raibh puinn níos mó eolais acu faoin scéal. Tháinig litir chuig Mary agus Joe an mhaidin dar gcionn ag iarraidh orthu a bheith i láthair nuair a bheadh an coiste cróinéara ina shuí. Bhí uamhan ar Rós nuair a léigh sí é. Chuir Cormac a lámh timpeall uirthi agus gheall arís go rachadh sé ann léi agus go seasfadh sé léi.

Tharraing sí chuici féin é agus dúirt go mba mhór an chabhair di é sin.

Thug an tAthair Plankton cuairt ar Joe agus Mary an oíche chéanna. Thug sé clúdach litreach dóibh agus mhínigh sé go mbeadh airgead póca uathu nuair a bheidís i gCorcaigh. Ghabh siad míle buíochas leis.

'Abair paidir bheag ar mo shon,' ar seisean agus d'imigh sé. Mheas sé gurbh fhearr an mhaise dó an t-airgead a thabhairt dóibh ná é a bheith ina phóca agus é ag smaoineamh ar dhul amach ag ól. Ba leor an cathú a bheadh le fulaingt aige agus a phócaí folamh.

8

Bhí an cruinniú foirne socruithe don lá dár gcionn. Chuaigh Bean Uí Ghallchóir chun cainte le Patricia Paxton, múinteoir óg a raibh céim den scoth agus post buan sa scoil aici. Bhí barúil aici gur mhian léi a marc a fhágáil ar shaol an oideachais. Mhínigh sí go mbeadh tacaíocht uaithi ag an gcruinniú.

'Is binn béal ina thost, agus ní bheireann sé ar chuileoga,' arsa Patricia. Stán Bean Uí Ghallchóir sna súile uirthi agus dúirt go bhféadfadh sí tráchtas léannta a scríobh faoin teideal 'Conas feall a dhéanamh ar do chomhghleacaithe gan oiread agus focal a rá,' agus d'fhág sí í.

Nuair a bhí sí ag dul go dtí a chéad rang eile bhí Aaron Kent ina sheasamh sa dorchla agus gan cosúlacht ar bith air go raibh sé ag dul áit ar bith.

'Téigh go dtí do rang, Aaron,' ar sise ach níor bhac sé léi. D'fhógair sí arís air, shearr sé a ghuaillí agus ghluais chomh mall is a d'fhéadfadh sé i dtreo a ranga agus é ag rapáil:

I got a passion in my pants and I ain't afraid to show it.
I'm sexy and I know it! I'm sexy and I know it!

B'fhearr léi an sioc ná labhairt leis an Dr Woods tar éis an cheap magaidh a bhí déanta aige di, ach bhí tráth na cinniúna ag druidim leo.

'Ba mhór liom dá dtabharfá tacaíocht dom ag an gcruinniú foirne,' ar sise leis.

'Ó, réiteoidh mé rud éigin duit. Cé acu ab fhearr leat — stól, cathaoir nó fráma Zimmer?'

D'inis sí dó nárbh aon chúis gháire an scéal.

'Go mór mór dá dtitfeá go talamh is dá slogfá d'fhiacla bréige,' ar seisean agus phléasc a raibh timpeall orthu amach ag gáire.

Níor gháir Bean Uí Ghallchóir. 'Bhí mé ag caint faoin smacht. Tá sé imithe chun an diabhail ar fad.'

'Sa chás sin ba chóir di dul chun cainte leis an Athair Plankton agus a iarradh air deamhandíbirt a dhéanamh ar an scoil.'

'Ó focáil leat!' ar sise.

'OK. OK. Ní raibh mé ach ag magadh,' ar seisean agus gheall sé tacaíocht céad faoin gcéad di ag an gcruinniú foirne. Bhí áthas uirthi é a chloisteáil go dtí go ndúirt sé: 'i gcomhair na deamhandíbeartha.'

'Cuireann tú déistin agus samhnas orm!' ar sise. D'ardaigh sí suas í féin chomh hard agus a d'fhéad sí agus shiúil sí léi go mórálach uaidh.

'A Íosa! Chaithfeadh sé go bhfuil maitheas éigin ionam mar sin,' ar seisean. Chuala sí go soiléir é ach chuir sí bodhaire Uí Laoghaire uirthi féin.

Bhí ríméad ar na daltaí nuair tháinig na busanna lena dtabhairt abhaile go luath. Bhí rún ag Rós tuirlingt le Cormac ag a theach agus an tráthnóna a chaitheamh ag siopadóireacht sa bhaile mór. Bhí Larky ina shuí gar do dhoras an bhus.

'Gléas piteoige!' ar seisean de bhéic léi nuair a bhí an bheirt acu ag tuirlingt. Bhuail cuthach feirge í. Suas céimeanna an bhus léi de ruathar. Rinne Larky iarracht teitheadh uaithi ach bhí sé ródhéanach. Rug sí greim ar a ghlib lena ciotóg agus thosaigh sí á stracadh amach as a cheann agus thosaigh sí á ghreadadh lena deasóg. Scréach sé faoi mar a bheadh sé á mharú agus b'éigean don tiománaí teacht i gcabhair air.

'Múinfidh sé sin ceacht don chac beag!' ar sise agus í ag imeacht den bhus. D'fhág siad na málaí scoile i dteach Chormaic agus rún acu dul ar bhus isteach sa bhaile mór.

'Tá cosúlacht sneachta air,' arsa Cormac agus thug sé scáth fearthainne a mháthar ar iasacht di. Bhí an ceart aige. Ní túisce ar an mbus iad ná thosaigh sé ag cur sneachta go tiubh.

Bhailigh na múinteoirí sa leabharlann.

Labhair an Dr Woods i gcogar leis an múinteoir ealaíne agus dúirt go raibh foireann an-luachmhar go deo acu sa scoil.

'Cad atá i gceist agat?'

Shín sé a lámh i dtreo na múinteoirí aosta agus d'fhógair: 'Shíleas go mbeadh a fhios agat ós múinteoir ealaíne thú go bhfuil bailiúchán den scoth de na Sean-Mháistrí againn!'

Lig an Dónallach béic gháire as.

Cuireadh clár oibre an chruinnithe timpeall.

'A Íosa, féach cad atá déanta ag Putt Putt,' arsa Bean Uí Ghallchóir le hIníon de Paor a bhí ina suí taobh léi. 'Tá ceist an smachta fágtha go deireadh ar fad.' Bhí barúil aici go mbeifí ag caint agus ag cíoradh mionphointí gan éifeacht go dtí go mbeadh an t-am beagnach istigh. Tháinig Mr Putts. Chuir sé fáilte rompu agus dúirt go raibh súil aige go bhféadfaidís bóthar a bhualadh ar a leathuair tar éis a cheathair. D'aontaigh na múinteoirí leis.

'Go hiontach ar fad!' arsa Bean Uí Ghallchóir le teann seirfin le hIníon de Paor.

Cíoradh ceist na gcruinnithe leis na tuismitheoirí agus scrúduithe na scoile go mionn agus thug na múinteoirí a dtuairimí fúthu. Tarraingíodh anuas a lán mionphointí agus tháinig méadú ar mhífhoighne Bhean Uí Ghallchóir. Phléigh siad fadhb bhruscair na scoile. D'fhógair an múinteoir ealaíne nach bhféadfaidís a bheith ag súil le hiontaisí ó na daltaí ó bhí seomra na múinteoirí féin cosúil le campa tincéirí.

'Sin díreach atá uainn!' arsa Bean Uí Ghallchóir le hIníon de Paor, agus thosaigh sí ag útamáil lena fáinní agus ag tarraingt ar a slabhraí le teann mífhoighne. Níorbh ise an t-aon duine a bhí ag útamáil. Bhí an Hipí gnóthach ag glanadh a Shiva agus ag cur snasa air.

Labhair an múinteoir eacnamaíocht baile amach go tréan faoin mbail a bhí ar chistin na múinteoirí.

'Níl sé sin ar an gclár,' arsa Bean Uí Ghallchóir ach lig Mr Potts di leanúint ar aghaidh.

Faoi dheireadh thiar thall tháinig siad go scéal an smachta. Ní raibh mórán ama fágtha. Sheas Bean Uí Ghallchóir suas agus d'fhógair go raibh smacht sa scoil imithe chun donais ar fad. 'Tá sé in am againn seasamh le chéile agus cos a chur síos go daingean.'

'Agus leis an meáchan go léir atá aici ar na sála stiletto sin...' arsa an Dr Woods i gcogar leis an Dr Spellman, 'cuireann sí sin scanradh an domhain orm.'

'Mise a chuir smacht ar chlár an chruinnithe seo, agus rinne mé é sin toisc go bhfuil feachtas ar siúl ag daltaí mar Dwain, Larky, Dysfunctional Dick, Aaron Kent agus ag buíon bligeard eile chun croí gach múinteora sa scoil a chrá. Níl siad ag foghlaim aon rud agus tá siad ag déanamh a míle dícheall chun nach mbeidh aon dalta eile in ann aon rud a fhoghlaim ach oiread. Tá an scoil imithe chun an diabhail, agus mar bharr ar gach donas, tá cinneadh déanta ag an mBord seans eile a thabhairt do Larky i ndiaidh a bhfuil déanta aige. Buille na tubaiste ar fad é sin. Tá sé ar intinn agam scríobh chuig an mbord ag gearán go bhfuil *carte blanche* tugtha acu do gach scabhaitéir sa scoil a rogha rud a dhéanamh!'

Thacaigh múinteoirí eile léi ach bhí na múinteoirí óga an-chiúin. Ní raibh postanna buana ag a lán acu sa scoil agus ní fhéadfaidís olc a chur ar éinne den lucht bainistíochta.

Labhair Miss Golden amach go tréan. Bhí ionadaithe na múinteoirí glan in aghaidh chinneadh an Bhoird ach ní raibh ach duine amháin eile a thacaigh leo.

'Ba chóir daoibh seasamh suas agus siúl amach mar agóid in aghaidh an chinnidh!' arsa Bean Uí Ghallchóir agus chuaigh Shiva an Hipí ag sciorradh trasna an urláir.

Níor aontaigh an múinteoir ealaíne le Bean Uí Ghallchóir. D'fhéadfadh an fhoireann litir a scríobh chuig an mBord ach ba mhó an dochar ná an leas a dhéanfadh sé. Ní bheidís ach ag cothú naimhde dóibh féin i measc lucht an Bhoird.

Ba bheag nár phléasc Bean Uí Ghallchóir. 'Táim chun litir a scríobh thar mo cheann féin agus beidh fáilte romhaibh bhur n-ainmneacha a chur leis,' ar sise agus d'ordaigh sí do Mr Putts a mhíniú cén fáth nár thug sé bata agus bóthar do Dick.

'Tá sé tar éis ciapadh gnéasach a dhéanamh orm féin, agus murar leor é sin, tá sé tar éis pictiúr lomnocht a dhéanamh de Katty an Cat agus é a thaispeáint do na buachaillí. Bhí sé sin ar cheann de na rudaí ba mheasa dar tharla riamh sa scoil, agus ní bhfuair sé dá bharr ach saoire bheag sa bhaile. Bheadh sé ar ais chugainn maidin Luain agus é níos measa ná riamh.'

'Cás idir eatarthu ab ea é, agus dream an-bhaolach iad a

mhuintir,' arsa Mr Putts. 'Bheadh dlíodóir acu roimh thráthnóna dá gcuirfinn an ruaig air.'

'A Íosa! Tá an scéal imithe chun donais ar fad!' ar sise le teann feirge. 'D'fhéadfaí duine a ruaigeadh as an scoil de bharr rud mar sin anuraidh agus is ceist idir eatarthu anois í!' Thacaigh an Hipí léi ach fós ní raibh oiread agus gíog as na múinteoirí óga. Rith sé le hIníon de Paor go bhféadfadh eachtraí mar Dick agus an buidéal a bheith ina gcásanna idir eatarthu go luath agus nach mbeadh gíog astu fós.

Labhair an múinteoir ealaíne faoi Katty an Cat. 'Ní fhaca mé riamh a leithéid de fhiuchadh na feirge in aon duine beo. Tá teiripe de chineál éigin ag teastáil uaithi. Tugann sí fuath don saol go léir.'

Thosaigh an Dr Spellman ag gáire. 'Ar thug sibh faoi ndeara an tsúil mhillteach a thugann sí duit nuair a bhíonn olc uirthi — agus bíonn sí mar sin formhór an ama. Ba chóir na múinteoirí go léir a chur chun an ospidéil ag féachaint an bhfuil galair mharfacha orthu,' agus chuaigh sé sna trithí gáire.

'Ba cheart dúinn scéal a sheoladh chuig teach na ngealt,' arsa Bean Uí Ghallchóir faoine fhiacla. 'Tholg sé víreas ó hiéana an gháire. Gach aon seans go bhfuil a inchinn millte.'

Labhair Mr Putts. 'Ní mian liom go rachadh an scéal seo níos faide ná an seomra seo, ach tá athair agus máthair Katty scartha ó chéile agus sin foinse na trioblóide. Tá seisean faoi ghlas i bPríosún Mhuinseo mar gur bhatráil sé an cloigeann ar dhuine éigin, agus lena chois sin, tá fadhbanna eile aici sa bhaile.'

Labhair múinteoir faoin gclár oibre liobrálach a mhol go mbeadh cead a gcinn ag daoine colscaradh a fháil agus ba chuma cén dochar a dhéanfadh sé sin do na leanaí.

'Pointe maith é sin agat,' arsa Bean Uí Ghallchóir ag

briseadh isteach air, agus d'fhógair: 'Nílimid puinn níos cóngaraí do chás na scoile a réiteach. Bhí tráth ann nuair a bhí oideachas den scoth á chur ar na daltaí. Ansin cuireadh ceangal na gcúig gcaol ar na múinteoirí agus tugadh cead a gcinn do dhailtíní. Ní féidir linn aon rud a rá anois ar eagla go dtabharfadh coileán muid os comhair cúirte. *Téatar na hÉigéille* atá ann agus dailtíní gan léamh, gan scríobh, gan éirim i gceannas orainn. Beidh orainn seasamh go daingean le chéile nó tiomáinfear muid go léir go teach na ngealt.'

Thacaigh an Hipí go tréan léi agus thug sé cur síos ar a raibh fulaingthe aige ó d'oscail an scoil sa bhFómhar ach d'fhógair an Dochtúir Spellman gur dhream neamhspleách iad na múinteoirí nach gcuirfeadh le céile go Lá an Lúbáin, agus thosaigh sé ag gáire.

'Focin amadán!' arsa Bean Uí Ghallchóir faoina fhiacla. 'D'fhéadfá geall a thabhairt go ndéanfadh sé praiseach den scéal!'

'Agus conas ar féidir liom a éileamh go gcleachtadh na daltaí Béarla cruinn nuair atá rialacha na teanga á mbriseadh gach lá ag polaiteoirí, iriseoirí agus ag lucht teilifíse agus raidió?' arsa Miss Golden a bhí ina múinteoir Béarla. 'Bíonn cuid de na múinteoirí féin á mbriseadh.'

'Tá sé sin go léir go breá,' arsa Bean Uí Ghallchóir agus í le ceangal, 'ach cad atá le déanamh le smacht a chur ar na coileáin?'

'Níl sé go breá ar chor ar bith,' arsa Miss Golden go teasaí.

'Aontaím leat go hiomlán,' arsa Bean Uí Ghallchóir a thuig go raibh botún déanta aici. Bheartaigh sí tacú léi. 'Is é seo ré an aineolais agus an tútachais. Níl caighdeáin ar bith ann. Níl siad le fáil i gcomhréir an Bhéarla ná i gcúrsaí iompair. Tá an lá leis an mbulaí agus leis an scabhaitéir agus is é an fear is bagraí agus an té a bhfuil an t-airgead is mó aige an laoch agus an fear is fearr!'

Shásaigh sé sin Miss Golden agus chas Bean Uí Ghallchóir i dteeo na múinteoirí eile. 'Cad atá le déanamh againn faoi na coileáin atá ag fógairt cogaidh ar na múinteoirí? Sin í an fhadhb atá le réiteach againn.'

Bhí a fhios ag Iníon de Paor go raibh croí na múinteoirí óga scólta ag scabhaitéirí na scoile ach ní raibh gíog astu.

D'fhógair Bean Uí Ghallchóir go raibh an rang céad bhliana ar an rang ba mheasa a tháinig riamh isteach sa scoil.'

Labhair Patricia Paxton. 'Tá cairde liom ag iarraidh daltaí a mhúineadh i mBaile Átha Cliath agus is geall le haingil daltaí na scoile seo i gcomparáid leis na daltaí atá acusan. Ní féidir leis na múinteoirí casadh timpeall le scríobh ar an gclár dubh ar eagla go gcaithfí buidéil nó leabhair leo.'

'Lútálaí damanta ag cuimilt Phutt Putt!' arsa Bean Uí Ghallchóir faoina fiacla.

'Is cuid de rud i bhfad níos leithne é seo,' arsa an Dr Woods a bhí ciúin go dtí sin. 'Tá athrú ollmhór tagtha ar shaol na hÉireann. Níl meas madra ag éinne ar aon rud anois ach ar shaibhreas agus ar airgead. Tá na príosúin lán go doras agus níl na Gardaí in ann déileáil leis na creachadóirí agus na coirpigh....'

'Is fíor é sin,' arsa an Hipí ag briseadh isteach air, 'ach cad atá le déanamh againn chun nach gcuirfidh na bulaithe an ruaig orainn amach as an scoil. Deir an dochtúir go bhfuil dochar á dhéanamh do mo shláinte.' D'fhéach sé i dtreo Mr Putts agus d'fhógair: 'Mise Oifigeach Sláinte agus Sábháilteachta na scoile seo. Tá dualgas reachtúil ar an scoil breathnú i ndiaidh leas agus sláinte na múinteoirí agus na ndaltaí.'

Labhair Mr Potts. 'Ní féidir leat a shéanadh gur dhéileáil

mé le gach dalta a chuir tú chugam. Bímse ag bualadh le príomhoidí eile agus deir siad go bhfuil an scéal céanna acu i ngach scoil ó cheann ceann na hÉireann. Is é mo bharúil féin go bhfuil smacht na scoile seo i bhfad níos fearr ná mar atá sé ina lán scoileanna eile. Athraíodh an dlí. Ní féidir bata agus bóthar a thabhairt do dhalta mura bhfuil scoil eile sásta glacadh leis, agus ní fhéidir tada a dhéanamh mura líontar amach na cártaí dearga.'

'Cártaí dearga! Cártaí dearga!' arsa Bean Uí Ghallchóir agus í ar fiuchadh le neart feirge. Tá comhad ag Dysfunctional Dick atá ag cur thar maoil le cártaí dearga agus bhí sé fós sa scoil. An gcuirfeadh pluiméir suas le maslaí den chineál a thugtar dúinn? An gcuirfeadh siúinéir suas leis? Ní chuirfeadh! An bhfuil dream ar bith sa tír ach na múinteoirí a bhfuil orthu cur suas leis na maslaí?'

'Sin mar atá an saol anois,' arsa Patricia Paxton. 'Bíonn ar bhanaltraí agus ar oifigigh leasa shóisialaigh agus dreamanna eile cur suas le maslaí, agus rud eile, ní cóir dúinn a bheith ag tabhairt leasainmneacha ar dhaltaí. Tá sé neamhghairmiúil!'

Má chuala an Dr Spellman í níor bhac sé léi ach d'fhógair gur mhór an trua gur stopadh an troid nuair a bhí Katty an Cat ag batráil an chloiginn de Dysfunctional Dick agus thosaigh sé ag sclogadh gáire.

'Níl Katty ag déanamh aon obair bhaile,' arsa Miss Golden.

D'aontaigh múinteoir eile léi, agus dúirt daoine eile go raibh slua mór sa scoil nach ndéanadh aon obair bhaile ar chor ar bith.

'A Íosa Críost! Is é seo go díreach an rud atá uainn!' arsa Bean Uí Ghallchóir faoina fiacla. 'Díospóireacht faoi focin obair bhaile!'

Thosaigh Spellman ag gáire arís. Ní dhéanfadh Katty obair

bhaile go lá a báis. Dá bhfeicfeadh éinne ag obair í ba chóir dó glaoch ar chóiste na marbh mar gur shampla de *vigour mortis* a bheadh ann,' agus chuaigh sé sna trithí gáire.

Lig an Hipí cnead péine as agus d'fhógair: 'Is é sin an t-imeartas focal is measa a chuala mé riamh, agus tá droch-chinn cloiste agam.'

'Na cinn a chum tú féin,' arsa an Dr Spellman, agus thosaigh sé ag labhairt faoi chúrsaí obair bhaile.

Bhí ag teip glan ar Bhean Uí Ghallchóir na múinteoirí a ghríosú chun feirge ná iallach a chur ar Mr Putts aon rud a dhéanamh. Bheartaigh sí iarracht eile a dhéanamh an lasair a chur sa bharrach.

'Tá sé sin go léir go breá,' ar sise go searbhasach, 'ach an bhfuil aon rud le moladh agat chun nach dtiomáinfear glan scuabtha as ár gciall muid san áit seo?'

Bhí Miss Codd ciúin go dtí sin ach labhair sí amach go tréan. 'Bhí mé ag cruinniú na leas-phríomhoidí agus ba é an scéal a tugadh dúinn ansin ná go bhfuil sé beagnach dodhéanta an ruaig a chur ar dhalta scoile. Sin é an dlí. Beidh orainn cur suas leis.'

Bhí an t-am beagnach istigh agus ní raibh aon dul chun cinn déanta. Mhol Mr Putts dóibh leanúint ar aghaidh ag líonadh amach na gcártaí dearga.

Labhair Miss Codd amach go tréan arís. 'Beidh oraibh a bheith cúramach agus sibh ag scríobh amach na gcártaí agus gan aon rud ach fíricí oibiachtúla a scríobh orthu.'

'Cad a bhí i gceist agat?'

'Beidh oraibh scríobh amach go cruinn cad atá déanta ag an dalta agus gan aon mhothú nó dearcadh pearsanta a chur leis.'

'A Íosa!' arsa Bean Uí Ghallchóir agus í ag pléascadh le

rabharta feirge. 'Ní amháin go bhfuilimid ag déileáil le coileáin, agus go bhfuil ceangal na gcúig gcaol orainn agus gobán inár mbéal ach tá méara ár lámh á mbriseadh anois.'

'Bhuel, sin mar atá an scéal,' arsa Miss Codd. 'Tá sé de cheart ag daltaí féachaint ar na cártaí a scríobhadh fúthu, agus bheadh sé de cheart acu cás clúmhillte a thabhairt in aghaidh aon mhúinteora a scríobhfadh aon rud nach mbeadh 100% cruinn.'

'A Íosa!' arsa Bean Uí Ghallchóir. Nuair a scríobhfaidh mise amach cárta scríobhfaidh mé an fhírinne. Thabharfaidh mé coileán ar choileán agus dailtín gan bhéasa ar dhailtín gan bhéasa.'

'Déan é sin agus d'fhéadfá íoc as go daor,' arsa Miss Codd. 'Agus rud eile caithfimid a bheith cúramach. Níl cead ag múinteoir bheith ag béicíl sa seomra ranga. D'fhéadfadh daltaí an dlí a chur orainn.'

D'fhéach Mr Putts ar a uaireadóir. 'Tá sé leathuair tar éis a ceathair agus tá an sneachta go tiubh ar an talamh. Measaim gur chóir críoch a chur leis an gcruinniú nó beimid sáinnithe anseo go maidin. Bhailigh na múinteoirí a gcuid leabhar, nuachtán agus málaí agus bhog siad leo.

'A Íosa, ach is tusa an t-amadán cruthanta,' arsa Bean Uí Ghallchóir leis an Dr Spellman. 'Rinne tú praiseach ceart de.'

'B'fhéidir go gcuirfidh an sneachta sin fuarú ar an bhfiuchadh feirge sin ort,' ar seisean agus thosaigh sé ag sclogadh gáire arís.

'Rinne tú ceap magaidh díot féin,' ar sise go tarcaisneach agus d'fhág sí é.

'Chuirfeadh amadán mar sin duine ag ól!' ar sise leis an Athair Plankton a raibh an comhrá cloiste aige.

D'aontaigh sé léi, ach b'ait leis gur roghnaigh sí é féin chun an teachtaireacht a thabhairt dó. Bhí amhras air gur chuala sí go raibh sé ina alcólaí. Dá mbeadh a fhios sin acu sa scoil bheadh sé chomh maith aige éirí as a phost mar shéiplíneach.

Bhí brat trom an tsneachta ar shráideanna an bhaile mhóir nuair a shroich Rós agus Cormac an áit. Bhí airgead go leor acu le dul ag siopadóireacht agus ba mhian leis DVDanna ceoil a cheannach. Bhí calóga boga sneachta ag titim agus iad ag siúl trí chearnóg an bhaile. Mheas sé gur bhreathnaigh sí go gleoite faoin scáth fearthainne, scairf dearg fána muineál, cóta dúghorm uirthi agus a cuid gruaige finne ag titim ina fáinní anuas ar a guaillí.

'Fan nóiméad,' ar seisean agus thóg sé ceamara beag as a phóca. Ghlac sé a grianghraf agus an sneachta mórthimpeall uirthi. D'fhéach é ar an íomhá sa scáileán agus d'fhógair sé go raibh sí go spéiriúil. Phóg sé í. Chuaigh siad ag siopadóireacht ar dtús agus ansin chuaigh siad go dtí an proinnteach áit a raibh taosráin agus cupáin mhóra cappuccino acu.

Bhí sé dorcha nuair a d'fhág siad an proinnteach. Shiúil siad go dtí an bus agus greim daingean acu ar láimh a chéile.

'Níl a fhios agam an mbeidh mé in ann an turas a dhéanamh,' arsa an tiománaí. 'Coinnígí na criosanna sábhála oraibh ar eagla na heagla.'

Thiomáin sé go mall agus bhí sé déanach nuair a shroich siad teach Chormaic. D'íoslódáil sé na grianghraif ar an ríomhaire. Bhí an ceart aige nuair a dúirt sé go raibh sí go gleoite agus í sa sneachta agus an scáth fearthainne os a cionn. Rinne sé é a phriontáil amach ar leathanach A4 di agus ansin phriontáil sé ceann mór eile dó féin. Thóg sé í ina lámha ansin agus phóg sé go ceanúil í. Tháinig Carmel isteach.

'Féach ar an ngrianghraf a thóg mé di,' ar seisean.

D'fhéach sí le hiontas air agus dúirt go bhféadfaí é a úsáid mar chlúdach ar aon irisleabhar snasta.

Fuair Cormac blu-tack agus ghreamaigh sé an grianghraf den bhalla. Rinne Carmel gáire agus d'imigh sí léi. Phriontáil Cormac cóip eile agus chuaigh sé féin agus Rós go dtí a sheomra áit ar stán na héisc órga orthu agus é á ghreamú in airde ar an mballa.

'Tá brón orm, a bhuachaillí,' ar seisean leo. 'Ní sibhse an rud is áille sa seomra a thuilleadh.'

Ghreamaigh Rós a chóip féin den ghrianghraf ar bhalla a seomra nuair a chuaigh sí abhaile. Sheas sí siar agus d'fhéach sí go bródúil air. Ní raibh sí chomh sona riamh lena saol.

9

Chuaigh tuismitheoirí Rós go Corcaigh i gcomhair an deireadh seachtaine agus d'fhág siad Rós i bhfeighil an tí. Bhí cuireadh faighte aici féin agus ag Cormac dul go cóisir. D'fhág sí Michael i gceannas agus dúirt sí le Patrick go maródh sí é dá mbeadh sé ag pleidhcíocht. Tháinig Cormac agus shiúil sí leis go teach na cóisire. Bhí slua mór rompu agus a lán de dhaltaí na scoile ina measc.

'Cad a ólfas sibh?' arsa mac an tí.

Mhínigh Cormac go mb'éigean dó an leabhar a thabhairt nach mblaisfeadh sé aon alcól.

'Bain triail as an bpuins! Tá cúig cinn de shúnna éagsúla torthaí ann,' agus dhoirt sé amach gloine bhreá mhór dó. Bhlais sé de agus d'fhógair sé go raibh sé go hálainn.

'Doirt vodca isteach ann nuair nach mbíonn sé ag breathnú,' arsa Aaron Kent i gcogar le Dick agus Larky. 'Ba bhreá liom é a chur ar meisce. Rachadh a athair agus a mháthair le craobhacha ar fad.'

Bhí bia go flúirseach — plátaí móra ceapairí, brioscaí, taosráin agus cístí, maraon le babhlaí móra lán d'ispíní beaga agus de chosa sicíní. Thosaigh Cormac agus Rós ag ithe.

'Bíodh cos sicín agat,' arsa óganach ard rua. Mheas Rós go

raibh sé ceithre bliana níos sine ná iad. Bhí boige aisteach ina ghlór a chuir ionadh uirthi.

'Mise Bob. An bhfaca mé sa mbaile mór thú maidin Sathairn?' ar seisean le Cormac. D'admhaigh Cormac go raibh sé ann. Thug a mháthair ann é chuig rang ceoil.

'Cén gléas ceoil a sheinneann tú?'

'An fhliúit.'

'Deir mo mhúinteoir go gcaithfidh tú ton deas a chleachtadh lena sheinm i gceart,' ar seisean ag gáire, 'Ach ní bheadh aon deacracht agatsa. Is léir don saol go bhfuil tóin an-deas agat.' Lean sé ar aghaidh ag cabaireacht le Cormac agus thug Rós gráin a croí dó.

'Sin buachaill de do chineál féin,' arsa Larky le Cormac nuair a bhí sé imithe.

'Gabh suas ort féin!' arsa Cormac leis.

Bhog sé féin agus Rós amach sa halla áit ar tháinig siad ar Chloe Ryan agus a buachaill ag suirí le paisean.

'An iomarca díograise!' arsa Cormac agus chuaigh sé féin agus Rós go seomra eile.

'An bhfuil tuilleadh puins uait?' arsa Larky leis i gceann tamaill.

'Tá.'

D'fhill Larky le gloine mhór agus thosaigh Cormac á ól. Lean siad ar aghaidh ag ithe agus ag ól agus nuair a bhí a sáith acu thosaigh siad ag rince. Bhí Cormac ag éirí gealgháireach. Mheas sé go raibh gach rud an-ghreannmhar. Thosaigh sé ag gáire. Bhí ionadh ar Rós. Fuair sé gloine eile ó Larky. B'aoibhinn leis a bhlas. Chuaigh sé sna trithí dubha gáire.

Thosaigh sé ag fiafraí de dhaoine: 'Haidh! An bhfuil tú ag éirí níos stuama is níos éirimiúla? Nó an bhfuil tú fós lán de chac?' agus phléascadh sé amach ag gáire.

'A Íosa! Tá tú ar meisce!' arsa Rós. 'Tá tú glan as do chiall le meisce.'

D'fhógair Cormac nach raibh ná baol air. Ní raibh aige ach puins agus thosaigh sé ag geáitseáil agus ag déanamh míle rud le cruthú nach raibh oiread agus braon amháin alcóil ólta aige. Ba léir di go raibh sé ar deargmheisce.

'Larky atá ciontach. Bhí sé ag cur vodca nó rud éigin i do chuid puins,' ar sise. Níor chreid Cormac focal de.

'Níííl! Nílim óóóóólta,' ar seisean agus phléasc sé amach ag gáire arís.

Chuaigh sí go Larky agus dúirt gur chuir sé alcól ina chuid puins.

'Cad faoi má chuir?' arsa Larky. 'Ní dhearna braon aon dochar d'éinne.'

'Níl ionat ach focin cunús!' ar sise.

Tháinig Bob chucu agus d'fhiafraigh Cormac de an raibh sé tar éis éirí níos stuama is níos éirimiúla nó an raibh sé fós lán de chac.

Gháir an t-ógánach agus chuir sé cogar ina chluais. Chuaigh Cormac sna trithí dubha gáire.

'Nach ndúirt mé leat gur buachaill de do chineál féin é,' arsa Larky.

'Focáil leat!' arsa Rós agus d'imigh Larky leis ag gáire.

Bhí buachaillí agus cailíní ag tosnú ag suirí ach ní raibh Rós sásta. Ní fhéadfadh Cormac dul abhaile mar a bhí. Bheadh air dul go dtí a teach siúd go bhfillfeadh a chiall chuige. Ní éisteodh sé léi. Ní raibh cóisir riamh ann a thaitin chomh mór leis.

'Bíodh deoch eile agat!' arsa Chloe leis agus í beagnach as a ciall le meisce.

Tháinig Jason, thug sé mála beag do Dick agus d'imigh sé leis. Ní dúirt Dick tada ach ba ghearr go raibh eacstais á dhíol aige. Ní raibh sé ó Rós ná ó Chormac.

Chuaigh sí abhaile go bhfeicfeadh sí an raibh gach rud i gceart. Bhí Michael ina chodladh agus Patrick ag féachaint ar an teilifís. Dúirt sí leis go raibh sé in am aige dul a chodladh ach dhiúltaigh sé.

'Ar mhaith leat léasadh maith?' ar sise agus an fhearg ag éirí inti. Tharraing sí amach an phlocóid ón mballa. Chuaigh sé suas an staighre ag gearán agus d'fhill sí ar theach na cóisire. Má bhí ceol ard agus torann ar siúl sular fhág sí bhí sé i bhfad níos airde nuair a d'fhill sí. Bhí daoine ag béicíl agus ag rince go fiánta—iad ag leipreach timpeall agus ag luascadh a ngéag mar a bheadh scata diabhal istigh iontu.

'Tá geit bheag i ndán duit,' arsa Larky agus strainc mhór ar a bhéal nuair a chonaic sé í. Thosaigh Dick, Aaron agus roinnt buachaillí ag sclogadh gáire.

'Pleotaí!' ar sise agus chuaigh ar lorg Chormaic. Ní raibh sé sa seomra inar fhág sí é. Chuaigh sí timpeall na seomraí eile ach ní raibh sé iontu. Chuaigh sí suas an staighre agus d'oscail sí doras. Bhí Chloe agus a buachaill sínte le chéile ar leaba agus beirt eile ag osnaíl le paisean ar an urlár.

'Tá brón orm,' ar sise agus dhún sí an doras. D'fhéach sí ar an gcéad doras eile agus í idir dhá chomhairle. Chas sí an murlán agus d'oscail sí é. Chonaic sí Cormac agus Bob agus iad ag suirí go paiseanta. Níor fhéad sí a bhfaca sí a chreidiúint. Ba gheall le brionglóid uafáis é. Bhí Cormac ansin os comhair a dhá shúil agus fonn chun suirí air nár mhothaigh sí riamh nuair a bhí sí féin ina lámha. Ghlaoigh sí air ach níor éist sé léi.

'Tá sé in am againn imeacht, a Chormaic,' ar sise agus gan a fhios aici cad a bhí á rá aici.

'Focáil leat agus fág inár n-aonar muid!' ar seisean.

Rith sí amach as an teach. D'fhill sí abhaile agus na deora léi. Bhí sí tite i ngrá le buachaill homaighnéasach — dailtín homaighnéasach a rinne ceap magaidh di. Chuaigh sí suas an staighre agus bhris sí a croí ag gol. Bhí an bheirt deirfiúracha ab ansa lena croí marbh. Bhí tuismitheoirí gan rath gan éifeacht aici agus mar bharr ar an donas bheadh sí ina ceap magaidh ag na daltaí go léir ar scoil ar an Luan. Thug sí gráin a croí do Chormac. Chuaigh sí siar bóithrín na smaointe. Bhí na comharthaí go léir le feiceáil ón gcéad lá ar leag sí súil air, dá mbeadh sé de chiall aici meabhair a bhaint astu. Chuimhnigh sí ar a gháire agus ar a ghreann a bhíodh go síoraí ar a bhéal — ní raibh iontu ach feall. Chuimhnigh sí ar na háiteanna a ndeachaigh siad le chéile chucu. Chuimhnigh sí ar a phóga agus ar a briathra binne grá agus líon a croí le corp searbhais. Cladhaire fill a bhí ann. Chuimhnigh sí air agus é ag baint a cuid éadaigh di agus líon a croí le gráin agus le fuath dó. Bheadh sí ina ceap magaidh aige fós murach gur bhris an dúchas tríd nuair a bhí sé ar meisce. D'fhéach sí suas ar an ngrianghraf a bhí glactha aige di. Thug sí fuath a croí dó. Tharraing sí anuas é agus strac sí as a chéile é. Luigh sí ar a leaba agus na deora ag sileadh anuas ar a piliúr.

Bhí sé an-déanach nuair a thiomáin Gearóid agus Carmel go teach na cóisire. D'oscail buachaill an doras agus chuaigh sé ar lorg Chormaic. Tháinig seisean amach chucu, agus a chosa ag lúbarnaigh faoi.

'Tá an cigire tónach glan as a focin ciall le meisce,' arsa Larky de bhéic agus é fós ag leipreach agus ag rince de thoradh na heacstaise a bhí caite aige agus d'fhógair go raibh an oíche caite aige ag suirí le focin piteog.

Chuaigh na focail trí Charmel agus Ghearóid mar a bheadh scian ag gearradh an chroí astu.

'Suigh isteach sa charr,' arsa a athair go feargach le Cormac.

'Suigh isteach sa charr, mar a dhéanfadh buachaill maith,' arsa a mháthair.

Thosaigh Cormac ag snagaireacht ghoil agus ag rá arís agus arís eile go raibh brón an domhain air. Shuigh sé isteach sa charr agus bhí sé ina chodladh sular shroich siad an teach.

'Ná habair aon rud anois,' arsa Carmel le Gearóid.

Chuidigh Gearóid leis a chuid éadaí a bhaint de agus luigh Cormac siar sa leaba. Chuaigh sé síos go dtí an chistin ansin, áit ar theann sé Carmel lena chroí. Bhí siad araon croíbhriste. Bhí gach rud a raibh imní orthu fúthu tarlaithe. Bhí Cormac ina homaighnéasach. Phléigh siad an cheist ach ní raibh réiteach ar bith acu uirthi. Shíl Carmel go raibh an milleán le cur orthu faoi rud éigin a bhí déanta acu nó rud éigin a bhí fágtha gan déanamh acu. Ba chuimhin le Gearóid gur léigh sé áit éigin gurb easpa hormóin éigin nuair a bhíonn leanbh ag forbairt sa bhroinn is cúis leis ach mheas sé nárbh é sin an t-am chun an teoiric sin a phlé.

Chuaigh siad go dtí a seomra codlata áit nár chodail siad néal ach iad ag cur agus ag cúiteamh agus ag iarraidh an tubaist a thuiscint. Bhí sé ina lá nuair a dhúisigh Cormac. Maidin shalach ghruama a bhí ann agus níor mhothaigh sé chomh dona riamh. Bhí na héisc órga ag snámh leo go grástúil ar a suaimhneas amhail is nach raibh aon rud tarlaithe ach bhí an saol go léir athraithe. D'fhéach sé in airde ar ghrianghraf Rós agus bhris sé sin a chroí ar fad. Shil na deora síos ar a cheann adhairt agus thit a codladh arís air. Bhí sé fós ina chodladh nuair a tháinig an tAthair Plankton chun an tí. Ba mhian leis a iarraidh ar Ghearóid a bheith ina fhear an tí i gcomhair an bhiongó i halla an pharóiste oíche Dhomhnaigh. D'iarr Carmel air teacht isteach agus cupán tae a ól ach ní túisce sa chistin é ná gur thuig sé go raibh siad corraithe go mór faoi rud éigin.

'Tá súil agam nach bhfuil drochscéal faighte agaibh,' ar seisean.

'Cloisfidh tú luath nó mall é,' arsa Gearóid agus d'inis sé dó é.

'Tuigim bhur gcás,' ar seisean. 'Sin ceann de na rudaí is mó a chuireann sceon ar thuismitheoirí agus níl leigheas ar bith ag éinne air.'

Stop an sagart ar feadh soicind agus tharraing sé iarsmaí a chreidimh chuige féin agus lean sé ar aghaidh: 'Sin mar a chruthaigh Dia é, níl a fhios againn cén fáth ach is féidir a bheith cinnte go dtugann Dia grá dó. Chun an fhírinne a dhéanamh níl buachaill eile sa scoil atá chomh cneasta, gealgháireach leis ná chomh taitneamhach, béasach, éirimiúil.'

Labhair sé leo faoi thuismitheoirí a raibh mic acu a bhí imithe le hearóin agus iad ag goid agus ag creachadh rompu chun airgead a fháil. D'inis sé dóibh faoi thuismitheoirí eile a raibh a mac i bpríosún.

'Ná déanaigí dearmad go dtugann Dia grá a chroí dó. Ná cuirigí milleán ar bith air. Seasaigí leis ag am seo na práinne agus ná déanaigí dearmad riamh gur buachaill den scoth é.'

Thuig siad go raibh an ceart aige ach ba bheag an sólás dóibh é sin. Bhí na haislingí a bhí acu maidir le Cormac caite sa draoib. Bhí Cormac féin marbh le tinneas cinn nuair a dhúisigh sé um mheán lae. D'fhan sé sa leaba ag déanamh a smaointe agus ag gol. Níor chuimhin leis mórán a bhí tarlaithe ach bhí a fhios aige go raibh a shaol ina phraiseach aige. Bhí sé cinnte go raibh Larky agus Dick ag fógairt don saol mór go raibh cruthúnas acu go raibh sé aerach. Faoi dheireadh b'éigean dó dul go dtí an leithreas. Bhuail a mháthair leis agus é ag filleadh ar a sheomra agus d'fháisc sí lena croí é. Níor ghá di aon rud a rá.

'Táim aerach, a Mham. Táim aerach agus mothaím go huafásach faoi. Tá a fhios agam gur theip mé oraibh. Níor mhian liom riamh a bheith mar seo....'

Theann sí lena croí é mar a dhéanadh sí nuair a bhí sé óg agus tháinig rachta móra goil óna chliabh.

Bheartaigh sé glaoch teileafóin a chur ar Rós an tráthnóna sin nuair a bheadh sí i bhfeighil na leanaí. D'ullmhaigh sé a chuid cainte go cúramach. Déarfadh sé go raibh brón an domhain air agus gurbh ise an cara ab fhearr a bhí aige sa saol, ach ní raibh a fhios aige an nglacfadh sí leis an scéal sin ar chor ar bith. B'ise an cailín ba mhó a raibh meas aige uirthi agus bhí uamhan ar a chroí faoi cad a déarfadh sí.

D'fhan sé go dtí a hocht. Bhí sé marbh le himní. Dhiailigh sé an uimhir ach mhúch sé an teileafón. B'fhéidir go mbeadh sí gnóthach ag cur na leanaí a luí. D'fhan sé go dtí a fiche cúig go dtí a naoi. Bhí sé díreach ar tí glaoch nuair a chuimhnigh sé go mb'fhéidir go mbeadh sí gnóthach fós. Chuir sé an scéal ar an méar fhada. D'fhan sé go dtí a deich chun a naoi. Dhiailigh sé an uimhir agus d'fhan sé ag éisteacht leis an nglór. Mheas sé go raibh a shaol uile ag brath ar an nglaoch cinniúnach sin.

Bhí fad gach aon fhaid i ngach soicind agus fad na síor-aíochta i ngach leathnóiméad. Faoi dheireadh chroch sí an teileafón.

'Éist liom le do thoil,' ar seisean agus thosnaigh sé an port bocht truamhéalach a bhí ullmhaithe aige.

'Focáil leat!' ar sise agus mhúch sí a teileafón. Ba thubaisteach an buille e. D'fhan sé go dtí a deich sular ghlaoigh sé arís ach ba é an freagra céanna a fuair sé. Thriail sé labhairt léi cúpla uair eile ach bhí sé fánach aige.

Bhí fonn óil ar an Athair Plankton nuair a dhúisigh sé maidin Domhnaigh. Dá mbeadh buidéal uisce beatha sa teach ba bheag an mhoill a bheadh air é a chaitheamh siar. Ní raibh uaidh sa saol ach deoch. Ghuigh sé go mbeadh an neart ann an lá a chaitheamh gan tosú ag ól ach níor mhothaigh sé puinn níos fearr.

Dhiúltaigh Cormac glan dul ar Aifreann. Bhí sé ar buile leis féin agus ar buile le Dia. Ní rachfadh sé ar Aifreann arís go deo. Bhí Gearóid agus Carmel i bhfeirg le Dia freisin ach chuaigh siad ann. Bhí sé an-deacair orthu oiread agus paidir a rá ach iad ag fiafraí de Dhia cén fáth nár éist sé leo. Tháinig an tAthair Plankton agus thosaigh sé ag léamh an Aifrinn. Dúirt sé focail an choisreacain agus d'ardaigh sé an abhlann. D'fhéach sé ar a cruth geal bán. Arbh é corp Chríost a bhí ann ar chor ar bith? D'fhéach sé ar an bhfíon agus dúirt sé na focail bheannaithe. D'ardaigh sé an chailís. Má bhí Dia ann bhí sé tar éis a aghaidh a cheilt air. Rith briathra Naomh Pól chuige — mura raibh Íosa Críost tar éis éirí ó mhairbh bhí breall orthu siúd a chreid ann agus ba mhó an díol trua iad ná dream ar bith eile sa saol.

D'fhill Joe agus Mary agus iad súgach go maith. Ní raibh deireadh seachtaine acu riamh mar é. Bhí sé an-déanach nuair a dhúisigh Rós maidin Dé Luain. Níor bhuail an clog. Rith sí timpeall an tí ag múscailt gach éinne. Nuair a bhí sí gléasta chaith sí siar muga bainne agus rith sí go dtí an bóthar. Ar ámharaí an tsaoil bhí dalta eile déanach agus a mháthair á thiomáint chun na scoile.

Bhí siad beagán déanach nuair a shroich siad an scoil.

B'éigean dóibh cártaí a líonadh amach. Síos léi ansin go dtí na cófraí. Bhí daltaí fós ag cuartú iontu ar lorg a leabhar.

'Conas atá do chara homaighnéasach?' arsa Root léi.

'Focáil leat!' arsa Rós.

'Bhí an scéal ag Larky dúinn ar an mbus. Bhí spórt againn ag magadh faoin bpiteog. Bhíomar go léir ag béicíl "Tabhair aire! Tabhair aire! Tá homo ag faire!" agus "Pian sa tóin iad na focin homos."'

'Focáil leat!' arsa Rós arís agus d'imigh Root léi. Chuir Rós na leabhair óna mála isteach ina cófra agus fuair sí gach a raibh ag teastáil uaithi. Tháinig Cormac chuici.

'Tá brón an domhain orm, a Rós,' ar seisean léi. 'An féidir linn a bheith inár gcairde?' Bhí aoibh mhór ghléigeal ar a bhéal ach ní raibh greann ná sonas inti.

'Ní féidir,' ar sise. 'Nílimse ag teastáil uait ach chun nach gceapfaidh daoine go bhfuil tú aerach.'

'Ní hea! Ní hea ar chor ar bith! Bhí Larky agus Dick ag scaipeadh an scéil. Tá sé ar fud na scoile go léir anois.'

'Bhí mé mar óinseach agat. Ní raibh tú ach do m'úsáid. Focáil leat agus fan amach uaim!'

Rinne sé iarracht eile labhairt léi ach chuir sí a mallacht air. Chúb sé siar uaithi agus d'imigh leis go doilíosach go dtí an seomra ealaíne. Chuaigh sí síos an dorchla ina dhiaidh. Mhínigh sí don mhúinteoir nár bhuail an clog ar maidin. Ní raibh aon áit ar fáil sa seomra ealaíne ach an áit taobh le Cormac. Shuigh sí síos ann.

'Beidh tú slán go leor taobh leis an bpiteog sin,' arsa Larky a bhí ag fáil uisce ón doirteal.

'Focáil leat!' ar sise leis go teasaí.

'Gléas piteoige,' ar seisean. 'Ba chóir thú a chur faoi ghlas i dteach na ngealt.'

Ní raibh lá ar scoil ag Larky riamh ba mhó a thaitin leis ach ní raibh Dwain ar an mbus an mhaidin sin. Sheol sé teachtaireacht téacs chuige ag insint dó faoin spórt go léir. Ba ghearr go bhfuair sé teachtaireacht go raibh sé ar a bhealach chun na scoile.

D'fhan Cormac tamall agus ansin mhínigh sé i gcogar do Rós gur thug sé grá a chroí di. Chuir sí a mallacht air. Lean sé air ag iarraidh a chuid ealaíne a dhéanamh ach bhí ag teip air. Rinne sé iarracht i gceann tamaill a scéal a mhíniú di ach chuir sí a mallacht arís air.

'Bhí tú ag iarraidh mé a úsáid!' ar sise.

'Ní raibh! Ní raibh! Tá meas an domhain agam ort. Dá mba bhuachaill mar bhuachaillí eile mé ní bheadh uaim sa saol ach tú féin. Sin í an fhírinne lom. An mbeidh tú mar chara agam?'

Thug sí an freagra céanna air agus lean sé air ag iarraidh a chuid oibre a dhéanamh.

'Heidh, a Mhúinteoir! Ar chuala tú go mbeidh Cormac ina réalta mhór shacair?' arsa Larky in ard a ghutha. Bhí ionadh ar an múinteoir. 'Ó, beidh. Beidh sé ag imirt le *Arse-an'-all!*' agus phléasc sé amach ag gáire.

Bhí siad déanach ag dul isteach sa rang staire.

'Seachnaígí bhur dtóineanna, a bhuachaillí!' arsa Dick a luaithe agus a shiúil siad isteach. Dúirt sé faoina fhiacla é i slí gur chuala Hipí é ach nach bhféadfadh sé an leabhar a thabhairt gurbh é sin a bhí ráite aige.

'Tá tú sábháilte go leor leis sin,' ar seisean le Rós agus ansin lig sé béic os ard: 'Heidh, a Mhúinteoir. An ndúirt tú gur ghásáil Hitler na piteoga go léir?'

'Tá sé sin déanta againn.'

'Is é an trua nach bhfuil sé anseo anois mar sin,' arsa Larky.

'Agus bhíodh sé ag gásáil na ndaoine meabhairéalangacha freisin,' arsa Rós go teasaí.

'Agus bhíodh sé ag gásáil na naicéirí,' arsa Larky. 'Níl ionat ach naicéir.'

'Is leor é sin!' arsa an múinteoir.

'Deir m'uncail gur tháinig siad anseo toisc go ndeachaigh a gcarabhán trí thine,' arsa Dick.

D'ordaigh an Hipí dó fanacht ciúin agus lean sé ar aghaidh leis an rang. Chaoch Dick súil ar Larky. Ba leor mar nod é.

'Heidh a Mhúinteoir,' ar seisean ag preabadh aníos óna chathaoir, 'cad a rinne Hitler do na *gender benders?*'

Bhuail cuthach feirge an Hipí agus d'ordaigh sé do Larky seasamh amach ag an líne.

'Ní dhearna mé ach ceist a chur ort. Nach féidir ceist a chur anois?' D'fhógair an Hipí go mbeadh sé ag scríobh an fhreagra go meán oíche dá leanfadh sé ar aghaidh lena phort, agus thosaigh sé ag scríobh ar an gclár dubh.

Scríobh Cormac nóta ar chúl a chóipleabhair: *An mbeidh tú i do chara agam?* agus thaispeáin do Rós é.

Bhreac sí síos a freagra: *Ní bheidh.*

Scríobh sé an nóta arís: *Impím ort a bheith mar chara agam.*

D'ordaigh an Hipí dóibh a raibh á scríobh aige ar an gclár dubh a bhreacadh síos. Lean Cormac agus Rós ag scríobh nótaí.

Cén fáth?

Toisc gur duine iontach thú agus go bhfuil meas chomh mór sin agam ort.

Seafóid.

Is é seo an lá is measa a bhí agam riamh i mo shaol. An ndéarfaidh tú go mbeidh tú i do chara agam? Táim ag impí ort.

Chuaigh na focail 'an lá is measa a bhí agam riamh i mo

shaol' mar philéar trína haigne. Chuimhnigh sí ar an lá ar adhlacadh a seanmháthair, agus ar an lá ar sheas sí os cionn na huaighe nuair a bhí a beirt deirfiúracha á n-ísliú síos sa chré ina gcónraí beaga. D'fhéach sí air. Bhí aoibh mhór dhéadgheal air bíodh is gur aoibh chroíbhriste a bhí ann. Rinne sí meangadh gáire agus scríobh sí: *ok.*

Chonaic an Hipí iad agus d'ordaigh sé do Chormac a chóipleabhar a bhreith suas chuige. Rinne Cormac iarracht dul go leathanach eile. D'ordaigh an Hipí dó é a fhágáil oscailte san áit a raibh sé.

'Hum!' ar seisean á léamh, agus gheall sé go gcoimeádfadh sé Cormac agus Rós istigh ag am lóin dá mbeadh oiread agus gíog eile astu. Ansin thuig sé go tobann cad a bhí ar siúl ag Larky agus ag a chairde.

'An mian leat go dtógfainn isteach sorcóir gáis?' arsa Dick.

'Focal eile den sórt sin asat agus beidh tusa ag teacht isteach,' arsa an Hipí go teasaí.

Bhí Rós ag éirí teasaí freisin. Ní raibh a fhios aici an bulaíocht a bhí ar siúl nó nárbh ea, ach bheartaigh sí rud éigin a dhéanamh faoi.

An bhféadfainn labhairt leat, a Mhúinteoir?' ar sise le Bean Uí Ghallchóir sa Halla Tionóil.

'Cinnte, tar liom go dtí mo sheomrasa.'

D'inis sí dí faoina raibh ar siúl ag Larky agus ag Dysfunctional Dick.

'A Íosa! Níl iontu ach bheirt chac!' ar sise. 'Líon amach an fhoirm bhulaíochta seo agus féachfaidh mise chuige go múinfear ceacht dóibh.'

Scríobh Rós cuntas agus scríobh sí go maith é. Chuaigh sí ó dhuine go duine de na cailíní a bhí sna ranganna éagsúla léi agus d'iarr sí orthu cuntais a scríobh freisin. Thosaigh Root

ag gáire agus scríobh gur gheall Larky agus Dick ar an mbus
go mbainfidís an cac as Cormac sa tráthnóna.

Bhí Rós sásta go maith nuair a d'fhill sí ar Bhean Uí Ghallchóir.
    'Seo ceann eile,' arsa Root ag rith ina diaidh agus thug sí
leathanach di ag rá gur nasc Dick pictiúr de Miss Codd
d'abhac lomnocht agus go raibh sí mar Quasimodo aige. Bhí
an pictiúr ina mhála aige. Chuaigh Bean Uí Ghallchóir ag
fiosrú an scéil. Thacaigh Chloe Ryan agus cailín eile léi. Bhí a
ndóthain de chaint ghraosta agus de bhulaíocht Dick agus a
chairde acu.
    'Go raibh maith agaibh!' arsa Bean Uí Ghallchóir agus
chuaigh sí caol díreach go Mr Putts. Chuir sé fios ar
Dysfunctional Dick agus ar Larky. Shéan siad go raibh aon rud
as bealach déanta acu ach bhí an cruthúnas i scríbhinn aige.
    Chuaigh Miss Codd le báiní nuair a léigh sí faoin bpictiúr.
D'ordaigh sí do Dick a mhála a oscailt.
    'Tá mo mhálasa príobháideach. Ní féidir leat iallach a chur
orm é a oscailt,' ar seisean go dúshlánach. Bhí a fhios aici go
raibh an ceart aige. Chuir Mr Putts glaoch ar a dtuismitheoirí
agus ar ámharaí an tsaoil bhí athair Dick agus máthair Larky
sa bhaile. Dúirt sé leis an mbeirt bhuachaillí a gcuid málaí a
fháil mar go raibh siad ag dul abhaile agus d'inis sé do Dick go
mbeadh sé á thabhairt os comhair an bhoird bhainistíochta.
    'Beidh scéala agat ó mo dhlíodóirse,' arsa Dick.
    'Go hiontach!' arsa Mr Putts. 'A luaithe is a chloisfimid
uaidh is amhlaidh is fearr é, agus dála an scéil, cá bhfuil Dwain
inniu?'
    'Tá sé ar a bhealach,' arsa Larky.
    'Go maith,' arsa Mr Putts. 'Faighigí bhur málaí, féadfaidh
sibh fanacht anseo san oifig go dtiocfaidh bhur dtuismitheoirí.'

D'imigh siad leo agus rinne sé meangadh gáire le Miss Codd.

'Beir ar Dwain a luaithe is a thagann sé isteach. Chuirfinnse geall air go bhfuil cóipeanna den 'obair ealaíne' sin aige.'

Chuaigh Larky agus Dick go dtí an seomra ranga agus bhailigh siad a gcuid leabhar.

'Corpán marbh thú!' arsa Dick le Cormac agus tharraing sé a mhéar thar a scornach. 'Beidh mise ag fanacht leat.'

Bhí sé de mhí-ádh air gur chuala an múinteoir é agus scríobh sí cárta dearg eile amach dó.

Shiúil Mr Putts isteach sa seomra foirne agus labhair sé i gcogar le hIníon de Paor, 'Shíl mé go dtaitneodh sé leat é a chloisteáil,' ar seisean agus d'inis sé an nuacht i gcogar di. 'Faoi mar a deir na múinteoirí Gaeilge 'Filleann an feall ar an bhfeallaire,' ach dar ndóigh ní féidir cás an bhuidéil a lua. Tá a leordhóthain de chártaí dearga faighte aige cheana féin lena chrochadh.'

Bhí Miss Codd ag fanacht nuair a tháinig Dwain.

'Tá Larky agus Dick curtha ar fionraí. Tá an scéal go léir againn. Oscail do mhála agus tabhair dom an grianghraf Quasimodo sin láithreach!'

Thig an lug ar an lag aige.

D'oscail sé a mhála agus thug sé di na grianghraif lomnochta a bhí déanta de Katty, di féin agus d'Iníon de Paor.

Chuaigh sí le craobhacha nuair a chonaic sí iad. 'Cé a rinne iad? Inis dom láithreach cé a rinne iad?'

'Deartháir Dick, Jason.'

'Suas leat chun na hoifige,' ar sise leis. 'Tá tú le cur ar fionraí freisin.'

Mháirseáil sí leis suas chun na hoifige, isteach leis an mbeirt acu in oifig Mr Putts agus bhuail sí na trí ghrianghraf anuas ar an mbord.

'An-tromchúiseach ar fad,' ar seisean agus é ag iarraidh a gháire a cheilt lena láimh. 'An-tromchúiseach go deo,' agus thug sé bearradh gan sópa do Dwain.

D'imigh seisean go maolchluasach go dtí an Halla Tionóil agus chuir Mr Putts ceist uirthi cén chaoi ar éirigh léi na grianghraif á fháil.

'Ní dóigh liom go mbeidh muid in ann aon tairbhe a bhaint astu. Stracfadh dlíodóir Dick as a chéile muid toisc gur ordaigh tú do Dwain iad a thógáil amach as a mhála.'

Rinne sí argóint ina aghaidh ach bhí sé cinnte go millfeadh siad aon chás a bheadh aige in aghaidh Dick, 'ach féachfaidh mé cad is féidir a dhéanamh.'

Chuaigh Cormac chun cainte leis an Athair Plankton. Rith línte ó dhán chuige agus é ag siúl isteach ina oifig:

This cage of clay
weighs down my days,
It's carnal ways
disgust me....

Bhí na deora lena shúile agus é ag nochtadh a chroí don sagart. Níorbh é a mhian go mbeadh sé mar a bhí sé. Níorbh é sin a bhí uaidh ar chor ar bith. Leag an sagart lámh ar a ghualainn. Bhí a fhios aige go mbeadh air cabhrú leis agus comhairle a chur air fiú dá rachadh sé deacair air a chomhairle féin a chreidiúint.

'Tuigim duit. Tá an ceart agat go hiomlán. Níor roghnaigh tú an claonadh sin agus ní fhéadfadh Dia ná duine milleán a chur ort dá bharr sin. Is duine cneasta éirimiúil thú agus taitníonn tú go mór le gach éinne. Deir na múinteoirí go bhfuil tú ar dhuine de na daltaí is deise sa scoil agus ní beag an rud é sin.

Chuir sé sin ionadh ar Chormac. D'athraigh an sagart a phort ansin agus mhol sé dó gan dearmad a dhéanamh choíche go raibh sé déanta i gcló Dé agus gur thug Dia grá gan teora dó. 'Mac Dé is ea thú, agus cé gur deacair é a shamhlú, tá grá níos mó ag Dia duit na mar atá agat duit féin. Tá cara agat a bheidh leat go lá do bháis agus a bhreathnóidh i do dhiaidh i gcónaí….'

Cúis áthais don sagart a bhí ann a fheiceáil gur mhór an sólás don bhuachaill é sin a chloisteáil bíodh is go raibh amhras air féin faoi gach focal de. Bhí an chomhairle sin tugtha aige do bhuachaillí eile roimhe sin. An creideamh sin a bhí mar a bheadh spóirseach thine ann an lá ar oirníodh é ní raibh fágtha de ach mar a bheadh sop beag briste agus snáth caol deataigh ag éirí aníos uaidh.

'An bhfuil Rós mar chara agat fós?'

'Tá.'

'Tá sé sin go hiontach,' arsa an sagart.

'Go raibh maith agat, a Athair,' arsa Cormac

'An ndéanfá rud beag dom, a Chormaic?' ar seisean agus é ag fágáil na hoifige.

Gheall Cormac go ndéanfadh.

'An ndéarfá paidir bheag ar mo shonsa?'

'Cinnte déarfaidh.'

B'ait le Cormac go n-iarrfadh sagart rud mar sin air. Ghabh sé buíochas leis agus bíodh is go raibh rún aige gan paidir a rá arís go deo ghuigh sé ar son an tsagairt.

Chuaigh Rós go teach Chormaic an tráthnóna sin chun a cuid obair bhaile a dhéanamh. Bhí an-áthas ar Charmel í a fheiceáil.

Ní dúirt sí aon rud faoin scéal, áfach, ach i gceann leathuaire chuaigh sí go dtí an seomra staidéir agus d'inis don bheirt go raibh roinnt brioscaí seacláide agus caife ullamh aici sa chistin.

Nuair a chuaigh Cormac amach chun rud a chuardach ar an idirlíon ghabh Carmel míle buíochas léi as ucht na tacaíochta a thug sí dó ar scoil.

'Ba é sin an rud ba lú a d'fhéadfainn a dhéanamh,' ar sise agus dúirt sí gur thug sí grá a croí dó. 'Tá a fhios agam nach bhfuilimid i ndán dá chéile, ach is féidir linn bheith inár gcairde agus tá mo chroí istigh ann…' Bhris a gol uirthi agus níor fhéad sí a thuilleadh a rá. Chaith Carmel a dá láimh timpeall uirthi agus theann sí lena croí í.

Bhuail Carmel leis an Athair Plankton sa tsráid seachtain ina dhiaidh sin agus ghabh sí buíochas leis as ucht gach a raibh déanta aige. Chuir sí i gcuimhne dó na focail iontacha inspioráide a bhí aige oíche Nollag. '"Bronntanas is ea gach leanbh a thagann ar an saol, agus is bronntanas iontach eile é gach lá a thugann sé dúinn ar an saol iontach seo. Ba chóir dúinn éirí gach maidin ag canadh: *Gloria in excelsis Deo* agus míle buíochas a ghabháil leis." Is iontach an chabhair dom na focail sin.'

'Tá an-áthas orm go gcabhraíonn sé leat, a Carmel,' ar seisean. D'aithin sé an creideamh ar lasadh go láidir inti agus d'iarr sé uirthi paidir a rá ar a shon. B'aisteach léi freisin mar iarratas é ach gheall sí go ndéanfadh sí rud air.

D'fhill an fear bocht abhaile agus a mhisneach uile spíonta. Ba léir dó go raibh breall air ar feadh a shaoil. Fimíneach a bhíodh ann gach uair a labhraíodh sé ón altóir. Bheadh air éirí as a phost mar shagart agus cad a bheadh roimhe ansin? Ba bhreá leis gach pingin a bhí aige a ól agus a charr a thiomáint isteach sa tSionainn. Shamhlaigh sé an t-uisce dorcha ag éirí aníos timpeall air agus ansin an ciúnas. *Finis.* Chaith sé é féin ar a leaba agus é ag briseadh a chroí ag gol.

Bhí mórsheisear den bhord i láthair nuair a sheol Mr Putts Dick agus a thuismitheoirí isteach. D'iarr sé orthu suí agus chuir sé iad in aithne do bhaill an bhoird. Mhínigh sé go raibh Dick tagtha os a gcomhair toisc an drochiompair a bhí ar siúl aige ó tháinig sé go dtí an scoil. Thóg sé amach beart toirtiúil cártaí dearga agus thosaigh sé ag léamh uathu.

'Cad atá le rá agat?' arsa an seanfheirmeoir le Dick nuair a chríochnaigh sé.

'Bhí na múinteoirí ag tromaíocht orm. Thug siad cártaí dearga dom nuair nár thug siad cárta ar bith do dhaoine eile. Bhí siad go léir anuas sa mhullach orm.'

Thacaigh a mháthair leis. Níor thug éinne cothrom na féinne dó ón gcéad lá ar shiúil sé isteach sa scoil.

'Ní raibh éinne acu sásta a chearta a thabhairt dó,' arsa a athair. 'Bhí an fuath a thug siad dó le léamh ar gach líne de na tuarascálacha a sheol siad abhaile.'

'Is éard atá i gceist agat, ná go bhfuil gach éinne imithe ó chéim ach amháin Johnny s'againne,' arsa an seanfheirmeoir, 'agus cad faoin mbulaíocht a bhí ar siúl agat in aghaidh Chormaic Uí Bhriain?'

'Sin sampla eile den chiapadh a rinneadh ar mo mhacsa. Ba é Cormac a bhí ag déanamh bulaíochta ar Richie.'

'An dóigh leat go gcreidimid é sin?' arsa Miss Golden.

'Creid do rogha rud,' arsa a athair, 'ach luath nó mall, tiocfaidh an fhírinne chun solais. Rinneadh bulaíocht ar mo mhacsa.'

Thóg Mr Putts amach na leathanaigh a scríobh na cailíní nuair a chuaigh Rós chucu. Bhí fianaise a chrochta ann.

'Agus cad faoin gcárta ag léiriú go ndúirt sé 'Focáil leat!' faoina fhiacla le múinteoir?' arsa Miss Golden.

'Ní dúirt sé é sin riamh ach níor chreid an múinteoir é,' arsa a mháthair.

'An bhfuil tú ag iarraidh a rá go raibh an múinteoir ag insint bréag?' arsa an seanfheirmeoir. 'Agus ní raibh sé fiú de bhéasa ag do mhacsa a rá go raibh brón air.'

'Cén fáth an ngabhfadh sé leithscéal leis? Ba cheart daoibh eolas a chur ar shaol an lae inniu. Bíonn caint mar sin ag gach aon duine!'

'Níl caint mar sin inghlactha sa rang ar chor ar bith,' arsa Mr Putts, 'agus dhiúltaigh Richie pardún an mhúinteora a iarraidh.'

'Cén fáth an iarrfadh sé a pardún?' arsa a athair. 'Fimíneach a bheadh ann dá n-iarrfadh sé pardún an mhúinteora. An é sin atá ag teastáil ón scoil — fimínigh a dhéanamh de na daltaí?'

Labhair a mháthair amach go tréan. 'Tá na múinteoirí go léir claonta in aghaidh mo mhic, agus mura gcreideann an bord é sin níl le déanamh acu ach scéal an bhuidéil oráiste a fhiosrú, nuair ab éigean don mhúinteoir pardún mo mhic a iarraidh.'

Ní raibh focal faoin eachtra sin cloiste ag aon bhall den bhord. Dúirt Mr Putts nach raibh sé ar intinn aige an scéal sin a tharraingt anuas.

'Bheadh a fhios ag an té is daille cén fáth nár mhian leat é sin a tharraingt anuas,' arsa a athair ag briseadh isteach air. 'B'éigean don mhúinteoir a phardún a iarraidh ar Richie s'againne.'

'Faoi mar a bhí á rá agam,' arsa Mr Putts go searbhasach, 'Bhí rún agam gan an cheist sin a tharraingt anuas, ach os rud é go bhfuil sé tarraingthe anuas agaibhse beidh áthas orm leanúint ar aghaidh léi,' agus d'inis sé an scéal go léir don bhord.

'A Íosa! Níl ann ach coileán!' arsa an seanfheirmeoir.

Dúirt a athair nach ndúirt Richie an rud a cuireadh ina leith ar chor ar bith, agus nach raibh ag an múinteoir ach focal Chormaic agus Rós go ndúirt.

Thóg Mr Putts amach leathanach eile a scríobh cailín ag rá gur chuir sé smaois ar an mbuidéal agus go ndúirt sé 'Sin mo chuid síl' nuair a thóg an múinteoir uaidh é.

'A Íosa, níor chuala mé a leithéid riamh! Coileán cruthanta is ea é!' arsa an seanfheirmeoir.

'Feictear domsa,' arsa a athair go colgach, 'gur mó an spéis atá ag an mbord seo i bpiteoga agus naicéirí agus múinteoirí éagóracha gan mhaith a chosaint ná a chearta a thabhairt dár mac, Richie!' agus d'fhógair sé go mbeadh sé ag dul caol díreach go dtí a ndlíodóir mura ligfí a mac ar ais ar scoil. Thacaigh a bhean leis.

Chuaigh Mr Putts siar ar na cártaí dearga. Cuireadh roinnt ceisteanna eile orthu agus faoi dheireadh dúirt Mr Putts go seolfadh sé litir chucu gan mhoill ag insint chinneadh an bhoird dóibh.

'Go maith!' arsa a athair agus bhagair sé litir óna dhlíodóir orthu arís. 'Is é an trua nár iarramar air a bheith i láthair anocht.'

'Bhuel! Ar chuala tú a leithéid riamh?' arsa duine d'ionadaithe na dtuismitheoirí nuair a bhí siad imithe. 'Ar chuala sibh a leithéid de dhánacht?'

Phléigh siad an scéal agus bheartaigh siad d'aon ghuth Dick a dhíbirt ón scoil. Bhí amhras ar Mr Putts go n-éireodh leo é sin a dhéanamh.

Ghlaoigh Dick ar Jason ar a theileafón póca agus d'inis sé an scéal dó. Bhí díoltas uaidh. 'Ní dhéanann éinne iarracht mé a ruaigeadh as an scoil gan íoc as,' ar seisean. 'Focin éinne!'

'Ná mo raidhfil a ghoid uaim,' arsa Jason. 'Tá sé in am againn ceacht a mhúineadh do na cacanna. Tá sé in am conarthaí a dhéanamh.'

Thuig Dick cad a bhí i gceist aige. Ní dhéanfadh Jason aon rud é féin.

'Cén díoltas a imreoidh tú orthu?

'Piléir sna glúine, sna rúitíní, sna lorga.'

Chuaigh Dick sna trithí gáire.

'Ní rud traidisiúnta é na pláitíní glúine a shéideadh de mhná ach déanfaimid eisceacht i gcás an naicéara sin agus an Phaoraigh sin freisin.

Bhuail Jason le fear an lá dar gcionn a bheadh sásta an obair a dhéanamh go slachtmhar dá dtabharfaí airgead agus gunna dó. Gháir Jason agus bhí sé ina mhargadh.

Dhúisigh an tAthair Plankton i gcoim na hoíche. Luigh sé ar a leaba ag déanamh a smaointe. Ní raibh uaidh ó mhaidin go hoíche ach dul ag ól. Ba léir dó go raibh a chreideamh caillte aige. Ghuigh sé go neartófaí a chreideamh ach níor éist Dia leis an nguí sin ach oiread. Ní raibh éinne ag éisteacht lena phaidreacha. Ní raibh sa chreideamh ach seafóid. Chuaigh sé siar bóithrín na smaointe. Bhí a shaol caite aige le baois. Ba bheag nár bhain sé na deora as agus é ag cuimhneamh ar an saol a d'fhéadfadh a bheith aige dá bpósfadh sé agus dá dtógfadh sé clann. Ach bhí sé sin ródhéanach anois. Cé a phósfadh fear a raibh beagnach an trí scor slán aige?

D'éirigh sé agus chuaigh sé go dtí an leithreas. D'fhéach sé air féin sa scáthán agus ba bheag taitneamh a bhain sé as an radharc a chonaic sé. D'fhill sé ar an leaba. Theip air dul a chodladh. Ní fhéadfadh sé leanúint ar aghaidh mar shagart. Bheadh air éirí as. Bheadh air an teach a fhágáil agus post éigin a fháil. Bheadh gach éinne ag caint agus ag magadh faoi. Bheadh an Hipí mallaithe agus na múinteoirí sna trithí gáire. Bhris sé a chroí smaoineamh orthu. Shamhlaigh sé go mbeadh sé slán dá mbeadh deoch aige. Ní imeodh an cathú sin go deo. Shamhlaigh sé arís gur bhreá an rud é a charr a thiomáint isteach san abhainn agus deireadh a chur lena bhuairt.

'Ó a Dhia, fóir orm agus mé in umar na haimléise agus an díchreidimh,' ar seisean.

A luaithe agus a fuair tuismitheoirí Dick litir ón scoil rinne siad coinne le Mr Greenbaum. D'éist seisean go cúramach lena raibh le rá acu agus b'éigean do Charmel litir a chlóscríobh.

Chuaigh Gearóid le craobhach ar fad nuair a chuala sé an scéal. 'Má leagan Dick oiread agus méar ar Chormac maróidh mé le mo lámha féin é! Tachtfaidh mé an bastard!'

'Seafóid!' ar sise. 'Leag méar air agus cuirfidh sé an dlí ort!'

'Má leagann sé oiread agus méar ar Chormac maróidh mé é!'

'Déan agus caithfidh tú do shaol i bpríosún.'

10

An Déardaoin a bhí ann, Lá Thor, dar leis na Lochlannaigh fadó. Bhí na múinteoirí ag ól tae ag am sosa nuair a shiúil Mr Putts isteach chucu. Ní ró-shásta a bhí sé. 'Tá an litir seo díreach faighte agam ó Mr Greenbaum faoinár gcara Richie Murphy.'

'AKA Dysfunctional Dick,' arsa an Dochtúir Spellman.

Léigh Mr Putts amach an litir. Bhí dhá leathanach clóscríofa inti ag fógairt go raibh an bord agus na múinteoirí claonta in aghaidh a chliaint agus go ndearna siad éagóir thromchúiseach air. 'Léiríodh é sin go soiléir nuair a d'iarr Bean Uí Ghallchóir ar na daltaí scoile fianaise a scríobh ina aghaidh, agus ba dheacair rud ba mhíghairmiúla ná sin a shamhlú. Mar bharr ar an donas níor taispeánadh an fhianaise do mo chliant roimh ré chun go mbeadh sé in ann na líomhaintí a fhreagairt.'

'De réir an dlí tá mo chliant i dteideal oideachas a fháil agus tá an scoil ag séanadh an chirt sin air. Beidh sé de cheart aige cúiteamh a fháil as an damáiste atá á dhéanamh dá dhul chun cinn oideachasúil.'

'Ní dhearna an bastard stróic oibre ó tháinig sé go dtí an scoil!' arsa Bean Uí Ghallchóir.

Lean Mr Putts ar aghaidh: 'Rinneadh clúmhilleadh ar mo chliant nuair a thug duine den bhord coileán air agus mura ligfear ar ais ar scoil láithreach é beidh air a dhea-ainm a chosaint agus cúiteamh a fháil sa chúirt.'

'Sin agaibh é,' ar seisean nuair a bhí deireadh léite aige. 'Tá sé ar intinn agam comhairle dlíodóra a fháil ach is é mo bharúil féin go mbeidh orainn ligean don mhaistín filleadh.'

'Ní bheidh sé ag teacht ar ais go dtí mo rangsa ar aon nós!' arsa Bean Uí Ghallchóir. 'Diúltaím glan an bastard a ligean ar ais.'

'Tuigim duit. Sin díreach an chaoi a mhothaímse féin,' ar seisean, ach dá ndéanfá é sin gheofása litir ó Mr Greenbaum freisin.'

'Féadfaidh sé a rogha rud damanta a scríobh!' ar sise go teasaí. 'Ní bheadh ar oibrí ar bith sa tír cur suas lena leithéid de choileán agus leis an gciapadh gnéasach a bhíonn ar siúl aige. B'fhearr liom dul chun an phríosúin.'

'A Íosa, má éiríonn leis ní bheidh éinne in ann é a fhulaingt,' arsa an Hipí.

Bhí an Hipí ag a dheasc nuair a tháinig an rang isteach chuige. Rinne sé athchoimriú dá raibh déanta aige an lá cheana agus d'fhiafraigh sé de Larky cad ba chúis leis an gCogadh Fuar. Ní raibh barúil dá laghad aige ach chuir Dwain cogar ina chluais.

'Bhí na Rúisigh agus na Meiriceánaigh ag troid mar gheall ar uachtar reoite ag an Mol Thuaidh,' arsa Larky agus phléasc a raibh sa seomra amach ag gáire.

'An éisteann tú riamh lena ndeirim leat? Dá n-éisteofá b'fhéidir nach mbeifeá ag rá na rudaí a deir tú,' arsa an Hipí leis ach ba chuma le Larky. Bhí tamall maith caite ó bhí sé os comhair an bhoird bhainistíochta agus bhí sé slán go fóill. Bhí an sceimhle a chuir siad ar a chroí ag dul i léig agus misneach dá réir ag teacht chuige. Lena chois sin bhí Dick ag tabhairt an leabhair nach bhféadfaí é a ruaigeadh ón scoil mura mbeadh scoil eile sásta glacadh leis.'

'Agus cén focin scoil a bheadh sásta glacadh le do leithéid de phleota amadáin?' a deireadh Dwain mar thaca leis. Nuair a tógadh Dick féin os comhair an bhoird bhí sé in ann a insint dó cad a bhí i litir Mr Greenbaum.

Bhí cúpla rud as bealach déanta ag Larky an tseachtain roimhe sin agus níor tugadh bata ná bóthar dó. Ba chruthúnas é sin go raibh an ceart ag Dick. Bhí náire ag teacht air gur éirigh leis an mbord a leithéid de scanradh a chur air agus go raibh sé chomh béasach ó shin.

'Is tusa an múinteoir,' ar seisean go sotalach leis an Hipí. 'Ní ceart go mbeadh ort ceisteanna a chur ar dhaltaí ag iarraidh eolas a fháil.'

D'ordaigh an Hipí dó a dhialann obair bhaile a bhreith suas chuige chun go scríobhfadh sé nóta ann.

'Liomsa mo dhialann. Níl cead agat a bheith ag féachaint isteach ann.'

D'ordaigh an Hipí é a thabhairt chuige go beo agus rinne Larky a bhealach go drogallach chuige — straois mhór gháire ar a bhéal agus é ag tarraingt na gcos ina dhiaidh.

'A Íosa, ach is tusa an t-amadán!' arsa Katty agus é ag siúl thairsti. Thug sé freagra graosta uirthi agus chuala an Hipí go maith é. Bheartaigh sé cárta dearg a thabhairt dó.

'Cad atá déanta agam?' arsa Larky ag iarraidh an dubh a chur ina gheal air ach ní ghlacfadh an Hipí le seafóid ar bith uaidh. Scríobh sé amach an cárta agus d'ordaigh sé dó suí síos. Ar a bhealach go dtí a bhord thug sé cic sa rúitín do Katty. Lig sise béic aisti. D'fhógair an Hipí go bhfaca sé go soiléir é agus go mbeadh air teacht isteach ag staidéar ag meán lae.

'Tiocfaidh foc,' ar seisean le Dwain nuair a shroich sé a bhord.

Nuair a tháinig am lóin d'inis Larky dó go raibh sé ag greadadh leis.

'Inis don focin Hippy go bhfuilim imithe abhaile tinn.'

D'éirigh leis síob a fháil abhaile. Chuaigh sé go teach Dick agus d'fhiafraigh de an raibh ceann ar bith de na *jolly jokers* aige. Bhí beart nua drugaí ag Dick. *Mixers* a bhí iontu dar leis. Dhéanfadh an chéad leath duine a shéideadh trí chéad míle suas sa spás agus chuirfeadh an dara leath é ar diathair timpeall na cruinne. Bhí an t-airgead ag Larky. Dhíol Dick cúpla 'dáileog' mar a thugadh sé orthu leis.

'Bain taitneamh as an truip,' arsa Dick leis.

Gheall Larky dó go mbainfeadh, agus chaith sé ceann acu.

Bhí a fhios aige nach mbeadh a mháthair sa bhaile fós. Chuaigh sé abhaile agus suas go dtí a sheomra. Níor mhothaigh sé an druga ag déanamh aon mhaith dó. Chaith sé dáileog eile. Síos an staighre leis. Chuir sé an teilifís ar siúl. Ní raibh aon chlár ar siúl a thaitin leis. Chuir sé fístéip ar siúl ach ní mó ná sásta a bhí sé leis. Mhothaigh sé giúmar iontach ag teacht air féin. Mhothaigh sé go hiontach. Chuaigh sé amach sa chlós. Bhí gró mór iarainn agus ord fágtha ag a athair i seid ar chúl an tí. Phléasc sé amach ag gáire. Ní fhaca sé rud chomh greannmhar leo riamh. Ba bhreá leis an gró a lúbadh. Thóg sé idir a dhá láimh é agus chuir thar a ghlúin é. Bhrúigh sé roimhe agus chonaic sé an t-iarann ag lúbadh os comhair a dhá shúil.

'A Íosa, chaithfeadh sé go bhfuilim ag éirí láidir,' ar seisean leis féin. 'Stracfaidh mé an focin cloigeann den raicleach sin Katty.'

Ar ais leis sa teach. agus thosaigh sé ag léamh leabhair. Scinn sé tríd ar luas lasrach agus thuig sé gach focal.

'A Íosa, chaithfeadh sé go bhfuilim ag éirí an-éirimiúil freisin,' ar seisean agus chaith sé siar dáileog eile. Bhí sé leabhar mhóra ar an mbord sa seomra bia. Scinn sé tríothu. Léigh sé gach focal iontu ó chlúdach go clúdach agus ní raibh oiread agus focal amháin nár thuig sé. Shuigh sé siar ar chathaoir ag déanamh iontais dá éirim aigne. Thosaigh sé á gcur de ghlanmheabhair. Níor thóg sé ach cúpla nóiméad leabhar ar bith a fhoghlaim. Bhí aoibhneas an domhain air, bíodh agus nach dtabharfadh sé orthu dá mbeadh sé ina chiall ach 'focin mataí boird' a mháthar.

'A Íosa, is masla do m'éirim iad na leabhair sin,' ar seisean agus chaith sé isteach sa tine iad. Chas sé suas an teilifíseán. Bhí clár ar siúl faoi nathracha nimhe. Bhí sé i bhfad rópháistiúil dó. Chuaigh sé trí na stáisiúin go léir. Ní raibh ar siúl ach cláracha do pháistí dúra.

Chuaigh néal thar an ngrian. Shíl sé go raibh an chistin an-dorcha. Chonaic sé go raibh duine éigin tar éis plátaí iarainn a chur ar na fuinneoga. Bhí an teach ag éirí chomh dubh le pic.

'Focin bastard!' ar seisean. Amach leis go dtí an seid. Rug sé ar an ord agus thug sé faoi na plátaí iarainn. Ba ghearr a bhí sé á mbatráil agus á mbaint. Isteach leis sa chistin arís. Bhí solas geal an lae le feiceáil ann ach mhothaigh sé gloine briste faoina bhróga. Chuaigh sé timpeall an tí ag glanadh na bplátaí agus ag ligean isteach an tsolais. Bheartaigh sé dul ag siúl go dtí an sráidbhaile.

Chroch sé an t-ord ar a ghualainn agus ghluais leis mar mhac Óidin chun gaiscí móra a dhéanamh. Chonaic sé francach marbh ar thaobh an bhóthair. Tharraing sé buille leis an ord agus smeaic! Rinne sé bruscar dá chloigeann. Phléasc sé amach ag gáire. Tharraing sé buille eile agus chuir sé a phutóga amach ar an mbóthar.

'Mise Larky Larkin, scriostóir na bhfrancach!' ar seisean in ard a ghutha agus rith sé síos an bóthar ag béicíl: 'Foc sibh, a scata bastard! Tá scriostóir na bhfrancach ar an mbaile!'

Chonaic sé blúire de sheanbhalún caite ar chosán nuair a shroich sé an sráidbhaile.

'Focin coiscín!' ar seisean. Mheas sé go raibh sé cosúil le craiceann a chuir nathair uaidh ar an gclár teilifíse. Bhuail sé lena ord é agus thosaigh sé ag béicíl ina ard a ghutha: 'Mise Larky, scriostóir na bhfrancach, rí na gcoiscíní!'

Bhí beirt bhan ag caint lasmuigh de shiopa agus d'fhéach siad air le hiontas. Thosaigh sé ag béicíl leo: 'Haidh a bheirt striapacha! An bhfuil cuimilt de mo rubar uaibh?' agus phléasc sé amach ag gáire. Chúlaigh siad isteach sa siopa uaidh.

Go tobann bhuail splanc é. Thuig sé go bhféadfaí deireadh a chur leis na francaigh go deo ach iallach a chur orthu coiscíní a chaitheamh. 'Plean den focin scoth!' Cén fáth nár smaoinigh éinne air mar phlean? Ba í an éirim aigne nua a bhí aige ba chúis leis an bhfionnachtain iontach seo. Bheadh sé ina mhilliúnaí gan mhoill. Rachadh sé ar ais ar scoil agus d'fhiafródh sé de na múinteoirí: 'Haidh, a bhastaird amaideacha, an bhfuil deich míle euro uaibh?' agus nuair a déarfaidís 'Tá, le do thoil,' dhéanfadh sé gáire agus déarfadh sé: 'Féadfaidh sibh focáil libh a scata bastard!'

Bhí beirt chailíní ag siúl ina threo.

'Coiscín an cara is fearr atá ag cailín!' ar seisean de bhéic agus d'fhiafraigh sé díobh go garbh graosta an raibh píosa craicinn uathu. Theith siad uaidh.

'Focin francaigh!' ar seisean.

Phléasc sé amach ag gáire nuair a chonaic sé an bhail a bhí

ar na tithe. Bhí na díonta agus na ballaí lúbtha suas síos faoi mar a bheidís déanta de rubar. Bhuail sé teach léis an ord. Lúb sé roimhe agus phreab an t-ord ar ais chuige.

'Tá siad déanta de focin rubar!' ar seisean agus thug sé cúpla buille eile dó. Mhothaigh sé an cosán ag longadán faoina chosa. Thug sé smeach dó agus phreab an t-ord aníos chuige.

'Tá an baile go léir mar a bheadh focin caisleán spraoi!' ar seisean agus chuaigh sé síos an tsráid ag béicíl agus ag bualadh ballaí, doirse agus fuinneog. Go tobann d'fhéach francach mór millteach amach agus thosaigh sí ag fógairt air. Chuaigh sceon trína chroí nuair a chonaic sé a fiacla géara agus a hingne faobhracha. Chuir sé an t-ord tríd an bhfuinneog agus theith an francach lena hanam. Lig sé béic áthais as. Bhí an oiread sin de mhire meanma air is a bhí ar Charles Martel, nó Séarlas an Chasúir mar a thugtar air, agus é ag tabhairt a ndúshlán d'arm ollmhór na Moslamach ag cath Tours. Síos an tsráid leis ag bualadh ballaí, ag briseadh fuinneog agus ag fógairt: 'Focáiligí libh, a striapacha agus a chacanna bréana! Tá Larky, scriostóir na bhfrancach, ar an mbaile!'

Chuala sé duine ag glaoch air. D'fhéach sé timpeall. Bhí francach mór millteach istigh i gcarr ag magadh faoi. Thug sé buille den ord do dhíon an chairr agus bhuail isteach é. Tharraing sé buille ar an ngaothscáth. Rinne sé smidiríní de. Theith an francach leis ag scréachaíl.

'Múinfidh sé sin ceacht duit, a bhastaird!' ar seisean go ríméadach agus é ag leadradh an bhoinéid, ag briseadh soilse agus ag batráil an chairr mar a dhéanfadh gealt. Ba ghearr a mhair a shástacht. Bhí an tsráid lán de fhrancaigh agus iad ag glaoch agus ag fógairt air.

Ghabh a leithéid d'fhíoch fola agus de chonfadh catha é agus a ghabh laoch Aichill na Gréige nuair a thug sé faoi

Eachtar agus arm na Traí. 'Focáil leat!' ar seisean in ard a ghutha agus thosaigh sé ag bualadh agus ag batráil roimhe. Theith na francaigh ó na carranna agus rith siad síos an tsráid, a n-eireabaill fhada ag luascadh ina ndiaidh mar a bheadh píobáin folúsghlantóirí agus iad ag scréachaíl le huafás agus ag impí air éirí as.

'Tagaigí ar ais a scata bastard go maróidh mé sibh!' arsa Larky de bhéic, agus réab sé leis síos an tsráid, ag leadradh carranna agus ag déanamh smidiríní d'fhuinneoga lena ord. Lean sé dá ruathar buile go dtí go bhfaca sé carr patróil na nGardaí agus beirt fhrancach istigh ann. Stop siad an carr tamall uaidh agus shiúil siad ina threo.

'Cuir síos an casúr, a mhic,' arsa francach acu go ciúin.

Lig Larky béic buile as chomh láidir tréan dúshlánach is a bhéicfeadh Cú Chulainn agus é ag cosaint an átha. Líon sé an tsráid go léir lena ghlór. Chúb siad siar uaidh le teann sceimhle, a n-eireabaill fhada ghránna ag scuabadh na sráide. Chrith na carranna scriosta, lúb na ballaí rubair isteach agus amach agus thit ceathanna de bhlúirí gloine briste anuas ar na cosáin le neart a bhéice. Go tobann chonaic sé go raibh francach acu ag éalú laistiar de. Chas sé timpeall agus lig sé béic mhillteach eile as. Chúlaigh an francach ach i bpreabadh na súl bhí greim daingean ag an bhfrancach eile air. Bhéic sé, lúb sé, chas sé agus throid sé ach bhí na francaigh róláidir dó. Thosaigh sé ag búiríl is ag speachadh mar a dhéanfadh tarbh buile ach theip air a ngreim a scaoileadh. Chuir siad glais lámh air agus chuir isteach sa charr patróil é. Tharraing sé ar na glais agus bíodh is gur shín an slabhra eatarthu amach mar a bheadh guma coganta ann níor éirigh leis iad a bhaint de. Lig sé búir buile eile as agus rinne a dhícheall na francaigh a mharú.

'Tóg go bog é, a mhic, nó gortóidh tú do lámha,' arsa

francach leis. Níor scanraigh sé Larky. Chuir seisean cos
amháin le doras an chairr agus cos eile leis an suíochán
roimhe. Lig sé an bhéic ba mhilltí fós as, shín sé amach a
ghéaga, agus chonaic sé doirse agus díon an chairr á séideadh
amach mar a dhéanfadh guma bolgóideach agus rinne sé
smidiríní de ghloine na bhfuinneog.

Bhí sé go déanach an lá arna mhárach nuair a tháinig sé chuige
féin. Níor aithin sé an seomra. Rinne sé iarracht éirí ach bhí sé
ceangailte chomh daingean is a bhí Gulliver i Lilliput ach
gurbh eisean an duine beag agus go raibh fir mhóra sna
leapacha timpeall air. Mhothaigh sé pianta ina lámha agus ina
dhroim de bharr na hoibre go léir a bhí déanta aige ag
leadradh agus ag bascadh roimhe. Rinne sé iarracht glaoch
ach níor aithin sé a ghlór féin agus níor chuala éinne é. Bhí a
scornach millte ag a chuid béicíola go léir. Luigh sé ansin ag
iarradh ciall a bhaint as an scéal. Tháinig banaltra chuige agus
chonaic sí go raibh a shúile ar oscailt.

'An bhfuil na francaigh go léir imithe anois?' ar sise.

Labhair Larky ach níor thuig sí oiread agus focal uaidh de
bharr an phiacháin a bhí air. Chuaigh sí amach agus tháinig a
mháthair isteach.

Níor tugadh cead do Gharda labhairt leis go dtí an lá dar
gcionn. Ba mhian leis a fháil amach cad a bhí tógtha aige agus
cad a shíl sé a bhí ar siúl aige mar go raibh luach na mílte euro
de dhamáiste déanta aige. Thaispeáin sé pictiúirí na bhfuinneog
briste agus na ngluaisteán millte dó. Bhí Larky ar tí rud éigin a
rá ach dúirt a mháthair leis fanacht ciúin go dtiocfadh dlíodóir.

'A luaithe agus a thagann sé is amhlaidh is fearr é,' arsa an
garda.

Fear beag maol ab ea an tAbhcóide Ó Súilleabháin. Tháinig

sé isteach sa seomra agus bheannaigh sé don Gharda, do Larky agus dá mháthair.

'Ceithre fhuinneog siopa scriosta, an-damáiste déanta do thrí charr déag agus do veain agus an-dochar déanta d'fhuinneoga agus doirse aon teach déag,' arsa an Garda. 'Ní mór cuid de na carranna a dhíscríobh agus b'fhéidir go bhfuil a lán daoine ann ar mhaith leo caingne sibhialta a thionscain de bharr damáiste mailísigh agus tráma. Lena chois sin bhí drugaí tógtha agat agus tú "ag comhrac in aghaidh gabhála".' D'fhág an t-abhcóide an seomra.

'Tá an scéal seo an-tromchúiseach ar fad,' arsa an Súilleabhánach le Larky. 'Táimid ag caint faoi mhéid ollmhór airgid.'

Thosaigh Larky ag gol.

'Tá tosaíochtaí dá gcuid féin ag na Gardaí,' arsa an dlíodóir, 'agus fiú mura mbeadh aon rud mar sin acu beidh úinéirí na maoine scriosta ag éileamh cúitimh.'

Níor thuig Larky an focal *tosaíocht*. Mhínigh an Súilleabhánach dó é agus mhol sé dó cabhrú leis na Gardaí agus insint dóibh cé a thug na drugaí dó. Dá ndéanfadh sé é sin, agus dá bhféadfadh sé a thaispeáint don bhreitheamh go raibh brón air faoin eachtra, bhí seans éigin ann nach rachadh sé ródhian air. Thacaigh a mháthair leis. Bhí drogall ar Larky ainm Dick a lua.

'An cara leat a thug na drugaí duit?' arsa an Súilleabhánach.

Níor fhreagair Larky agus ba leor nod don abhchóide.

'Cad a rinne an cara sin le cabhrú leat nuair a bhí tú i dtrioblóid? Ar chabhraigh sé leat riamh nuair a bhí tú i gcruachás? Sin í an teist ar chara.'

Chuimhnigh Larky ar Dick agus Dwain agus a laghad a rinne siad nuair a thug Katty faoi.

'An bhféadfainn a rá leat go raibh an cara sin a dhíol na

drugaí ar cheann de na francaigh sin a chonaic tú nuair a bhí
siabhránacht ort,' arsa an Súilleabhánach. Chuimhnigh Larky
ar Dick agus Dwain agus iad sna trithí gáire nuair a d'ionsaigh
cairde Adam Brady lena mbróga agus lena ndoirne é. Gheall
siad go mbainfidís díoltas amach ach ní dhearna siad tada.
Chuimhnigh sé ar a lán eachtraí eile.

'Tá gach aon seans ann go bhfuil sé amuigh ansin agus é
ag pléascadh gáire fút....'

Thacaigh a mháthair leis.

Bhuail cuthach feirge Larky. Chlaochlaigh a éadan. Las
solas buile ina shúile. Thosaigh a lámha ag crith le fonn
díoltais. 'Abair leis an nGarda teacht isteach. Inseoidh mé gach
focin rud dó. Gach focin rud!'

Tháinig an Garda agus d'inis Larky dó gurbh é Dick a dhíol
na drugaí leis agus gurbh é Jason a thug na drugaí dósan.

Ba ghearr go raibh dhá bharántas ag na Gardaí agus iad ar
lorg Dick agus Jason.

'Ní féidir leat briseadh isteach anseo gan bharántas!' arsa a
mháthair.

'Go maith! Is cosúil gur fhoghlaim tú rud éigin ó bheith ag
breathnú ar an teilifís,' arsa an sáirsint, agus thaispeáin sé an
barántas di. 'Cá bhfuil Dick agus Jason?'

'Tá Jason i mBaile Atha Cliath.'

'Áit mhór é Baile Átha Cliath. Cén seoladh atá aige?'

'Níl a fhios agam.'

'Ní chreidfinn focal uait.'

Thig an lug ar an lag ar Dick nuair a d'oscail siad doras a
sheomra. Bhí beart drugaí i bhfolach i mbróg faoina leaba.
Chuardaigh siad an áit. Ba bheag an mhoill a bhí orthu teacht
orthu. Chuaigh siad ag scrúdú an ríomhaire freisin agus
tháinig siad ar ábhar graosta air.

'Caithfimid é a thógáil linn go dtí an stáisiún lena scrúdú,' arsa an sáirsint. Tháinig athair Dick abhaile. Chuaigh sé le craobhacha ar fad.

'Níl aon chead agaibh an teach seo a chuardach. Gheobh-aidh mé sásamh asaibh ar ais nó ar éigean. Cothóidh mé clampar an domhain! Cuirfidh mé scéal chuig na Teachtaí Dála. Beidh scéal sna nuachtáin. Féachfaidh mé chuige go ruaigfear sibh go hIarthar Chiarraí nó go Tuaisceart Dhún na nGall.'

'Ar aghaidh leat!' arsa an sáirsint. 'Bí ag glaoch orthu! Ba bhreá liom na ceannlínte a fheiceáil — COIR DRUGAÍ CURTHA I LEITH BITHIÚNAIGH ÓIG. Beidh áthas an domhain ar na Teachtaí Dála cloisteáil faoi.'

Chuaigh Carmel isteach i seomra Mr Greenbaum agus aoibh ar a béal. D'inis sí dó gur mhian le tuismitheoirí Dysfunctional Dick labhairt leis ar an teileafón. 'Tá siad i stáisiún na nGardaí agus tá Dick gafa.'

'Abair leo go bhfuilimse imithe amach ach go n-inseoidh tú an scéal dom a luaithe agus a fhillfidh mé,' ar seisean. 'Feicfimid conas a thaitneoidh sé leis an gcac beag a bheith ag déanamh a chuid smaointe sa stáisiún.'

Faoin am ar thiomáin Mr Greenbaum go dtí an stáisiún bhí a chás féin ullmhaithe ag athair Dick. 'Ní mór an méid drugaí a fuarthas faoina leaba ar chor ar bith. Ní raibh ann ach slam beag a cheannaigh Richie dó féin. Níl ag na Gardaí ach focal Larky gurb eisean a thug na drugaí dó. Ní fhéadfaí muinín ar bith a chur in aon rud a déarfadh duine mar Larky. Amadán is ea é a bhíonn ag stealladh bréag ó mhaidin go hoíche. Ar aon nós ní fhéadfaí aon mhilleán a chur Richie bocht de bharr na rudaí a rinne Larky. Rud eile b'fhéidir nach raibh an barántas sínithe i gceart agus chuaigh na Gardaí thar fóir ar fad nuair a thóg siad an ríomhaire. Tá sé ar intinn againn cúiteamh a éileamh as ciapadh, gadaíocht, agus sárú príobháideachais.'

Chuaigh Mr Greenbaum chun cainte leis na Gardaí. Thaispeáin siad an barántas dó. Bhí gach rud i gceart.

'Thógamar an ríomhaire linn le féachaint an raibh aon rud air a chabhródh linn breith ar an soláthraí agus stop a chur le díol drugaí.'

Bhí gach rud go cruinn ceart ó thaobh an dlí de. D'inis siad rud eile dó. Bhí gaoth an fhocail faighte acu go raibh sé ar intinn ag Dick a dhul ag 'greadadh piteog'. B'amaideach an mhaise dó tabhairt faoi rud ar bith den sórt.

D'fhill an tUasal Greenbaum ar Dick agus ar a mhuintir. Chroith sé a cheann. 'Damnóidh an fhianaise thú cinnte. Tá tú i dtrioblóid má bhí buachaill i dtrioblóid riamh agus tá na Gardaí ag fanacht ar thástálacha le fáil amach an ionann na drugaí a chaith Larky agus na drugaí a bhí agat faoi do leaba.'

Ní aontódh na tuismitheoirí leis. 'Níl ag na Gardaí ach focal Larky gur dhíol sé na drugaí leis. Duine meabhairéalangach é. Beidh port eile aige amárach.'

Dúirt Dick go mbeadh port eile aige nuair a labhródh seisean leis.

Shuigh Mr Greenbaum siar ar a chathaoir agus chuir sé a mhéara siar trína chuid gruaige liath. 'Coir an-tromchúiseach is ea cur isteach ar fhinné. Tá tú i dtrioblóid go leor gan chur leis, agus beidh ort a mhíniú cá bhfuair sé na drugaí agus cén fáth ar mhian leis d'ainm a lua.'

'Ba mhian leis an mbastard a chraiceann a shábháil,' arsa a athair.

'Bheadh oraibh é sin a chruthú, rud a bheadh an-deacair.'

'Tá faitíos orm go mbeidh ort pléadáil ciontach agus braith ar thrócaire na cúirte. An bhfuil aon mhúinteoir ann a bheadh sásta labhairt ar do shon?

'Tá na múinteoirí go léir claonta ina choinne,' arsa a mháthair.

Dúirt Mr Greenbaum nárbh aon ionadh é sin nuair a bhí sé ag déanamh amach pictiúr faoi Quasimodo Codd agus múinteoirí eile.

Thit an lug ar an lag ar Dick.

Mhínigh Mr Greenbaum gur tháinig na Gardaí orthu ar a ríomhaire. Ba thrua é sin. Labhródh sé amach ar a shon sa chúirt, ach idir an dá linn mholfadh sé dóibh éirí as an gcás a bhí idir lámha acu in aghaidh na scoile. B'fhearr go mór dá bhféadfadh sé a rá gur aistrigh sé go scoil eile dá dheoin féin — agus rud eile — chaithfeadh sé comhoibriú leis na Gardaí agus a insint dóibh cé a thug na drugaí dó ar an gcéad dul síos, agus gan a thuilleadh trioblóide a tharraingt anuas air féin le *greadadh piteog* ná le rud ar bith den sórt. Agus rud eile fós, bheadh air fáil réidh leis an svaistice amaideach sin a bhí gearrtha ina chuid gruaige aige.

'Ach taitníonn sé liom.'

'Bíodh do rogha agat,' ar seisean agus é ag éirí óna chathaoir. 'Beidh am go leor agat ligean do do chuid gruaige fás nuair a bheidh tú faoi ghlas.'

D'iarr na tuismitheoirí air fanacht.

'Inis gach rud do na Gardaí,' arsa Mr Greenbaum, 'agus inis dóibh cé a dhíol na drugaí leat. Ansin má bhíonn dea-aoibh ar an ngiúistís b'fhéidir go scaoilfeadh sé saor thú ar promhadh — ach ní féidir liom aon rud a ghealladh faoi.'

'Fuair mé na drugaí i bhfolach i seanteach tréigthe,' arsa Dick.

'Sin bréag eile atá inste agat dom. Beidh scéal i bhfad níos fearr ná sin ag teastáil uait,' arsa Mr Greenbaum.

'Dúirt an duine a thug dom iad go mbrisfeadh sé mo chosa le blocanna coincréite dá luafainn a ainm. Mharódh sé mé.'

'Bíodh do rogha agat.'

D'fhág sé iad agus imní go leor orthu agus d'fhill sé ar a oifig.

Bhí ionadh ar Charmel nuair a shiúil sé isteach san oifig agus gáire mór ar a bhéal. D'fhiafraigh sí de an raibh scéal mór grinn aige.

'Tá, ach dar ndóigh tá sé sin faoi rún. Ní féidir liom aon rud a rá ach amháin go bhfuil mé cinnte go bhfuil Dia ann.'

Ba leor nod don eolach.

Chuir athair Dick glaoch ar Jason. Thosaigh seisean ag eascainí nuair a chuala sé an scéal. 'An raibh sé glan as a focin mheabhair ag cur na ndrugaí faoina leaba?'

Ní raibh siad ann ach ar feadh tamaillín go dtí go gcuirfeadh sé san ionad ceart iad.

'A Íosa, ach is focin deargamadán é! Cad atá ar an ríomhaire?'

'Níl a fhios agam.'

Bhí eagla ar Jason go mbeadh na Gardaí ag cúléisteacht leo. Gheall sé go mbeadh sé i dteagmháil leis agus mhúch sé a theileafón.

I gceann cúpla lá chonaic Dick go raibh duine éigin tar éis teileafón póca a chur isteach trí bhosca na litreach. Bhí uimhir ar bhileog leis. Dhiailigh Dick an uimhir agus d'fhreagair Jason. Thug sé bearradh gan sópa dó agus dúirt go raibh sé ar intinn aige filleadh oíche éigin agus slacht agus maise a chur ar a chúrsaí. Bhí roinnt rudaí le socrú aige freisin — bhí airgead le bailiú aige ó dhuine nó beirt agus sásamh le baint as na hamadáin bhéalscaoilte sin a d'inis dos na Gardaí go raibh siad ag scaoileadh piléar leis na buidéil sa mhainistir. B'iadsan foinse na trioblóide.

Shiúil Mr Putts isteach i seomra na múinteoirí ag am sosa. Bhí aoibh shásta ar a bhéal. Dúirt sé go raibh glaoch teileafóin faighte aige deich nóiméad roimhe sin ó phríomhoide na ceardscoile sa bhaile mór. Bhí eolas ag teastáil uaidh faoi Richie Murphy ar mhian leis clárú sa scoil. Bhí an cath buaite acu.

Ní raibh Bean Uí Ghallchóir sásta ná leathshásta. 'Is ar éigean ar tháinig muid slán ón gcath sin. Tá an cogadh fós ar siúl.'

'Deacracht amháin sa turas,' arsa Mr Putts, agus dúirt sé gur chruthaigh an cás go raibh ag éirí le córas na gcártaí dearga a bhí acu.

'Ní chruthaíonn sé tada den sórt!' arsa Bean Uí Ghallchóir go teasaí. 'Murach go bhfuil an bastard i dtrioblóid leis an dlí nó rud éigin mar sin bheadh sé ag siúl isteach an doras chugainn, gáire mór ar a bhéal aige agus é níos measa ná riamh.'

Ní raibh deireadh le tionchar Dick ar an scoil, áfach. Bhuail sé le Katty sa tsráid i gceann cúpla lá agus d'inis sé di gurbh iontach ar fad an scoil nua a bhí aige. Dar leis féin ní raibh faic le déanamh aige ach luí siar sa rang ag gáire agus ag scaoileadh bromanna. Chuaigh sí sna trithí gáire. Ansin d'inis sé di go mbeadh a dheartháir Jason ag filleadh abhaile agus go raibh sé ar intinn acu pláitíní a nglún a shéideadh de Chormac agus de Rós.

Ní dúirt Katty aon rud faoi ar an mbus ar maidin ach nuair a shroich siad an scoil chuir sí cogar i gcluais Chormaic agus Rós ag moladh dóibh árachas a fháil ar phláitíní a nglún. Chuaigh sceon tríothu agus bíodh gur lig siad nár chuir sé imní ar bith orthu bhí siad beagnach ag crith le huafás.

'Cad a dhéanfaimid?' arsa Cormac i gcogar le Rós.

Rinne sise machnamh. Bheadh siad slán sa scoil agus bhí tor-chorráin ag muintir Chormaic sa bhaile. B'fhéidir go gcaithfeadh sí an oíche ina theachsan. Bheadh sé ag dul léi go Coiste an Chróinéara an lá arna mhárach agus bheadh siad slán an lá sin freisin. Thairis sin ní raibh barúil ar bith aici cad a tharlódh.

Bhí Iníon de Paor beagnach as a ciall nuair a d'fhág sí an rang céad bhliana. Ní éisteodh siad le focal dá ndúirt sí ach iad ag caint agus ag achrann le chéile.

'A Íosa! Tiomáinfidh siad glan as mo chiall mé. Bheadh sé chomh maith agam bheith ag iarradh moncaithe a mhúineadh,' ar sise leis an Hipí.

'Tá siad agam féin agus mo shláinte á mhilleadh acu. Rachainn ar scor amárach dá mbeadh sé d'acmhainn agam é sin a dhéanamh.'

Thiomáin sí go dtí an baile mór agus chuaigh sí go gruagaire. Stíl nua iomlán a bhí uaithi agus dath fionn ina stríocaí tríd. D'fhéach sí uirthi féin sa scáthán nuair a bhí sé críochnaithe. Bhí a fhios aici nach ndéanfaí réalta scannán go deo di ach mheas sí féin nár fhéach sí go holc. D'íoc sí an t-airgead go sásta.

Chuaigh Rós go teach Chormaic an oíche sin chun an obair bhaile a dhéanamh. Bhí Gearóid imithe go cruinniú. Is ar éigean a bhí Cormac in ann aon rud a fhoghlaim le teann sceimhle agus nuair a chuaigh sé go dtí an leithreas, labhair Rós lena mháthair. Bhain sí gealladh aisti gan oiread agus focal a rá leis agus ansin d'inis sí an scéal go léir di. Bhí alltacht uirthi. Bhí a fhios aici go raibh rud éigin ag cur as dó ach ní raibh a fhios aici cad a bhí air.

'Bíodh ina rún,' ar sise. 'Féachfaidh mé cad is féidir a dhéanamh.' Chuir sí glaoch ar Mr Greenbaum.

'Um….' ar seisean. 'Ní féidir liom aon rud a rá ar an teileafón ach d'fhéadfá labhairt liom anseo i mo theachsa.'

'Cathain?'

'A luaithe agus is féidir.'

'An dtógfadh mé Rós liom?'

'Cinnte.'

I gceann cúpla nóiméad bhí an triúr acu ar a mbealach go dtí an baile mór.

Bhí ardghiúmar ar Dick. Bhí druga caite aige agus bhí aoibhneas ar a chroí. Shiúil sé síos an sráidbhaile. Chuir sé glaoch ar Jason. Bhí ardghiúmar ar a dheartháir freisin. Ní amháin go raibh druga tógtha aigesean ach bhí carr nua BMW ceannaithe aige 'Coupé gleoite de dhath lonrach niamhghorm! Bacóir gaoithe air agus gach oiriúint ann.'

Chonaic Dick an tAthair Plankton ag tiomáint thairis. Stop an carr agus chuaigh an sagart isteach i dteach.

'Is dócha go bhfuil sé ag dul le craiceann a bhualadh,' arsa Dick.

'Is mó an seans go bhfuil deoch uaidh,' arsa Jason. 'Bhí fear á rá liom go mbíodh sé ar meisce ó mhaidin go hoíche agus go mb'éigean dóibh é a ruaigeadh amach as an bparóiste.'

Phléasc Dick amach ag gáire.

'Feicfidh mé amárach thú agus réiteoimid do chara aerach.'

Chuir Dick a theileafón isteach ina phóca agus shiúil sé i dtreo an chairr. Ní raibh éinne ag féachaint. Thóg sé tairne as a phóca agus scríobh sé *Meisceoir agus péidifileach is ea Langton-Fisher* ar an doras ar thaobh an phaisinéara. Ní raibh éinne ag féachaint agus d'imigh sé leis sna trithí gáire. Níor chuimhin leis tada faoi nuair a dhúisigh sé ar maidin.

'Fáilte romhaibh isteach,' arsa Mr Greenbaum agus sheol sé Carmel, Rós agus Cormac isteach i bparlús mór. Mhínigh siad an scéal dó. Rinne sé machnamh ar feadh tamaillín.

'Bheadh sé an-deacair aon rud a chruthú sa chás sin,' ar seisean. 'Shéanfadh Katty go ndúirt sí aon rud agus fiú mura séanfadh sise é shéanfadh Dick an t-iomlán. Tá bealach eile le féachaint ar an scéal, áfach. Ní féidir liom aon rud a rá faoi Dick óir is é mo chliant é. Cás eile ar fad is ea Jason. Tá a fhios ag madraí na sráide gur aoibhinn leis na Gardaí labhairt leis. Níor mhaith liom aon rud a rá libh ach is é mo bharúil féin nach rachadh glaoch teileafóin ar strae — nó d'fhéadfadh sibh cuireadh a thabhairt don sáirsint cuairt a thabhairt orthu láithreach.'

Chuaigh gáire beag thar a bhéal. 'Fear bocht mé. Tá an saol ag dul crua orm. Tá fiacha troma orm. Ba mhór an tairbhe dom cliant nua a fháil.'

Ba leor nod don eolach agus chuir Carmel glaoch ar na Gardaí.

Ba bhreá le Rós ceist a chur ar Mr Greenbaum faoina dtarlódh ag an gcoiste cróinéara ach ní raibh sé de dhánaíocht inti aon rud a rá agus bhí uamhan an domhain uirthi go ndéarfadh sé go mbeadh sí á croscheistiú faoi mhionn. Ní dúirt sí tada.

Ba ghearr go raibh an sáirsint ag an doras.

'Caithfidh mé imeacht,' arsa Mr Greenbaum ag gáire. 'Ní féidir liom cur isteach ar chaidreamh idir ball den Gharda Síochána agus a chliant.'

Ba ar éigean ar chodail Rós néal an oíche roimh dhul go dtí an choiste cróinéara. Ní amháin go raibh sí trína chéile mar gheall ar an mbagairt a rinneadh uirthi ach bhí sí ag cur agus ag cúiteamh agus ag dul siar arís agus arís eile ar a bheadh le rá aici os comhair an cróinéara. Thit néal uirthi tamall roimh mhaidin. Thosaigh sí ag brionglóideach go raibh aturnae á croscheistiú gan trócaire ach dhúisigh sí agus í ag scréachaíl: 'Tá! Tá! Tá siad ciontach i ndúnmharú!' Chuaigh sí go dtí an leithreas agus chaith sí aníos a raibh ina bolg.

Bhí ag teip ar an Athair Plangton codladh na hoíche a fháil le tamall agus bhí sé dubh fós nuair a dhúisigh sé. Bhí a fhios aige go raibh air éirí ach bhí drogall air aghaidh a thabhairt ar an saol. Luigh sé ar a leaba go doilíosach ag déanamh a smaointe. Las sé an solas faoi dheireadh agus d'oscail sé a phortús ag iarraidh spréach bheag chreidimh a adhaint ina chroí. Ghearr sé fíor na croise air féin agus thosaigh sé ar an sailm cuiridh:

Gairdígí don Tiarna, a thíortha uile;
Fónaigí don Tiarna go lúcháireach.
Tagaigí ina láthair le hamhráin áthais.

D'fháisc na focail áthais an croí ann. Chuir sé uaidh an leabhar. Bhreac an lá agus ba ghruama an mhaidin í. Bhí scamaill dhorcha ag scinneadh go híseal os cionn na talún agus bhí dath liath gránna ar an tSionainn. Ó cheann ceann na hÉireann thosaigh busanna ag gluaiseacht ag seoladh daltaí chun a scoileanna agus bhí múinteoirí á n-ullmhú féin i gcomhair lae eile.

Bhí Dwain, Larky agus scata daltaí ina seasamh i mbláth-cheapach leathscriosta lasmuigh de dhoras na scoile. Bhí gais ghlasa chromchinn tar éis fás aníos os cionn na talún ach bhí na buachaillí ina seasamh orthu.

D'ordaigh Bean Uí Ghallchóir dóibh bogadh leo agus gan a bheith á milleadh. Shiúil siad go dtí an cosán ach a luaithe agus a bhí sí imithe d'fhill siad mar a raibh siad.

Bhí an chéad dá rang saor ag Iníon de Paor. Bhí an clog ag bualadh nuair a shroich sí an scoil. Bhí drogall an domhain uirthi lá eile a chaitheamh ag múineadh. Bhí sí ag siúl suas go dtí an doras nuair a chonaic sí cad a bhí scríofa ar charr an tsagairt. Chuir sé déistin uirthi. Bhí sé ar an sagart ab fhearr dár bhuail sí riamh leis, duine cneasta, agus múinteoir den scoth. Bhuail sí le Mr Potts sa Halla Tionóil agus d'inis sí an scéal dó.

'A Íosa, rud uafásach é sin,' ar seisean. 'Níl sé sin tuillte aige.' Dúirt sé go n-inseodh sé féin an scéal dó. Chuaigh sí isteach i seomra na múinteoirí. Chuimhnigh sí ar an rud a dúirt an dlíodóir, 'níl tada feicthe fós agaibh!'

'Á, foc san aer é mar scéal!' ar sise léi féin. Thóg sí uimhir theileafóin as a mála agus chuir sí glaoch ar chomhlacht i mBaile Átha Cliath a raibh bainisteoir uathu.

Bhí an tAthair Plankton ag múineadh ranga nuair a chuir Mr Putts a cheann isteach an doras. D'inis sé i gcogar dó gur mhaith leis labhairt leis. Chuaigh Plankton amach an doras agus dhún Potts é.

'Rinne cac éigin — más ceadmhach dom an téarma a lua — damáiste do do charrsa. Tá rudaí an-ghránna scríofa fút ar an ndoras. Breathnóidh mé i ndiaidh do ranga más mian leat é a thabhairt go dtí an garáiste.'

Thit an lug ar an lag ar an sagart nuair a léigh sé an teachtaireacht. Buille na tubaiste ar fad a bhí ann dó. Bhris sé a chroí go mbeadh an oiread sin fuatha ag duine ar bith dó. Ba léir anois go raibh fios ag an té sin go raibh sé ina alcólach agus nach fada go mbeadh an scéal ag madraí na sráide. Shuigh sé isteach sa charr agus ba bheag nár phléasc sé amach ag gol. Bhí dhá bhliain go leith caite aige gan oiread agus braon a ól agus b'in a bhí aige dá bharr. Cé a chonaic an scríbhinn ar maidin? Bheadh an scéal ar fud na scoile gan mhoill. Chosnódh sé a lán airgid an doras a chur ina cheart agus bheadh lucht an gharáiste ag briseadh a gcroí ag gáire faoi.

Thiomáin sé go dtí an garáiste. Cara leis ab ea an t-úinéir agus gheall sé go gcuirfeadh sé an carr ina ceart gan mhoill. Thug sé carr eile ar iasacht dó agus thiomáin sé ar ais ar scoil. Ní raibh uaidh ach buidéal uisce beatha a cheannach agus é a dhiúgadh. Bhí an clog buailte nuair a shroich sé an scoil agus bhí a rang thart. Chuaigh sé go seomra na múinteoirí.

'Cad iad na hiontaisí nua atá foilsithe ag Dia dúinn inniu?' arsa an Hipí leis nuair a shiúil sé isteach an doras.

'Cén fáth nach dtéann tú suas ort féin?' arsa an sagart.

Thit an lug ar an lag ag an Hipí. Ba bhreá leis a bheith ag spochadh as daoine ach níor mhian leis a leithéid sin d'olc a chur ar éinne dá chomhghleacaithe. Bhailigh an sagart a roinnt leabhar agus chuaigh sé abhaile. Shuigh sé síos agus bhris sé a chroí ag gol.

D'aithin Cormac go raibh Rós tinn a luaithe agus a leag sé súil uirthi. Rug sé ar láimh uirthi agus gheall sé di go mbeadh sí ceart go leor. Chuaigh sé léi agus lena muintir go dtí an baile mór agus isteach san áras mór ina mbeadh an coiste cróinéara ina suí. Tháinig uamhan an domhain uirthi agus í ag siúl isteach an doras. B'éigean di rith go dtí an leithreas áit ar chaith sí aníos arís. Bhí lí an bháis uirthi agus í ag siúl isteach sa halla.

Bhailigh na daoine. Shuigh an cróinéir. Thug an paiteolaí fianaise ag míniú bhás na beirte. Tháinig saineolaí de chuid an Gharda ansin agus mhínigh sé gur thosaigh an tine sa tolg sa chistin agus an chaoi ar leath sí ar fud na cistine, amach sa halla agus suas an staighre. Bhí Rós ag crith le heagla nuair a glaodh uirthi. D'fháisc Cormac a láimh agus gheall sé di go mbeadh sí ceart go leor. Shiúil sí suas agus uamhan an domhain uirthi. Labhair an cróinéir go cneasta léi agus d'iarr sé uirthi a insint cad a tharla oíche na tubaiste. Chuir sé cúpla ceist uirthi ar mhionphointí agus dúirt sé go bhféadfadh sí suí síos.

'Beidh an croscheistiú ar ball,' ar sise le Cormac. Thug a hathair, a máthair agus a deartháireacha fianaise. Ghabh an cróinéir buíochas leo agus chuir sé roinnt ceisteanna éagsúla orthu agus ar na saineolaithe. Ba léir gur bás de thoradh timpiste a bhí ann. Ghabh an cróinéir buíochas leo agus rinne comhbhrón leis an teaghlach. Shiúil Rós amach as an seomra, bhí ualach mór trom tógtha dá haigne agus is ar éigin ar fhéad sí a chreidiúint go raibh sé fíor.

Lean an sagart air ag troid in aghaidh an éadóchais agus an óil go meán lae. Ghéill sé ansin. Bhain sé de an chrois agus an slabhra óir a bhí timpeall a mhuiníl agus chuir sé gnáthéadaigh air féin. Scríobh sé nóta ag gabháil buíochais leis na daoine cneasta a chuidigh leis agus ag rá nach bhféadfadh sé leanúint ar aghaidh níos faide. D'fhéach sé ina vallait agus bhí go leor airgid ann. Amach leis ansin go dtí an carr agus thosaigh sé ag tiomáint ó thuaidh go baile beag cois na habhann 25 míle uaidh, áit nach n-aithneodh duine ar bith é. Bhí sé ag clagarnach báistí agus é ag imeacht leis.

'A Dhia, más ann duit, tar i gcabhair orm,

Léirigh do chumhacht agus cruthaigh dom go bhfuil tú ann,' ar seisean agus é ag imeacht leis suas an bóthar. Dúirt sé an phaidir arís agus arís eile ach níor tháinig aon chabhair chuige. Bhí a fhios aige nach bhféadfadh sé éirí as an ól nuair a thosódh sé ach bhí a aigne socair. Shlogfadh uisce ciúin dorcha na Sionainne é. Bheadh deireadh lena chéasadh.

Shroich sé an baile beag áit ar pháirceáil sé a charr ar an gcé. Isteach leis i dteach tábhairne. Bhí slua daoine istigh ag ithe agus ag ól agus an áit lán de ghleo. Suas leis go dtí an cuntar. Bhí déithe nua aige anois. Déithe an óil, na díchuimhne agus an bháis. Bhí na freastalaithe gnóthach.

'Jameson dúbailte agus pionta Guinness le do thoil,' ar seisean de bhéic. Luasc sé a lámh ach bhí an freastalaí ag féachaint an bealach eile.

'Cén chaoi a bhfuil tú, a Athair?' arsa fear laistiar de agus thapáil sé a ghualainn. D'fhéach an sagart timpeall. A sheanchara an Dr Huntington a bhí ann. B'fhearr leis an sioc agus an sneachta ná é a fheiceáil ann. Mheas an sagart nár chuala sé é ach bhí gach rud cloiste aige.

'Cén chaoi a bhfuil tú ar chor ar bith'? arsa an dochtúir agus aoibh mhór gáire ar a bhéal agus d'fhiafraigh de an raibh an *Steak and Kidney Special* uaidh.

Dúirt an sagart rud éigin nár thuig a chompánach go hiomlán ach shíl sé gurbh é a bhí uaidh.

'Beidh dhá *Special* agus dhá mhuga mhóra caife againn!' arsa an dochtúir de bhéic leis an freastalaí agus chas sé i dtreo a chompánaigh.

'Murach gur thug mé an t-ordú anois bheimis anseo go maidin,' agus d'iarr air bogadh anonn go clúid mar a bhféadfaidís a bheith ag caint.

Shuigh siad síos agus d'fhiafraigh an dochtúir de an raibh sé fós ag fanacht glan amach ón ól.

'Tá, ach is ar éigean é,' arsa an sagart agus chonaic an dochtúir láithreach go raibh an spórt agus an greann go léir imithe as. Chuir sé roinnt ceisteanna air agus dá mhéid a chuala sé ba mhó a mhéadaigh an imní a bhí air faoi. Lean siad ar aghaidh ag caint agus faoi dheireadh chuir an dochtúir ceist dhíreach air: 'Ar smaoinigh tú riamh ar dheireadh a chur leis go léir?'

'Nach smaoiníonn gach éinne air anois agus arís,' arsa an sagart.

'Ar smaoinigh tú riamh ar nóta a scríobh?'

Níor fhreagair an sagart ach ba leor nod don eolach. D'inis sé dó faoina raibh scríofa ar dhoras a chairr.

'Caithfidh mé éirí as bheith i mo shagart. Tá an creideamh caillte agam.'

'Cad é an uair dheireanach a ndúirt tú paidir?'

'Ar maidin.'

'Níl do chreideamh caillte agat ná baol air. Ní péidifileach thú ach oiread agus dá mbeadh ar gach sagart a bhí ar meisce riamh éirí as an tsagartacht ní bheadh duine acu fágtha.'

Theip air dul i gcion ar an sagart.

'Tá teipthe orm mar shagart agus mar dhuine.'

'Sagart den scoth thú, a Sheáin, ach feictear domsa go bhfuil dúlagar an-domhain go deo ort,' arsa an dochtúir.

Thug an ráiteas sin léargas éigin don sagart ar dhorchadas a shaoil.

'Níor smaoinigh mé riamh air sin,' ar seisean. Bhí sé ag déileáil le daoine gach lá a raibh an galar dubhach orthu ach níor shamhlaigh sé riamh go mbeadh sé air féin.

'Is beag duine nach n-éalaíonn uaidh uair éigin i gcaitheamh a shaoil,' arsa an dochtúir. 'Feictear domsa go bhfuil saoire bheag ag teastáil uait agus réim mhaith chógais.'

'Ní dhéanfadh sé sin puinn difríochta. Beidh orm éirí as bheith im' shagart. Tá teipthe orm.'

'Comhartha eile an dúlagair é sin,' arsa an dochtúir agus ní ghlacfadh le haon leithscéal uaidh. Thóg sé amach leabhrán óna phóca thosaigh sé ag scríobh.

'Sin teastas do Mr Putts agus scríobhfaidh mé ceann eile don easpag. Féadfaidh tú fanacht liomsa go dtí go mbeidh biseach ort.'

Rinne an sagart argóint ach ní éistfeadh an dochtúir leis. Thóg sé amach a theileafón póca agus chuir sé glaoch chun na scoile ag rá go raibh sé tinn is nach mbeadh sé ag filleadh go ceann tamaill.

Lean siad orthu ag caint gur tháinig an freastalaí agus gur thug sé an dá phióg dóibh agus an dá mhuga caife.

'Go hálainn!' arsa an dochtúir nuair a bhlais sé an phíog. 'Bhí mé ag tiomáint thar an mbaile nuair a tháinig dúil mhillteach i bpióg stéige agus duán mar a bheadh splanc chugam!' agus phléasc sé amach ag gáire. 'Níl focal éithigh á rá agam — bhí sé mar a bheadh inmheabhrú hiopnóiseach ann — ach nach ndearnadh hiopnóis orm riamh.' Rinne sé gáire ansin agus chuir sé aguisín leis 'go bhfios dom.'

'Is aisteach iad bealaí Dé,' arsa an sagart. 'Sheol Sé anseo thú le bualadh liom.'

'Níor chuir,' arsa an dochtúir nár chreid focal de. 'Nár inis mé duit gur tháinig mé anseo chun ceann de na píóga sin a fháil.' Bhí barúil eile aige faoin scéal, áfach, nuair a chonaic sé carr an tsagairt páirceáilte ar an gcé agus é ullamh lena thiomáint isteach san abhainn.

Bhí ríméad ar Dick nuair a chonaic sé Jason ina chairrín spóirt gorm lasmuigh den Ghairmscoil sa bhaile mór. Shuigh sé isteach ann agus chroith sé lámh chuig a chairde.

'Tá sí cúláilte,' ar seisean le Jason agus chas sé suas an ceol. Chuir Jason a chois go hurlár agus réab an carr leis síos an tsráid agus gach aon *drom! drom! drom!* ó na drumaí ag pléascadh amach trí na fuinneoga dúnta. Lig Dick béic fhiáin as agus thiomáin Jason trasna an chontae mar a dhéanfadh gealt. Nuair a shroich siad an sráidbhaile bhí na daltaí scoile ag siúl abhaile ón mbus. D'oscail Dick an fhuinneog le go gcloisfeadh gach éinne an ceol. Murach go ndearna, ní dócha go mbreathnódh Rós i dtreo an chairr ar chor ar bith. Chonaic sí é agus strainc mhór gháire ar a bhéal. Bhí sí cinnte go gcaithfeadh sé gurb é Jason a bhí ag tiomáint. Ghlaoigh sí ar na Gardaí. Bhí carr patróil sa chomharsanacht.

'Níl anseo ach ciapadh!' arsa Jason. 'Beidh barántas uait chun mo charr a scrúdú.'

'Ciapfaidh mise thú!' arsa an sáirsint agus fuair siad lear mór drugaí i bhfolach faoi shuíochán an phaisinéara.

'Chaithfeadh sé gur chuir duine éigin ansin iad chun mé a sháinniú!' arsa Jason agus dúirt sé go raibh sé de cheart aige glaoch ar a dhlíodóir.

'Bhí an ceart agat,' arsa Carmel ag gáire agus í ag siúl isteach in oifig Mr Greenbaum le caife agus brioscaí dó. 'Is cosúil go bhfuil cúrsaí gnó ag dul i bhfeabhas!'

Chuaigh sé go stáisiún na nGardaí áit a raibh Jason agus Dick á gcoinneáil. Bhí imní orthu faoi na drugaí ach níor thada é sin i gcomparáid leis an bhfaitíos a bhí orthu nuair a thóg na Gardaí doirse an chairr ó chéile.

Bhí Rós ag déanamh a cuid obair bhaile le Cormac nuair a

thug an sáirsint cuairt ar an teach. Sheol Carmel isteach é. Bhí siad tar éis teacht ar ghunna i mála plaisteach i bhfolach i ndoras deis an chairr. Bhí grianghraif Chormaic, Rós agus Iníon de Paor istigh leis maraon le beart airgid, agus a seoltaí. Ar chúl gach grianghraif díobh bhí scríofa 'Bain taitneamh as na plaitíní glúine a shéideadh,' agus bhí nóta ar chúl ghrianghraif Chormaic ag insint go mbíodh sé ar an mbóthar lasmuigh dá theach ag 8.10 gach maidin.

Chuaigh sceon agus uafás tríothu mar a dhéanfadh sleá.

D'fháisc Carmel Cormac agus Rós lena croí agus ghabh buíochas le Dia gur tháinig siad slán. Murach Rós bheidís réidh.

'Ba iad paidreacha Charmel a shábháil sibh,' arsa Gearóid nuair a tháinig sé isteach. Rinne sé a dhícheall iad a chur ar a suaimhneas bíodh is go raibh sé corraithe go mór. Níor éirigh go maith lena iarrachtaí.

'Cad faoin lá a chaitheamh i mBaile Átha Cliath ag ceiliúradh an chaoi ar tháinig sibh slán?' ar seisean faoi dheireadh.

'Ní fhéadfainn,' arsa Rós. 'Tá an t-uafás rudaí le socrú sa teach agam.'

Bhí a fhios ag Cormac gur ghanntanas airgid a bhí ag cur isteach uirthi.

'Tar linn. Íocfaidh na tuismitheoirí as gach rud,' ar seisean i gcogar léi.

B'in scéal eile ar fad.

'Ceannaigh bronntanas do Rós,' arsa Carmel le Cormac ar maidin agus shín sí slam nótaí €50 chuige. 'Tá sé tuillte aici.'

Ní dheachaigh Iníon de Paor ar scoil ar maidin ach oiread. Bhí agallamh socraithe aici i mBaile Átha Cliath. Shiúil Mr Putts isteach i seomra na múinteoirí roimh an gcéad rang agus d'inis sé an nuacht faoi Jason dóibh. Bhí alltacht orthu.

'Cá bhfios nach raibh conradh déanta ag Jason le scabhaitéir éigin eile agus go bhfuilimidne ar an liosta?' arsa an Dr Woods.

Bhain sé sin stad as Mr Putts. Ní raibh de fhreagra aige ach go raibh Jason faoi ghlas agus go mbeadh sé amhlaidh go ceann i bhfad. Ansin tháinig fáthadh an gháire ar a bhéal. 'Tá súil le Dia agam nach bhfuil conradh eile déanta aige mar beidh m'ainmse ar bharr an liosta de bharr Dick a ruaigeadh amach as an scoil.'

'Táim chun glaoch a chur ar an gceardchumann sa tráthnóna,' arsa an Hipí le Bean Uí Ghallchóir. 'Iarrfaidh mé orthu na socruithe a dhéanamh le go rachaidh mé ar scor. Ní fhéadfainn bliain eile a chaitheamh ag sclábhaíocht sa charcair seo.'

Maidin fuar álainn a bhí ann agus an ghrian ag taitneamh ó spéir ghorm. Bhí fonn breá ar Rós, ar Chormac agus ar a thuismitheoirí agus iad ag dul go Baile Átha Cliath. Chuaigh Cormac agus Rós ag siopadóireacht. Isteach leo i siopa seodóra a raibh díolachán ar siúl ann. D'fhéach siad ar na fáinní. Chonaic sé fáinne a raibh saifír mhór ina lár. Ba ghleoite an fáinne é. Shín an cailín chucu é.

'Téann sé go breá le dath gorm do shúl,' ar seisean i gcogar le Rós.

D'ardaigh sí an fáinne go bhfeicfeadh sí an tsaifír agus a súile sa scáthán. Rinne sí meangadh gáire. Bhí an ceart aige. Cheannaigh sé é. Chuir sé ar a méar é ag cogarnaíl gurb ise an cara ab fhearr a bhí aige riamh is a bheadh aige go deo. Theann sí lena croí é agus phóg sí é le teann aoibhnis agus gliondair.

Bhí siad ag siúl go haerach síos Sráid Grafton nuair a chonaic siad Iníon de Paor agus aoibh mhór gháire ar a béal.

'Ha ha! Rugamar ort agus tú ag greadadh leat go Baile Átha Cliath nuair ba cheart duit a bheith ar scoil' arsa Cormac, agus d'ardaigh sé lámh Rós go bhfeicfeadh sí an fáinne.

'Bhí mé ag agallamh,' ar sise. 'Tá post faighte agam. Táim ag éirí as an múinteoireacht.' Bhí gliondar uirthise freisin.

Ghuigh siad gach rath uirthi.

'Deir mo mháthair gur chóir don triúr againn a bheith ar ár nglúine ag gabháil buíochais do Dhia go bhfuil pláitíní glún againn fós,' arsa Cormac. Gháir an triúr acu.

D'airigh Cormac boladh caife rósta agus chuaigh sé féin agus Rós go proinnteach chun taosráin agus cappuccino a cheannach. Ní raibh mórán istigh. Shiúil an bheirt acu suas go dtí an cuntar.

'An bhfuil na taosráin seo úr?' ar seisean agus aoibh mhór ar a bhéal.

Bean mheánaosta a bhí laistiar den chuntar. D'aithin sí an gliondar a bhí i gcroí na beirte. Thaitin siad araon léi, go mór mór Cormac agus an gáire mór gléigeal a bhí ar a bhéal. Rinne sí meangadh gáire leis agus dúirt go raibh siad tagtha te bruite ón mbácús leathuair an chloig roimhe sin.

'Go maith. Ócáid mhór í seo agamsa agus ag Rós. Táimid ag ceiliúradh agus ní oirfeadh aon seantaosrán don ócáid,' ar seisean.

Rinne an bhean chóir gáire. Chreid sí nach raibh níos mó ná ceithre bliana déag slán ag ceachtar acu. Gheall sí go dtabharfadh siad an dá cappuccino agus na taosráin chucu. Shuigh an bheirt acu síos áit a bhféadfadh siad na daoine a fheiceáil ag siúl sa tsráid.

'Cogar, nár chóir daoibhse a bheith ar scoil?' ar sise nuair a tháinig sí lena raibh ordaithe acu.

'Táimid ag ceiliúradh,' arsa Cormac agus d'ardaigh sé lámh

Rós chun go bhfeicfeadh sí an fáinne. 'Ise mo chumann go deo.'

'Cathain a bpósfaidh sibh, más ea?' ar sise agus in ainneoin an mheangtha gáire a bhí ar a béal bhí sí tógtha go mór leis an scéal.

'Ní bheimid ag pósadh ach beimid inár gcairde go deo,' ar seisean agus d'inis sé di faoi iarracht Jason piléir a chur trí phláitíní a nglún.

'Feicfidh tú sna páipéir é,' arsa Rós.

'Táimid chun an lá seo a cheiliúradh gach bliain,' ar seisean. Gheall siad araon di gur mar sin a bheadh an scéal go lá a mbás.

Rinne sise meangadh gáire. 'Grá go Deo,' ar sise agus ghuigh sí go bhfágfadh Dia a lúcháir acu agus an cion a bhí acu dá chéile.

Gealach

Seán Mac Mathúna

€9 bog/pbk;136 lgh/pages
ISBN 978-0-898332-63-6

Ar fheirm mhuintir La Tour tá Gealach, ceann de na capaill ráis is fearr i gCeanada. Agus í á tabhairt i mbád trasna an chuain titeann Gealach san fharraige agus imíonn sí as radharc sa cheo. Ní chreidfidh an cúpla, Jack agus Liz, go bhfuil sí báite, agus téann siad ar a tóir. Ach tá an t-am ag sleamhnú: tá fiacha ar an bhfeirm agus, gan Gealach, caillfidh siad gach a bhfuil acu. Tá searrach á iompar ag Gealach agus má tá sí fós beo, caithfidh siad teacht uirthi go tapa!

An Chéad
Duais,
Oireachtas
2010

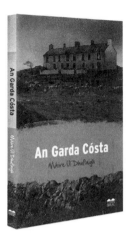

An Garda Cósta

Máire Uí Dhufaigh

€9 bog/pbk; 120 lch/pages
ISBN 978-0-898332-62-9

In Oileán na Leice, ar chósta thiar na
hÉireann, níl ag déanamh imní do Chaitríona
ach cén chaoi a gcaithfidh sí féin is a cairde
laethanta fada an tsamhraidh — agus cén
chaoi a meallfaidh sí Séamas Jim, dár ndóigh.
Nuair a thugann siad cuairt oíche ar shean-
stáisiún an Gharda Cósta tá caint ar thaibhsí,
ach níl ann ach spraoi, nó go dtarlaíonn rud
éigin uafásach a chuireann saol Chaitríona
agus a cairde in aimhréidh.

An Chéad
Duais,
Oireachtas
2011